Das Buch

»Hoch lebe die Sternenrepublik!« rufen die Honoratioren des kleinen sizilianischen Städtchens, als 1943 die ersten amerikanischen Soldaten eintreffen. Genauso haben sie vorher den Duce bejubelt. Viele von den Befreiern sind ausgewanderte Italiener, werfen aber jetzt mit *Chewing-gum* und englischen Brocken nur so um sich. Auch Care-Pakete treffen bald ein, und schließlich folgt die »Tante aus Amerika«, die sie geschickt hat, persönlich. Reich ist sie geworden in Brooklyn, und ihre hübsche Tochter ist für die jungen Leute im Dorf das Ziel aller Sehnsüchte. Aber die Enttäuschungen bleiben nicht aus. Auch die Landung der Amerikaner macht das Leben für die einfachen Menschen nicht leichter. Die Ideologien, mit denen das Volk in die Irre geführt wird, wechseln wie Sonne und Regen, aber »die da oben« bleiben immer dieselben. Die Faschisten sind nicht besser als die Bourbonen, und die Mafia herrscht in Brooklyn genauso wie auf Sizilien.

Der Autor

Leonardo Sciascia wurde am 8. Januar 1921 in Racalmuto auf Sizilien geboren. Bis 1957 Volksschullehrer in seiner Geburtsstadt. Seither freier Schriftsteller und zeitweilig Parlamentsabgeordneter. Wichtige Werke: ›Der Tag der Eule‹ (1961; dt. 1964), ›Der Abbé als Fälscher‹ (1963; dt. 1967), ›Tote auf Bestellung‹ (1966; dt. 1968), ›Tote Richter reden nicht‹ (1971; dt. 1974), ›Todo modo‹ (1974; dt. 1977), ›Aufzug der Erinnerung‹ (1981; dt. 1984), ›Das Hexengericht‹ (1986; dt. 1986).

Leonardo Sciascia:
Sizilianische Verwandtschaft
Vier Erzählungen

Mit einem Nachwort von Nino Erné
Deutsch von Caesar Rymarowicz
und Nino Erné

Deutscher
Taschenbuch
Verlag

Von Leonardo Sciascia
sind im Deutschen Taschenbuch Verlag erschienen:
Der Tag der Eule (10731)
Tote auf Bestellung (10800)
Tote Richter reden nicht (10892)
Das Hexengericht (10964)

Lizenzausgabe
1. Auflage Juni 1989
Deutscher Taschenbuch Verlag GmbH & Co. KG,
München
Mit freundlicher Genehmigung des C. Bertelsmann
Verlags GmbH, München
© 1960 Giulio Einaudi editore S. p. A., Mailand
Titel der italienischen Originalausgabe:
›Gli zii di Sicilia‹
Der Abdruck der Übersetzung, die Caesar Rymarowicz
für die Erzählungen ›Die Tante aus Amerika‹,
›Antimon‹ und ›Das Jahr achtundvierzig‹ besorgte,
erfolgt mit freundlicher Genehmigung des Verlags
Volk und Welt, Berlin (DDR), der diese Erzählungen
1964 unter dem Titel ›Die Tante aus Amerika‹
veröffentlichte.
© 1980 der deutschsprachigen Ausgabe:
Verlag Steinhausen GmbH, München
ISBN 3-8205-0455-9
Umschlaggestaltung: Celestino Piatti
Gesamtherstellung: C. H. Beck'sche Buchdruckerei,
Nördlingen
Printed in Germany · ISBN 3-423-11082-1
1 2 3 4 5 6 · 94 93 92 91 90 89

Inhalt

Die Tante aus Amerika 7

Stalins Tod 59

Das Jahr achtundvierzig 93

Antimon 163

Nachwort von Nino Erné 227

Die Tante
aus
Amerika

Um drei Uhr nachmittags hörte ich Filippo auf der Straße pfeifen. Ich stürzte ans Fenster. Er schrie: »Sie kommen!« Ich rannte die Treppe hinunter, meine Mutter rief mir etwas nach.

Die im Sonnenglast flimmernde Straße war menschenleer. Filippo stand halb versteckt im Eingang des Hauses gegenüber. Er erzählte mir, der Bürgermeister, der Erzpriester und der Polizeiwachtmeister seien auf dem Marktplatz und erwarteten die Amerikaner. Ein Bauer habe ihm mitgeteilt, sie kämen, sie seien schon an der Brücke des Canalotto.

Statt dessen waren auf dem Platz zwei Deutsche. Eine Landkarte lag vor ihnen ausgebreitet auf dem Boden. Der eine zog darauf mit dem Bleistift eine Straße nach, nannte einen Namen und blickte zu dem Polizeiwachtmeister auf, der bestätigend nickte. »Ja, es stimmt.« Dann falteten sie die Landkarte zusammen und schritten auf die Kirche zu. Dort stand unter dem Bogengang ein mit Mandelzweigen getarntes Auto. Sie holten einen Laib Brot und Schinken heraus und verlangten Wein. Der Wachtmeister schickte einen Carabiniere ins Haus des Erzpriesters nach einer Flasche Wein. Die beiden Deutschen kauten bedächtig, die anderen saßen indessen wie auf Kohlen; Angst und Ungeduld plagten sie dermaßen, daß sich der Erzpriester sogar entschloß, die Flasche Wein zu opfern. Die Deutschen aßen, tranken die Flasche leer und steckten sich Zigarren in den Mund. Dann fuhren sie ohne Gruß davon. Jetzt erst entdeckte der Polizeiwachtmeister uns beide, er schrie, wir sollten verschwinden, und holte drohend zu einem Fußtritt aus.

Keine Amerikaner also. Es waren Deutsche, wer weiß, wann die Amerikaner kommen würden. Um uns dafür zu entschädigen, gingen wir zum Friedhof. Er lag auf einer Anhöhe. Von dort konnten wir gut beobachten, wie doppelschwänzige Maschinen im Sturzflug auf die Straße von Montedoro zubrausten und wieder zum Himmel aufstiegen, derweil auf der Chaussee schwarze Rauchpilze emporschossen; dann vernahmen wir ein dumpfes Knallen, als ob Fässer barsten. Lastkraftwagen blieben ausgebrannt auf der Straße zurück, Stille breitete sich aus. Und dann kamen die Doppelschwänzigen wieder und zerrissen sie von neuem durch Detonationen. Ein herrlicher Anblick war es, zu sehen, wie sie zur Chaussee niedersausten und gleich darauf wieder in die Lüfte klommen. Ab und zu kreisten sie im Tiefflug über uns, und wir fuchtelten mit den Armen, um den Amerikaner zu grüßen, denn wir glaubten, daß er uns beobachtete. Aber noch am selben Abend wurden ein Kutscher mit zerfetztem Bauch und ein Junge in unserem Alter mit verletztem Oberschenkel ins Dorf getragen. Sie hatten gewinkt, und der mit den zwei Schwänzen hatte mit MG-Feuerstößen geantwortet. Zielschießen veranstalteten sie, diese Doppelschwänzigen. Sie schossen auch auf Getreidehaufen und auf die Rinder, die auf den Stoppelfeldern weideten. Am nächsten Tage ging ich mit Filippo aufs Feld, wo der Kutscher getroffen worden war. Patronenhülsen lagen da herum, so groß etwa wie die vom Kaliber zwölf meines Vaters. Wir stopften uns damit die Taschen voll. Das ganze Land gehörte uns, still war es und schön anzusehen. Die Bauern konnten das Dorf nicht verlassen, da die Straßen von Militär blockiert waren. Wir benutzten einen Ziegenpfad. Er führte uns zu einer Steingrube und dann aufs freie Feld. An Obst gab es schon Mandeln mit harter grüner Schale, innen weiß wie Milch – sie heißen bei uns geronnene Mandeln –, und Maipflaumen, bei denen sich uns der Mund zusammenzog, denn sie waren noch grün und sauer. Wir pflückten, soviel wir tragen konnten, und vertrieben sie dann unter den Soldaten, von denen wir als Entgelt die »Milit« erhielten. Die »Milit« bildeten die große Quelle unseres Reichtums, ein ganzes Jahr lang nutzten wir sie, ohne sie auszuschöpfen. Die Männer rauchten in jener Zeit alles. Mein Onkel hatte es mit Weinblättern versucht, die mit Wein beträufelt und im Ofen gedörrt wurden, mit Blättern des Eierapfels, die mit Honig und Wein bespritzt und in der Sonne getrocknet wurden, auch mit Artischockenwurzeln, die man in Wein laugte und dann buk.

Doch er war bereit, für eine »Milit« sogar eine halbe Lira zu zahlen. Ich setzte zuerst den Preis fest, verlangte eine Anzahlung und gab dann die Tagesration von zwei oder drei Zigaretten heraus. Abends wollten sie das Geld wiederhaben und suchten nach mehr Zigaretten. Ich tat, als schliefe ich, und sah, daß sie meine Sachen durchschnüffelten und in den Taschen wühlten. Aber sie fanden nie etwas, ich sorgte vor, indem ich immer alles bis auf den letzten Soldo ausgab, bevor ich nach Hause ging. Und wenn ich noch Zigaretten übrig hatte, dann versteckte ich sie im Schirmständer, sobald ich die Wohnung betrat. Keiner wollte es mit mir verderben, eben jener Zigaretten wegen, die ich meinem Onkel verschaffte. Wenn sich mein Vater über meine Wuchermanieren empörte, besänftigte ihn der Onkel, da er fürchtete, der Handel könnte gänzlich versiegen. Mein Onkel pflegte in der Stube auf und ab zu wandeln und zu jammern: »Ich sterbe, wenn ich nichts zu rauchen bekomme«, sah mich dann haßerfüllt an und fragte schließlich ganz freundlich, ob ich nicht eine »Milit« hätte. Einmal gab mir ein Soldat, der aus Zara kam, eine ganze Packung »Serraglio« für zwei Eier, die ich zu Hause gestohlen hatte. Mein Onkel zahlte dafür zwölf Lire. Am Abend hatte ich keinen Soldo mehr, und mein Vater wollte mich umbringen, aber mein Onkel nahm mich in Schutz. Er war dazu gezwungen, sonst hätte er am nächsten Tag nicht einmal nach dem Gerstenkaffee eine Zigarette gehabt, wenn ihn das Verlangen danach am meisten plagte. Seit die Glocken Alarm geläutet hatten und uns von der Straße her zugerufen worden war, die Amerikaner seien schon in Gela, war mein Onkel wie ein Wahnsinniger, und ich setzte den Preis für eine »Milit« auf eine Lira herauf. Am dritten Tage des Alarmzustands sagte der Schuldiener im Vorbeigehen zu meinem Onkel, der gerade am Fenster stand: »Wir haben sie zurückgeworfen, bei Favarotta haben die Deutschen angegriffen, es hat ein Gemetzel gegeben«, und mein Onkel drehte sich um und schrie: »Zwischen dem Sand und dem Meer, wie der Duce es gesagt hat, zwischen dem Sand und dem Meer!« Und er erklärte, er werde nicht mehr als eine halbe Lira pro Zigarette zahlen. Aber die Nachricht war ein Gerücht, und am Abend war der Kurs von einer Lira wiederhergestellt.

Filippo verkaufte die Zigaretten seinem Bruder, auch dem

Kellner im Klub der Adligen, der sie dann an einige Mitglieder mit Gewinn wieder abstieß. Um das Geld spielten wir mit anderen Jungen Klimpern oder Kopf und Zahl, kauften uns einen süßlichen Johannisbrotbrei, und außerdem gab es jeden Abend Kino. Filippo bewies eine besondere Geschicklichkeit im Spucken. Auf zehn Schritt Entfernung traf er ein Zweisoldistück oder die Schnauze einer sich sonnenden Katze oder die Tabakpfeifen der Alten, die schwatzend vor dem Klub für gegenseitige Hilfe hockten. Ich verfehlte das Ziel gut um eine Handbreit, aber im Kino machte das nichts aus, da konnte nichts danebengehen. Es war ein altes Theatergebäude, und wir stiegen immer auf die Galerie hinauf. Zwei Stunden im Dunkeln verbrachten wir dann damit, von oben ins Parkett zu spucken, und zwar in Angriffswellen, mit einigen Minuten Pause zwischen einem Überfall und dem anderen. Die Getroffenen schimpften und fluchten. Dann wurde es wieder still, klickend wurden Seltersflaschen entkorkt, darauf von neuem wütendes Schimpfen ... Auch die Stimme des Schutzpolizisten ertönte drohend aus dem Schacht unter uns: »Wenn ich 'raufkomme, reiße ich euch in Stücke, so wahr mir Gott helfe!« Wir waren aber gewiß, daß er sich nicht entschließen würde, heraufzukommen. Wenn der Film Liebesszenen enthielt, dann schnauften wir heftig, wie von einem unbezähmbaren Verlangen besessen, oder wir schnalzten wie beim Lutschen von Schnecken, um das Küssen nachzuahmen. Das taten auf der Galerie übrigens auch die Erwachsenen, und es rief im Parkett Proteste hervor, aber schwächere, in denen eine gewisse Nachsicht mitklang. »Was denn, die werden das doch noch aushalten? Haben diese Bastarde denn noch nie eine Frau gesehen?« Dabei ahnten die dort unten nicht, daß wir beide den Löwenanteil dieser Geräusche hervorbrachten und aus den Liebesgeschichten der Filme Anregung schöpften, um auf die gaffenden Dummköpfe zu spucken.

In den Tagen aber, in denen Alarmzustand herrschte, war das Kino geschlossen. Ohne die schriftliche Erlaubnis des Wachtmeisters durfte man nicht auf die Straße. Mein Vater hatte einen Erlaubnisschein, um ins Büro gehen zu können. Auf den entvölkerten Straßen ließen sich nur Carabinieri und faschistische Milizionäre blicken. In den Schulen lungerten die Soldaten auf ihren Klappbetten herum, spielten Morra und fluchten, und sie litten

Hunger. Ihr Kommandant, der Major mit dem weißen Zwickelbart, ließ sich nicht mehr sehen, ebensowenig der Hauptmann und der Leutnant. Nur der Feldwebel war da, der sich tödlich langweilte, wenn er nicht gerade wie ein Irrer auf dem Horn blies. Keiner von ihnen hatte Lust, sich einen Film anzusehen, denn hier wurden ja nur Stummfilme gezeigt, und die kamen ihnen komisch vor. Jetzt gab es nicht einmal mehr das Kino. Im Morgengrauen des zehnten Juli läuteten die Glocken Sturm, und das Dorf wurde leer wie ein verlassenes Schneckenhaus. Das Leben hatte plötzlich einen hohlen, undefinierbaren Klang, wie eine Muschel, wenn man sie ans Ohr hält. Die Leute hockten in ihren Stuben. Die Läden waren geschlossen, wie sonst, wenn ein Leichenbegängnis durch die Straßen zieht. Allenthalben wurde ängstlich und erwartungsvoll gemurmelt. Wir huschten an den Mauern entlang, drückten uns in die Haustüren, um den Carabinieri nicht zu begegnen. So war das Dorf schön: leer und voller Sonnenschein. Nie hatten wir das Rieseln der Quellen so frisch und sanft vernommen, und dann die glitzernden Flugzeuge hoch droben am Himmel, der uns ebenfalls leerer und ferner gerückt schien. Wir hatten den Eindruck, daß die Amerikaner in dieses stille, wie ausgestorbene Dorf nicht kommen wollten und es in seiner ängstlichen Erwartung sich selbst überließen: Ihnen genügte, von oben zu sehen, wie es weiß und stumm dalag, einem Friedhof gleich.

Filippos Vater war Tischler; da er einstmals Sozialist gewesen war, wurde er oft auf die Polizeiwache geholt, wo man ihn tagelang festhielt. Wenn Filippo die Angehörigen der faschistischen Miliz sah, dann sagte er »Hornochsen!« und bepflasterte ihnen den Rücken mit Speichel, wenn sich die Gelegenheit dazu bot. Deshalb wartete er auf die Amerikaner; sein Vater wollte sich die Freude nicht nehmen lassen, es all diesen Hornochsen heimzuzahlen, die ihn auf die Wache zu holen pflegten. Obwohl sich mein Vater nie abfällig über die Faschisten geäußert hatte, stand ich auf Filippos Seite, auf der Seite seines Vaters, der eine nach Holz und Firnis duftende Werkstatt besaß; davor siedete auf einem Öfchen ein Topf mit Leim und strömte einen süßlichen Geruch aus, bei dem ich einen eigenartigen Geschmack im Munde empfand. Auch ich wartete auf die Amerikaner. Meine Mutter erzählte mir des öfteren von Amerika. Sie hatte dort eine reiche

11

Schwester, die ein großes Geschäft ihr eigen nannte und vier Kinder hatte. Der eine Junge war bereits so groß, daß er bei den Soldaten sein konnte, die wir erwarteten. Amerika war also für mich das große Geschäft meiner Tante, ein Laden von den Ausmaßen des Schloßplatzes, voll von guten Dingen, voller Kleidung, Kaffee und Fleisch. Und der Sohn meiner Tante war Soldat, er hatte viel von diesen guten Dingen bei sich und war sicherlich so tüchtig, daß er auch boxen konnte; so würde er von dem Laden in Amerika erzählen und die Hornochsen, die Filippos Vater ihm zeigen würde, seine Fäuste spüren lassen.

Aber die Amerikaner kamen nicht. Vielleicht hatten sie im Nachbardorf haltgemacht, lagen auf ihren Feldbetten und spielten wie unsere Soldaten hier, die Zahlen brüllten und die Finger vorschnellen ließen, die schimpften und behaupteten, sie würden in Gefangenschaft geraten. Eines Tages baten sie uns um alte Kleidungsstücke, sie wollten Zivil anziehen, um nicht in der Gefangenschaft zu landen. Ich sagte es meiner Mutter, und sie gab mir abgelegte Sachen von meinem Vater und meinem Onkel; auch Filippo brachte einiges mit. Die Soldaten waren zufrieden; wer leer ausging, der machte sich selbst auf die Suche nach etwas Geeignetem. Das gefiel mir, bedeutete es doch, daß die Amerikaner nun tatsächlich kommen würden.

An dem Tage, an dem es hieß, die Amerikaner seien im Anmarsch, während es in Wirklichkeit die beiden durchfahrenden Deutschen waren, verbreitete sich diese Nachricht auf geheimnisvolle Weise im ganzen Dorf. Mein Vater und mein Onkel gingen sofort daran, Mitgliedskarten der faschistischen Partei, Mussolinibilder, Broschüren über das Mittelmeer und das Imperium zu verbrennen. Die Abzeichen und die Metallverzierungen ihrer Uniformen warfen sie auf das Dach des Nachbarhauses. Doch am nächsten Tage verbreitete sich auf ebenso geheimnisvolle Weise die Nachricht, die Deutschen hätten, und zwar diesmal allen Ernstes, die Amerikaner zwischen Gela und Licata ins Meer geworfen. Der politische Sekretär, der sich seit mehreren Tagen in seinem Hause versteckt hielt, begann wieder auszugehen. Er schleuderte Blicke, die, wie mein Vater glaubte, an den Knopflöchern haftenblieben, wo gewöhnlich der Skarabäus hing, und wenn dieser fehlte, starrte er den Betreffenden vorwurfsvoll und mit eisiger Verachtung an, als wollte er sagen, daß er sich unerbittlich all jener Feiglinge erinnern würde, die ihre Abzeichen auf die Dächer geworfen hatten. Mein Vater glaubte nicht, daß die Deutschen tatsächlich imstande waren, die Amerikaner ins Meer zu werfen, doch die Blicke des politischen Sekretärs wurden ihm lästig. So schlug er mir und Filippo vor, die Abzeichen auf dem Dach des gegenüberliegenden Hauses zu suchen, und versprach uns als Belohnung zwei Lire. Das war keine schwierige Sache, meine Mutter hegte jedoch große Befürchtungen. Sie verwünschte den Fascio mit seinen Abzeichen und wollte nur zulassen, daß Filippo aufs Dach stieg, der geschickter und stärker sei, wie sie meinte, keineswegs aber ihr Sohn, der stockdürre Beine habe und Proton einnehmen müsse. Filippo fühlte sich geschmeichelt, war aber unschlüssig. Ich aber wollte unbedingt hinauf. Die Belohnung verlangte ich im voraus, mein Vater schimpfte, doch er zahlte. Wir holten die Leiter und stiegen aufs Dach. Vom Balkon unseres Hauses aus leitete mein Vater die Suchaktion. »Seid ihr blind, seht ihr nicht, wie das eine dort glänzt? Weiter rechts, hinter dir, ihr habt es vor der Nase, nein, weiter links.«

Barfuß spazierten wir auf dem Dach herum. Wir blieben auch noch dort, als wir die Abzeichen bereits gefunden hatten. Für meinen Vater bedeutete es einen Nettoverlust von zwei Lire, denn in diesem Augenblick trafen die Amerikaner ein, und er mußte die Abzeichen von neuem verschwinden lassen. Diesmal tat er es in Reichweite; er vergrub sie in dem Topf mit grüner Petersilie.

Während wir oben hin und her liefen, überraschte uns ein erregtes Schreien in den höchsten Tönen, als würde plötzlich im Radio die Reportage über ein Fußballspiel eingeschaltet, und zwar gerade in dem Augenblick, in dem ein Tor fiel. Erstaunt, daß in dem stillen Nest ein solcher Lärm ausbrechen konnte, standen wir einen Moment wie versteinert. Aber gleich hatten wir die Ursache begriffen, rutschten die Leiter hinunter, steckten die Füße in die Schuhe, die wir unten gelassen hatten, die Kappen niedertretend, um hineinzuschlüpfen – denn wir hatten stets das zweifelhafte Vergnügen, enge Schuhe zu bekommen –, und rannten die Straße entlang, indes meine Mutter herzergreifend schrie, wir sollten sofort umkehren, es könnte ja geschossen werden, man würde uns deportieren, es seien Neger, wer weiß, wohin die uns bringen würden.

Auf dem Markt hatte sich eine große Menschenmenge angesammelt, sie johlte und klatschte Beifall. Alle Stimmen wurden jedoch von der des Anwalts Dagnino übertönt, eines großen, kräftigen Mannes, den ich immer wegen seiner Art, das faschistische »Eja« zu rufen, bewundert hatte. Nun schrie er: »Hoch lebe die Sternenrepublik!« und applaudierte. Weinbecher wurden über die Köpfe hinweg von Hand zu Hand weitergereicht. Ihrer Bahn folgend, langten wir bei den Amerikanern an. Es waren ihrer fünf. Sie hatten schwarze Brillen und lange Karabiner. Der Pfarrer von San Rocco, in Hosen und ohne Kragen, redete auf sie ein, bleich und schwitzend vor Erregung. Er sagte immer »plis, plis«, aber die Amerikaner hörten nicht zu, sie schienen betrunken zu sein, sie schauten nur in die Runde und pafften nervös ihre Zigaretten. Gläser füllten sich mit rotem Wein, mit sanfter Gewalt wurden sie den Soldaten aufgedrängt, die lehnten sie jedoch ab. Rechtsanwalt Dagnino stand auf einem Stuhl, der aus dem Klub stammte, und brüllte ununterbrochen: »Hoch lebe die Sternenrepublik!« Filippos Vater, der uns hier gesucht hatte und nun wegführte, sprach fortwährend: »Kommt nach Hause. Hört ihr diesen Verdammten grölen? Das ganze Pack ist aus den Löchern gekrochen.« Ich fand, daß es schön war, wenn auch der Anwalt Dagnino zufrieden schreien konnte und »Hoch lebe die Sternenrepublik!« brüllte, so wie er früher von der Bahnhofsterrasse aus gerufen hatte: »Duce, für dich mein ganzes Leben!« Der Anwalt Dagnino schrie immer, wenn es etwas zu feiern gab. Mir leuchtete nicht ein, weshalb es für Filippos Vater, der doch die Amerikaner sehnlichst erwartet hatte, nun kein Fest zu sein schien und er uns bleich und verschlossen wegführte. Ich spürte gar, daß seine Hand auf meiner Schulter zitterte.

Als wir in der Werkstatt eintrafen, sagte ich: »Ich will nach Hause« und machte mich aus dem Staube. Von dem Fest wollte ich mir nichts entgehen lassen. Wieder auf dem Markt, konstatierte ich, daß es den Amerikanern gelungen war, sich etwas Platz zu verschaffen. Sie hielten die Gewehre schräg nach unten, wie mein Vater, wenn er den Ringellerchen auf dem Feld auflauerte. Die Menschen drängten sich unter den Insignien des Fasciohau-

14

ses zusammen. Man versuchte die Zeichen mit Stangen herunterzuholen, aber sie waren am Balkon festgehakt. Ein Mann wurde hochgehoben, damit er sich an den Streben des Balkons hinaufschwingen konnte. Als er oben war, erhielt er Beifall. Die Insignien stürzten krachend herunter, sie wurden getreten und über den Platz gezerrt. Die Amerikaner schauten zu, wechselten ein paar Worte miteinander und beachteten den Priester nicht, der »plis, plis« lispelte, ebensowenig den Anwalt Dagnino, der jetzt nicht mehr schrie, sondern sich der Rotte genähert hatte und einem der Amerikaner, der schwarze Streifen am Ärmel hatte, wohl einem Korporal, etwas ins Ohr flüsterte. Dann erschien der Wachtmeister mit seinen vier Carabinieri auf der Bildfläche, und die Gewehre der Soldaten richteten sich auf sie. Als die Carabinieri herangekommen waren, ging ein Amerikaner von hinten auf sie zu und hakte ihnen geschickt die Pistolen vom Koppel. Von neuem töste Beifall. »Es lebe die Freiheit!« rief der Anwalt Dagnino. Plötzlich flatterte eine amerikanische Fahne über der Menge. Der Hausmeister der Grundschule hielt sie fest in der Hand, ein Mann, der jeden Sonnabendnachmittag in Uniform durch das Dorf spazierte und das rote Squadristenband[1] besaß; wenn er in Wut geriet, trat er die Kinder auf dem Schulhof mit Füßen. Der Direktor pflegte dann die Väter, die sich beschwerten, zu beschwichtigen: »Was wollen Sie, dieser Mensch ist unmöglich, er wird noch einmal die Hand gegen mich erheben. Aber er hat den Marsch auf Rom mitgemacht, der Duce hat ihm sogar ein Radio geschenkt.« Nun hielt er die amerikanische Fahne und schrie: »Es lebe Amerika!« Doch die Amerikaner beachteten den Zug nicht, der sich hinter der Fahne zu formieren begann. Sie redeten auf den Priester ein, der übersetzte es dem Carabinieriwachtmeister: »Sie sollen mit ihnen gehen.« Der Wachtmeister sagte ja und folgte dem Trupp. Wenn Filippo dagewesen wäre, dann wären wir ihnen nachgelaufen, allein aber hatte ich keine Lust dazu. Ich blieb also zurück und beobachtete die Ansammlung rings um die vier entwaffneten Carabinieri, die wie geprügelte Hunde dreinschauten.

[1] Squadrist – Mitglied eines Rollkommandos der faschistischen Schwarzhemden.

Dann rollten von allen Seiten Schützenpanzerwagen und Last-
autos heran. Die Menge wich auseinander und klatschte Beifall,
die Soldaten warfen Zigaretten aufs Pflaster. Bei dem Durcheinander, das nun entstand, ließen manche ihre Fotoapparate klicken.

Wie es kam, weiß ich nicht, aber plötzlich war ich dem Weinen
nahe. Waren es die Carabinieri, war es die Fahne, die über der
Ansammlung flatterte, oder rührte es daher, daß Filippo und sein
Vater allein in der Werkstatt geblieben waren? Vielleicht war es
auch wegen meiner Mutter. Mich packte die Sehnsucht, unser
Haus wiederzusehen, als könnte ich es nicht mehr so wiedersehen, wie ich es verlassen hatte. Ich rannte die Straße hinauf, die
jetzt von fröhlichem Stimmengewirr erfüllt war. Und als ich die
Tür hinter mir zuschlug, fühlte ich mich wie in einem Traum,
den ein anderer träumte und in dem ich mit einem Knoten im
Halse müde die Treppen hinaufstieg.

Mein Vater sprach gerade von Badoglio. Mein Onkel, in sich
zusammengesunken, so daß er einem Sack voll Sägespäne glich,
lebte auf, als er mich eintreten sah. Er holte eine Schachtel Zigaretten aus der Tasche, Marke »Raleigh« – ein bärtiger Mann war
darauf abgebildet –, und fragte mich in heuchlerisch freundli-
chem Ton: »Wieviel würdest du wohl für eine solche Schachtel
von mir verlangen?«

Ich brach in Tränen aus. »Weine nur«, meinte er, »für dich ist
es endgültig vorbei mit dem Schlaraffenland. Auch wenn sie
mich zum Tode verurteilen, Zigaretten verweigern sie mir jedenfalls nicht.«

»Laß ihn zufrieden«, sagte meine Mutter.

Auf dem Marktplatz wurden Bekanntmachungen ausgehängt. Eine begann: »I, Harold Alexander . . .«, und mein Vater sagte, daß
sie die Gewehre, die Pistolen und sogar die Säbel haben wollten.
Eine andere Bekanntmachung verfügte, daß sich die Soldaten
vom Dorf fernzuhalten hätten. Die schienen sich offenbar nichts
daraus zu machen, denn abends war der kleine Platz vollgestopft
mit Jeeps; sie suchten Frauen, schleppten sie mit in die Cafés und
tranken. Sie holten Hände voll Münzen aus ihren Hosentaschen,
warfen das Geld auf den Tisch und tranken aus Flaschen; dabei

16

hielten sie die Frauen auf den Knien. Es waren widerwärtige, schmutzige Weiber. Unter ihnen war eine, die im Dorf den Spitznamen »Fahrrad« hatte; sie ging, als radelte sie einen Berg hinauf. Mir kam sie mehr wie ein Krebs vor. Die Soldaten zerrten sie auf die Knie, sie wechselte von einem zum anderen. Man drückte ihr die Flasche an den Mund, und sie rekelte sich träge, stöhnte und ließ unflätige Ausdrücke fallen. Die Soldaten lachten, warfen sie dann wie einen Sack in einen Jeep und fuhren davon. Viele Amerikaner kannten meine Muttersprache. In den ersten Tagen glaubte man, sie verstünden nicht ein einziges Wort. Vielleicht verstanden die ersten, die durchkamen, tatsächlich nichts – sie gehörten einer Division an, die »Texas« hieß. Aber dann verlangte einmal ein Amerikaner in einem Café eine Flasche, zeigte auf sie im Büfett und machte ein Zeichen, als wollte er zahlen. Ein junger Mann, der in dem Café war, rief dem Wirt zu: »Nimm ruhig zehn Dollar von ihm«, worauf sich der Amerikaner wütend umwandte und auf italienisch sagte: »Die kannst du von deinem gehörnten Vater verlangen.«

Dollars mit gelbem Stempel und Besatzungslire brachten die örtliche Kuppelei zu voller Blüte. Manch einer verschaffte den Soldaten zärtliche Begegnungen mit Frauen, die zurückgezogen lebten und niemals ins Café gegangen wären, weil sie das wachsame Auge der Leute fürchteten, vor allem das der argwöhnischen Schwiegermütter; es waren Frauen, deren Männer auswärts waren. Bei ihnen erschienen die Amerikaner erst am späten Abend. Um die Straßen zu entvölkern, damit niemand erfuhr, daß in gewissen Häusern um diese Zeit Männer empfangen wurden, inszenierten sie auf dem Marktplatz eine wüste Schießerei. Ein Einfall der Kuppler zwar, aber er bewährte sich so gut, daß ihn später die Schieber anwandten, um die Lastkraftwagen unbeobachtet beladen und entladen zu können. Wenn das Schießen begann, schlossen sich alle zu Hause ein, man blieb nicht einmal der frischen Abendluft wegen auf dem Balkon. Mein Onkel, der sich darauf versteifte, dazubleiben – aus Neugier, wie ich annehme, obgleich er behauptete, weil er es vor Hitze nicht aushalten könne –, hörte einmal eine Kugel an seinem Ohr vorbeipfeifen und stürzte wild schimpfend herein. Aber diese Vorsichtsmaßnahme der Amerikaner, ausersehen, die Ehre jener »zurückgezogenen«

Frauen zu schützen, wirkte nur bis zu einem gewissen Grade. Man wußte trotzdem Bescheid über diese Frauen, deren Tür offenstand. Ein Streit am Brunnen, eine jener Zänkereien um den Vortritt beim Wasserschöpfen genügte, daß ins einzelne gehende Beschuldigungen, Tag, Stunde und Name des Kupplers im Dorf publik wurden. Wir waren bestens informiert: Filippo kannte die aus seinem Viertel, ich die aus meinem. Was diese Frauen nun mit den Amerikanern anstellten, was überhaupt ein Mann mit einer Frau anstellen kann, blieb für uns verschwommene Phantasie. Daß sich die Frauen dabei entkleideten, war gewiß; wir gingen oft nach Mattuzzo, wo es einen großen Brunnen gab, um, hinter einer Dornenhecke versteckt, die Beine der Wäscherinnen zu betrachten. Wenn sie uns bemerkten, jagten sie uns weg und schrien, wir sollten uns lieber unsere Mütter und Schwestern ansehen. Vielleicht zahlten die Amerikaner, um zuschauen zu können, ohne weggejagt zu werden, und, wie im Kino, um zu küssen. Rousseau würde sagen, daß wir in einem Alter waren, in dem es im Kopf mehr Wörter als Dinge gibt. Und Wörter hatten wir fürwahr genug, auch für all das, was wir nicht kannten und uns nicht vorzustellen vermochten; es waren die scheußlichsten Ausdrücke. Einen Jungen in unserem Alter, der uns Schachteln mit der »Ration K« verschaffte – sie enthielten Karamellen, Würfelzucker, einen rosa Käse und Biskuits –, brachten wir stets dadurch zum Weinen, daß wir ihn fragten: »Von wem hast du diese Sachen? Vom Amerikaner deiner Mutter, nicht wahr? Hast du einmal gesehen, was deine Mutter mit dem Amerikaner treibt?« Und dann folgten die schlimmsten Ausdrücke, die wir mit phantasievollen Gesten unterstrichen. Der Junge leugnete, er beteuerte, der Amerikaner sei ein Verwandter, und seine Mutter tue so etwas nicht. Dann brach er in Tränen aus, und wir ließen ihn in Ruhe. Am nächsten Morgen kam er wieder zu uns, brachte ein »Ration K« an und erklärte: »Der Amerikaner ist mein Onkel, so was dürft ihr nicht sagen.« Doch die Geschichte spielte sich immer auf gleiche Weise ab.

Die Amerikaner wollten also die Gewehre haben. Sie versprachen, sie würden sie später zurückgeben. Mein Vater ließ seinen Namen am Kolben seines Gewehrs eingravieren. Es war ein sehr gutes belgisches Gewehr, und er behauptete, es habe nicht seinesgleichen. Er glaubte tatsächlich, sie würden es ihm wiederbringen, und ließ deshalb seinen Namen einritzen. Dann holte er zwei Pistolen hervor, die ich nie zuvor gesehen hatte. Eine davon war armlang und von vorn zu laden. Ferner förderte er einen rostigen Säbel mit abgebrochener Spitze zutage. Man wußte ja nicht, ob uns die Amerikaner nicht die Hölle heiß machen würden, wenn sie ihn bei uns fänden. Zur Ablieferung ging auch ich hin. Ein amerikanischer Soldat war da und der Wachtmeister, der die Liste führte. Bei uns trug er ein: ein Gewehr, zwei Pistolen, ein Säbel. Mein Vater meinte, auch die Nummer und die Marke müßten eingetragen werden. Der Wachtmeister wurde ärgerlich. Jetzt stand er sich besser als früher, er besuchte zusammen mit den Amerikanern Frauen, und in seinem Zimmer lagen, wie es hieß, ganze Stapel von Packungen und Stangen mit Zigaretten. »Laß alles hier«, sagte er, »das übrige ist meine Sache.« Er war wirklich verärgert, man konnte es sehen. Eine Menge Waffen waren da, mein Vater legte behutsam sein Gewehr dazu. Ich glaube, er begriff in diesem Augenblick, daß er keine Aussicht hatte, es jemals wiederzubekommen. Diesen und den ganzen nächsten Tag war er rein aus dem Häuschen, auch später, wenn von Gewehren gesprochen wurde. Ein Gewehr, zwei Pistolen und ein Säbel wurden ihm später zwar zurückgegeben, zu gebrauchen war jedoch nur der Säbel, das Gewehr und die Pistolen konnte man als Schrott verkaufen.

Filippo stand schon seit geraumer Zeit auf dem Hof des Polizeireviers, um die Waffenablieferung mitzuerleben. Mein Vater ging weg, ich blieb da und wollte ebenfalls zuschauen. Es war wie eine Prozession. Kaum hatten die Bauern ihre Waffen abgegeben, da kamen sie schimpfend und fluchend heraus. »Die Diebe haben jetzt Maschinengewehre, ein anständiger Mensch darf nicht einmal einen Vorderlader besitzen«, sagten sie. Es stimmte, Diebe trieben sich herum. Zwei wurden mit Karabiner und Maske ergriffen, vom amerikanischen Major aber wieder auf freien Fuß gesetzt. Von diesem rechtschaffenen Mann mit weißem Haar wurde erzählt, er unterrichte Philosophie in seiner Heimat. Vielleicht sagte man das, weil hier alles, was wunderlich erscheint, von der Philosophie abgeleitet wird. Der Major sprach die beiden

Diebe frei und gab ihnen die Empfehlung auf den Weg, ein stilles und ehrliches Leben zu führen und zu arbeiten. Der Dolmetscher übersetzte mit einer Miene, die ausdrücken sollte: »Ich begreife nichts. Seht ihr, was die Amerikaner doch für Dummköpfe sind?« Und der Verteidiger, dem es nicht gelang, auch nur ein einziges Wort anzubringen, ereiferte sich dann sogar gegen Kolumbus, denn die beiden, die auf diese Weise davonkamen, würden schwerlich noch ein paar Hundertlirescheine lockermachen. Uns gefiel der amerikanische Major, wir folgten ihm durch die Räume des Rathauses, und er sagte nicht ein einziges Mal, daß wir dort nichts zu suchen hätten. Er sah uns nur hin und wieder an und radebrechte etwas wie »piccoli italiani«. Sicherlich war er ein guter Mann. Vielleicht hatte er Kinder zu Hause in Amerika. Auch der Soldat, der bei der Waffenablieferung assistierte, hatte ein gutmütiges Gesicht, kaute Gummi und lächelte. Ab und zu wechselte er ein Wort mit dem Wachtmeister, lächelte dann stumm und kaute. Vielleicht dachte er an seine Heimat, an dieses Amerika mit den Hochhäusern und Autos, an seine Mutter, die durch ein Fenster in schwindelnder Höhe schaute. Er schien uns nicht zu bemerken, und als er eine Bewegung machte, um uns Kaugummiplätzchen zu reichen, glaubten wir schon, er wolle uns wegschicken. Statt dessen gab er uns die Plätzchen und erklärte: »Sind gut, keine Pfefferminze.« Wahrscheinlich schmeckte ihm Pfefferminze nicht, auch ich mochte sie nicht. Ich sagte »danke«, Filippo auch. In Anwesenheit Fremder konnten wir uns als wohlerzogene Jungen aufführen; wir waren auch imstande, treuherzige und gottesfürchtige Jünglinge zu markieren, aber das sparten wir uns für den Religionsunterricht auf. Der Amerikaner betrachtete uns lächelnd. »Meine Tante ist in Amerika«, sagte ich. Ich hatte das Gefühl, irgendwie Freundschaft schließen zu müssen.

Der Amerikaner meinte: »Oh, in Amerika.«

»Ja«, bestätigte ich, »in Bruklin.«

»Ich wohne auch in Brooklyn«, sagte der Amerikaner, »Brooklyn ist groß.«

»Wie groß?« fragte ich. »So groß wie dieses Dorf?«

Ich wußte genau, daß es so groß ist wie unser Dorf und Canicattí und Girgenti zusammen, vielleicht auch noch größer, und daß es nur ein Stadtteil von New York ist. Aber ich wollte nicht, daß das Gespräch versiegte.

Er entgegnete: »Größer, viel größer.«

»Es ist so groß wie Palermo«, warf Filippo ein. »Ich weiß es. Mein Vater war in Amerika.«

»Etwa wie Palermo«, sagte der Soldat.

»In Palermo«, meinte ich, »ist das Meer, auch in Porto Empedocle ist das Meer. Ich bin in Porto Empedocle gewesen, vor dem Krieg, aber ich kann mich nur noch an die Boote erinnern. Gibt es in Bruklin auch die See?«

»Die See ist nicht weit weg«, antwortete der Soldat, »wir nehmen unser Auto und fahren hin.«

»Ist Bruklin schön?« fragte Filippo. Ich hätte lieber von Autos gesprochen.

»Nein«, antwortete er, »hier ist es schön.«

»Und der Krieg?« fragte ich. »Bist du gern im Krieg?«

Der Soldat lächelte. »Auch der Krieg ist häßlich, auch Jungs wie ihr fallen, aber hier ist es schön.«

Der Himmel über dem Hof glich Wasser, in dem Wäscheblau aufgelöst ist, die Wolken waren wie Schaum, und der sandsteinerne Glockenturm der San-Giuseppe-Kirche glänzte, als wäre er vergoldet.

»Kommst du mit?« fragte der Wachtmeister.

Der Soldat folgte ihm, ohne sich von uns zu verabschieden.

Am nächsten Morgen gingen wir wieder auf den Hof des Polizeireviers. Der Soldat saß an derselben Stelle, las ein Buch und kaute. Als er uns erblickte, rief er: »Hallo!« und las weiter. Nach einer Weile klappte er das Buch zu, zog ein Päckchen Kaugummi aus der Tasche und bot uns die Plätzchen an. »Tschuingam[1] heißt das«, erklärte er.

»Und wie heißen die Karamellen?« fragte Filippo.

»Die heißen Kendi[2]«, antwortete er, »in Amerika gibt es Kendi der verschiedensten Sorten.«

»Bei uns gibt es keine Kendi«, warf ich ein.

»Nicht einmal Kartoffeln gibt es bei uns«, fügte Filippo hinzu.

1 Chewing-gum.
2 Candy.

»Ich habe schon vergessen, wie sie schmecken. Als ich klein war, habe ich sie immer gegessen.«

»Hier gibt es einen Polizisten, der verkauft heimlich Kartoffeln zu hohen Preisen. Vater meint, man sollte lieber Fleisch kaufen«, sagte ich.

»Ja«, entgegnete Filippo, »Fleisch. Es gibt kein Brot, und du willst Fleisch auftreiben.«

»Warum bringt ihr kein Getreide?« fragte ich den Amerikaner. »Mein Vater sagt, ihr schüttet es ins Meer.«

»Das stimmt nicht, wir schütten das Getreide nicht ins Meer«, widersprach er. »Uns fehlen die Schiffe, es zu transportieren. Wenn der Krieg zu Ende ist, werden wir Getreide heranschaffen.«

»Geht der Krieg bald zu Ende?« fragte ich. »Wenn der Krieg aus ist, kommt meine Tante.«

»Aus Brooklyn«, sagte er, »sie kommt aus Brooklyn. Der Krieg dauert aber noch lange, niemand weiß, wann Schluß ist.«

»Meine Tante besitzt einen Laden in Bruklin«, bemerkte ich, »einen großen Laden. Vor dem Krieg hat sie Pakete geschickt, und in die Briefe hat sie Dollars gesteckt. Zu Weihnachten hat sie auch für mich einen Dollar mit 'reingelegt.«

»Seine Tante ist reich«, erklärte Filippo dem Soldaten.

»Sie hat zwei Autos«, ergänzte ich, »das eine ist groß und glänzend, ich habe es auf einem Bild gesehen.«

»Wenn der Krieg aus ist«, sagte der Amerikaner, »kommt deine Tante mit ihrem schönen großen Wagen. Auch ich bringe mein Auto her, hier ist es schön.«

»Du hast ein Auto?« fragte ich. »Wie sieht es aus?«

»In Amerika hat jeder ein Auto. Hier ist meins.« Er zog seine Brieftasche hervor und nahm ein Foto heraus. Ein langer, blitzender Pkw war darauf zu sehen. Er selbst hielt eine Hand auf dem Wagenschlag, neben ihm eine füllige Frau in geblümtem Kleid und zwei Kinder in Strickjacken. Im Hintergrund standen Bäume.

»Dein Vater ist nicht drauf«, stellte ich fest.

»Nein, er ist nicht drauf«, antwortete er, »mein Vater ist tot.«

»Ich habe einmal einen Toten gesehen«, sagte Filippo. »Es war ein Deutscher, sie haben ihn tot aus einem Flugzeug geborgen.

Hier in der Nähe ist er abgestürzt. Nachts habe ich dann von ihm geträumt. Mir war, als lebte er noch. Ich will keinen Toten mehr sehen.«

»Was können dir die Toten schon tun?« fragte ich. Ich hatte noch nie einen gesehen und mochte auch keinen sehen. »Die Toten sind doch nicht mehr da, wenn sie sterben. Ich hätte den gefallenen Deutschen gern gesehen. Hast du schon tote Deutsche gesehen?« fragte ich den Soldaten.

»Ja«, erwiderte er, »ich habe viele gesehen, auch gefallene Amerikaner, Engländer, Franzosen und Australier.«

»Aber die Deutschen sind schlecht«, sagte Filippo, »es ist besser, wenn die Deutschen sterben.«

»Wir haben Krieg, und da ist es besser, wenn sie sterben«, erläuterte der Amerikaner. »Die Deutschen sterben, und wir siegen.«

»Auch Rußland siegt«, warf Filippo ein.

»Ach, Rußland«, meinte der Soldat.

»Rußland ist nicht so wie Amerika«, bemerkte ich.

»Ja«, räumte der Soldat ein, »Rußland, das ist etwas anderes.«

Mein Onkel hockte zu Hause und hörte von früh bis spät Radio. »Hurenböcke!« polterte er. »Wer weiß, wohin die ihn verschleppt haben.«

»Hör auf damit«, platzte mein Vater manchmal heraus, »spiel nicht den Hanswurst. Reicht es dir noch nicht, was er angerichtet hat?«

»Was hat er denn getan?« pflegte mein Onkel darauf zu erwidern. »Italien war geachtet und gefürchtet, man lebte gut, Ordnung herrschte. Auch du hast den Hanswurst gespielt und ihn als großen Mann gepriesen. Was hat er dir jetzt getan, hat er dir mit der Faust ins Auge geschlagen?«

»Und der Krieg, den er gewollt hat, ist das nichts?« entgegnete mein Vater. »Natürlich, dir macht das nichts aus, da hast du recht, aber es gibt andere, die dafür büßen müssen, du bist glimpflich davongekommen.«

Eines Abends sprach Orlando im Radio. Er sagte, die Kanonenschüsse, die von Sizilien auf Kalabrien abgefeuert würden, bildeten einen Ring, der Sizilien mit Italien verbinde. Dieses Bild blieb mir im Gedächtnis haften.

Mein Vater sagte: »Orlando ist ein großer Mann.«

Mein Onkel rang die Hände und meinte: »Wie will denn dieser alte Kindskopf Italien retten!«

»Jawohl«, entgegnete mein Vater, die Stimme hebend, »dieser Greis hat Grütze im Kopf. Dein Duce dagegen ist ein Verrückter, reif fürs Irrenhaus, auch Bocchini war dieser Meinung, er hat es einmal im Vertrauen zu Ciccio Cardella gesagt, der ein großes Tier im Ministerium ist.«

»Pah, der Bocchini!« rief mein Onkel geringschätzig aus. »Er redet von Bocchini – Verrätergesindel.«

»Alle haben ihn verraten.« Mein Vater sprach immer lauter. »Nur du hast ihn nicht verraten, und wie solltest du ihn verraten, da du mit deinem Hintern immer in diesem Lehnstuhl gesessen und an den festgesetzten Feiertagen ›Duce, Duce!‹ gebrüllt hast.«

»Schrei doch nicht so«, beschwichtigte ihn mein Onkel, »man kann dich doch draußen hören. Bei der Stellung, die ich innehatte, nehmen die mich noch fest und deportieren mich nach Oran, falls ich dort überhaupt ankomme, denn sie sind imstande, mich auf der Überfahrt ins Meer zu werfen.«

Mein Onkel übertrieb fast krankhaft, und ich nutzte seinen Zustand, um meinen kleinen Spaß zu haben. Ich sang also: »Duce, Duce, für dich wollen wir unser Leben opfern«, und er raste herauf, denn ich war auf dem Dachboden, und fuhr mich an: »Elender, willst du nicht begreifen, daß mein Leben auf dem Spiel steht? Sie werden mich nach Oran verschleppen.« Ich lachte laut heraus, und er schlug einen feierlich belehrenden Ton an: »Du lachst, und Italien weint. Versteh doch, wir haben den Feind im Hause . . .«

Der amerikanische Soldat hieß Toni und war in Kalabrien geboren. Als er nach Amerika kam, war er ein Jahr alt. Jetzt wartete er auf Urlaub und wollte nach Kalabrien fahren; in einem kleinen Dorf hatte er dort Onkel und Vettern.

Die amerikanischen Truppen waren bereits in Kalabrien, das Bindeglied der Kanonenschüsse hatte seine Schuldigkeit getan.

Ich fragte ihn, ob er denn seinen Onkel und seine Vettern, die in Kalabrien lebten, liebe. Ich wollte auf diese Weise feststellen, ob meine Tante und ihre Kinder mich und meine Mutter gern haben könnten. »Sie sind arm«, sagte Toni.

»Wie arm?« fragte ich. »Sind wir hier arm?«

»Sie sind ärmer als ihr«, antwortete Toni. »Sie schlafen mit den Schafen, und die Kinder laufen barfuß herum.«

»Und du schickst ihnen Geld aus Amerika«, sagte Filippo, »dafür kaufen sie sich Schuhe.«

»Ja, manchmal«, bestätigte Toni.

»Jetzt geht der Krieg zu Ende«, sagte ich diplomatisch, als hinge alles von Tonis Entscheidung ab, »und die Amerikaner schaffen Schuhe für alle heran, Schuhe und Getreide, volle Schiffe bringen sie.«

»Die Amerikaner arbeiten«, erklärte Toni, »sie arbeiten und haben Schuhe, sie sind gut gekleidet, besitzen schöne Häuser und Autos. Die Italiener wollen nicht arbeiten.«

»Ich will arbeiten«, widersprach Filippo, »und mein Vater arbeitet. Die Reichen sind's, sagt mein Vater, die uns das Brot wegnehmen.«

»Du mußt arbeiten, um reich zu werden«, sagte Toni. »In Amerika arbeiten alle, und sie werden reich.«

»Mein Vater hat einen Onkel, der nicht arbeitet«, warf ich ein, »und der ist reich.«

»Hier arbeitet niemand«, entgegnete der Amerikaner, »weder die Reichen noch die Armen. Es ist schön hier für einen, der reich ist. Besser als in Amerika.«

»Ich möchte nach Amerika gehen«, sagte ich, »dort verdiene ich Geld und komme dann zurück. Ich kaufe mir ein schönes Auto und komme wieder.«

»Ich nicht«, meinte Filippo. »Wenn der Krieg zu Ende ist, wird es keine Reichen mehr geben.«

»Mehr als vorher«, erwiderte Toni, »und jene, die reich waren, werden noch reicher sein, aber auch dann wird keiner Lust haben zu arbeiten.«

»Werdet ihr denn nicht die Faschisten vertreiben?« fragte Filippo. »Wenn ihr sie vertreibt, kommt der Sozialismus.«

»Wir kämpfen, und ihr führt dann den Sozialismus ein«, sagte

25

Toni, »ein schöner Gewinn für uns. Ich weiß, mit wem ich darüber ein Wörtchen zu reden hätte.«

»Mit wem?« fragte ich.

»Mit einem, der in Amerika ist«, antwortete er.

Die Glocken läuteten, und zwar am Abend. Meine Mutter glaubte schon, irgendwo sei ein großer Brand ausgebrochen oder eine Gefahr drohe, da gellten auf der Straße Rufe, der Waffenstillstand sei geschlossen worden, und meine Mutter fing an, Dankgebete zu stammeln, weil dadurch so viele Menschenleben gerettet würden. Mein Onkel schritt erregt auf und ab und murmelte: »Jetzt möchte ich die Deutschen hören. Diese Schande hat uns noch gefehlt. Wenn die Deutschen so denken wie ich, dann möchte ich mal den Marschall Badoglio sehen ... und auch den anderen, diese verräterische halbe Portion.«

»Was würdest du denn tun?« fragte mein Vater. »Du müßtest den Krieg weiterführen. Ehre, Bündnistreue, Freundschaft – alles Dinge, die nach meiner Meinung ins Puppentheater gehören. Geh du hin mit dem Schwert der Gerechtigkeit und schaff Ordnung.«

Ich machte mir die aufflackernde Diskussion zunutze und schlüpfte hinaus. Auf dem Marktplatz, vor der Kirche Sant' Anna, der einzigen, die nicht am Chor der Glocken teilgenommen hatte, ballte sich eine Menschenmenge zusammen. Das Volk forderte den Pfarrer auf, die Glocken läuten zu lassen. Der Pfarrer stand am Fenster des Pfarrhauses und sprach: »Was ist das denn für ein Fest, begreift ihr nicht, daß wir verloren haben, seid ihr wirklich so ahnungslos?« Zu guter Letzt verlor einer die Geduld und schoß auf die Glocken, um sie zum Läuten zu bringen. »Verbrecher seid ihr!« rief der Pfarrer und schloß eilig das Fenster.

Mein Onkel sagte hernach, die einzigen Männer im Dorf seien er und der Geistliche von Sant' Anna.

Toni war hochgewachsen und blond, mein Vater wollte nicht glauben, daß er der Sohn kalabrischer Eltern sei, denn alle Kalabrier, die er kannte, waren klein und dunkelhaarig. Mein Onkel behauptete, die Kalabrier hätten einen dicken Schädel, die Sarden waren tückisch, die Römer schlecht erzogen, die Neapolitaner Bettlergesindel ...

Sonntags ging Toni zur Messe, und bei der Wandlung konnte man sehen, daß keiner im Dorf so groß war wie er.

Nach der Messe, bei der er zur Kommunion ging, setzten wir uns mit ihm ins Café. Wir fragten, ob es in Amerika Kirchen gebe. Ja, es gebe Kirchen, und die Menschen seien dort frommer als hier. Und wie der Sonntag in Amerika aussehe, wollten wir wissen.

Aus dem, was er sagte, ging hervor, daß es ein trauriger Sonntag ist. Für uns bedeutet der Sonntag einen Markt voller Menschen, bunte Verkaufsstände und die Rufe der Händler, sie hingegen suchten Stille und Einsamkeit auf der Jagd und beim Angeln.

»Und was machen die Kinder?« fragte ich.

»Sie spielen«, antwortete er, »sie spielen alles mögliche.«

»Meine Tante hat mir einmal Rollschuhe geschickt«, sagte ich, »aber was soll ich mit Rollschuhen? Als ich sie ausprobieren wollte, hätte ich mir beinahe den Schädel eingeschlagen.«

»Hier kann man mit Rollschuhen nichts anfangen«, bestätigte er, »die Straßen sind zu schlecht.«

»Und wie sind die Straßen in Amerika?«

»Breit und glatt«, antwortete er, »ohne Staub, wenigstens zehn Autos haben nebeneinander Platz.«

»In Amerika«, warf Filippo ein, »fahren die Züge auch unter der Erde und in der Luft. Ich möchte gerne hin, in der Luft würde ich gern einmal fahren, aber unter der Erde nicht.«

»Was denn, kann eine Bahn auch ein Flugzeug sein?« fragte ich. »Ich habe nie gehört, daß Züge fliegen können.«

»Nein«, erwiderte Toni, »sie fliegen nicht, dort gibt es hohe Brücken, ganz aus Eisen, und auf ihnen fahren die Züge. Es sind hohe Brücken, die Bahn fährt über der Stadt.«

»Fährt die Bahn über den Häusern?« erkundigte ich mich. »Was ist, wenn sie herunterfällt?«

»Wie soll sie denn herunterfallen?« wies Filippo mich zurecht. »Die Brücke ist doch aus Eisen. Ich wette, du hättest Angst, mitzufahren.«

»Angst habe ich wegen der Häuser, die darunter stehen, ich würde mich fürchten, in einem Haus unter der Brücke zu wohnen.«

»Ich habe vor nichts Angst«, erklärte Filippo.

»Vor den Toten hast du doch Angst«, widersprach ich, »du siehst einen Toten, und nachts fürchtest du dich dann.«

»Die Toten haben damit nichts zu tun«, entgegnete Filippo. »Nicht wahr, die Toten haben damit nichts zu tun?« fragte er Toni.

»Es ist dasselbe«, antwortete Toni, »man hat Angst vor den Toten, weil man nicht sterben will.«

»Ich will nicht sterben«, sagte ich.

»Dann hast du Angst vor den Toten«, rief Filippo triumphierend aus. »Niemand will sterben, und jeder hat Angst vor den Toten.«

»Die Soldaten wollen sterben«, bemerkte ich.

»Die Soldaten müssen die Faschisten vertreiben und wollen sterben«, sagte Filippo, »mein Vater wollte ins Zuchthaus gehen, und die Soldaten wollen sterben, das ist eine andere Sache.«

»Was haben die Faschisten verbrochen?« fragte Toni.

»Nichts haben sie verbrochen«, erwiderte ich, »mein Onkel war Faschist und hat nichts getan, er hat nie etwas getan.«

»Vielleicht haben sie auch nichts gemacht«, sagte Filippo, »aber mein Vater wollte ins Zuchthaus gehen, meine Mutter sagt es.«

Mein Vetter war in Italien, er kämpfte, aber seinem Brief konnten wir nicht entnehmen, an welchem Ort er war. Er schrieb, wenn er Urlaub bekäme, würde er uns besuchen. In seinem Brief stak auch einer von meiner Tante, außerdem waren fünf oder sechs Tausendlirescheine darin.

»Liebe Schwester«, schrieb meine Tante, »meinen Sohn bringen sie vielleicht nach Italien, und ich schreibe deshalb an Dich, in der Hoffnung, er möge Euch alle bei guter Gesundheit antreffen, deren wir uns erfreuen, und wir danken unserm Herrn dafür. Ich habe nun diesen Kummer mit meinem Sohn Charlie, weil er in den Krieg zieht, aber ich hoffe, daß ihn die Jungfrau Maria beschützt. Bei uns ist alles aufs beste bestellt, meine Tochter Grace hat einen Juden geheiratet, aber er ist ein arbeitsamer, guter junger Mann und hat einen Friseurladen neben unserem Geschäft. Jetzt ist auch er Soldat, die heilige Jungfrau Maria wird ihn beschützen. Dieser Krieg war nicht nötig, aber der Herrgott wird nicht zulassen, daß Unglück über mein Haus kommt. Ich habe der Madonna in unserem Dorf den Brillantring, den ich immer am Finger trage, versprochen. Wenn der Krieg aus ist, bringe ich ihn selbst hin. Er müßte bald zu Ende gehen, Amerika ist stark und siegt ...«

Meine Mutter weinte vor Freude, als sie den Brief las. Die wichtigsten Mitteilungen wiederholte sie meinem Vater: »Grazia hat geheiratet, meine Schwester hat der Madonna del Prato einen Ring versprochen.« Und als mein Onkel von der Macht Amerikas und dem Sieg hörte, begann er sich wie eine Katze aufzuführen, wenn sie an einer Lunge kaut. »Amerika siegt also, Feiglinge, sie haben also vergessen, wie geachtet sie waren. Vorher spuckte man auf die Italiener, der Faschismus erzwang ihnen Achtung im Ausland. Jetzt wird man von neuem auf uns spucken. Ich glaube nicht, daß dieses Durcheinander jemals ein Ende hat.« Er sprach gedämpft, um bei meiner Mutter nicht anzuecken, zumal in einem solchen Augenblick. Er schnaubte wirklich wie eine Katze, die sich in eine Lunge verbissen hat.

Ich erzählte Toni: »Meine Tante hat geschrieben, sie meint, Amerika wird siegen.«

»Es wird die Faschisten besiegen«, fügte Filippo hinzu, der diesen Tick hatte, »die Faschisten und die Deutschen.«

»Wir gewinnen den Krieg«, sagte Toni, »wir werden den Krieg gewinnen, und ich fahre zurück nach Amerika.«

»Nach Bruklin«, bemerkte ich, »du nimmst dann dein Auto und kommst wieder.«

»Ja«, sagte er, »ich komme wieder. Wenn ich keine Lust zu arbeiten habe, komme ich wieder. Es ist schön hier, wenn man nicht arbeitet.«

Toni verließ uns an einem Tag im Oktober. Ein Jeep erschien und holte ihn ab, ich war dem Weinen nahe. Er schenkte uns Päckchen mit Kaugummi und Kandiszucker am Faden. Vom Jeep aus winkte er uns zu und sagte: »Good-bye«. Der Tag kam uns lang und leer vor, wir verbrachten ihn mit den wildesten Spielen.

Zur Schule gingen wir widerwillig. Filippo hatte es noch gut,

29

denn sein Vater saß im Befreiungsausschuß, und der Lehrer war früher Sturmführer gewesen. Dafür hatte ich mit ihm meine liebe Not. Er ließ meinen Vater kommen und teilte ihm mit, er gebe sich zwar sehr viel Mühe mit mir, aber alles sei vergebens. Mein Vater befahl mir, zu Hause zu bleiben, und machte meine Mutter dafür verantwortlich, daß ich nicht entwich. Doch ich wußte, alles würde harmlos enden. Kaum holte nämlich mein Vater zu einem dramatischen Diskurs über Erziehung aus, da schaltete sich schon mein Onkel ein. »Wie man sät, so wird man ernten, es hat eine Erziehung gegeben, aber ihr habt sie nicht gewollt, jetzt müssen die Kinder wie die Schweine aufwachsen.« Diese Bemerkung genügte, die Standpauke abzuwenden und eine der üblichen Diskussionen anzuheizen. Die Faschisten hatten in Norditalien eine Republik gebildet, mein Onkel klebte am Radio, nachts nahm er es mit. Er rieb sich die Hände und wiederholte ständig einen Ausspruch Hitlers, der etwa folgendermaßen lautete: »Um zwölf werden sie glauben, gesiegt zu haben, aber fünf Minuten nach zwölf wird der Sieg unser sein.« Hitler kam mir vor wie einer jener Holzköpfe, nach denen man in den Jahrmarktbuden für eine Lira fünfmal mit dem Ball werfen darf. Diese Köpfe hatten es mir angetan. Wenn mein Onkel Hitler erwähnte, dann sagte ich »Holzkopf«, und geriet er in Wut, so wollte ich erst recht nicht damit aufhören. »Amerika wird ihn schlucken, einen einzigen Happen macht es aus dem Holzkopf, er wird enden wie die Maus bei der Katze.« Schließlich stieg meinem Onkel das Blut zu Kopf, und ich flüchtete auf die Treppe. Von dort höhnte ich noch ein letztes Mal, um die Entschuldigung zu haben, daß ich bis zur Tür verfolgt worden war. Und mein Vater verzieh mir auch den Ausgang, ja, ich erfreute mich bei ihm noch einer gewissen Wertschätzung als Opfer.

Auf dem Lande ereigneten sich tagtäglich Überfälle und Mordtaten, auch eine Geiselentführung hatte es gegeben. In diesem Punkt war mein Vater bereit, dem Onkel ein klein wenig beizupflichten. »Wer wollte denn das Gute leugnen, das er getan hat? Gewiß, dergleichen hat man nicht mehr gesehen. Aber du wirst es erleben, alles kommt wieder in Ordnung.«

»Durch die Demokratie?« versetzte mein Onkel spöttisch.

»Was wir brauchen, ist eine starke Regierung, die Demokratie ist schlüpfrig wie ein Aal.«

Weil die Demokratie meinem Onkel mißfiel, begann ich viel von ihr zu halten. Freilich wagte ich mich nicht mehr über die letzten Häuser im Ort hinaus. Ich stellte mir vor, daß die Hecken von bewaffneten maskierten Männern wimmelten, und eines Nachts träumte ich, daß ich entführt wurde. Um zu verhindern, daß ich schrie, hatten die Räuber mir ein ganzes Päckchen Watte in den Mund gestopft. Als ich aufwachte, war mein Mund trocken wegen der Watte, ich begann zu schreien, und meine Mutter kam und sagte, es sei noch Nacht. Filippo behauptete: »Mich können sie nicht erpressen. Sie können mich ein Jahr festhalten, zu essen müssen sie mir ja geben, keinen Soldo kriegen die heraus.« Aber Angst hatte er. Der Garten des Bethauses, rauschend im gelben Laub, vermittelte uns nun die Illusion der freien Felder, und der Erzpriester spornte uns jetzt viel tatkräftiger als früher zum Studium des Katechismus an: Er traktierte uns mit trockenen Feigen und gebrannten Mandeln.

Wieder gab es im Ort die Insignien zweier Parteien. Das eine kündete »soziale Demokratie« und hatte als Sinnbild einen schönen Ährenstrauß, das andere lautete »sizilianische Unabhängigkeitsbewegung« und zeigte einen Kopf inmitten dreier geschwungener Beine, die einen Kreis bildeten. Die Unabhängigkeitsverfechter waren die Separatisten. Von ihnen wurde viel gesprochen. Sie wollten Sizilien von Italien trennen. Mein Vater meinte, sie hätten nicht unrecht, immer sei Sizilien mit Füßen getreten worden. »O du mein armes Italien«, jammerte mein Onkel, »mein schönes Italien sehe ich, die Mauern, die Bögen . . . nicht einmal die Mauern lassen sie uns, diese Verbrecher, sie werfen Bomben, als beteten sie das Vaterunser. Und nun kommt dieser Kerl daher und will Sizilien unabhängig haben. Narren, er und alle die anderen, die zu ihm halten.«

Ich war für die Separatisten, ich trug eine Kokarde aus zwei Bändern, einem gelben und einem von der Farbe geronnenen Blutes. »Dummkopf«, sagte mein Onkel, wenn er mich mit der Kokarde sah. Es war ein Vergnügen. Abends gingen wir, einen Farbtopf in der Hand, mit den jungen Separatisten durchs Dorf, und sie schrieben an die Mauern: »Es lebe Finocchiaro Aprile. Es

lebe das unabhängige Sizilien. Nieder mit den Feinden Siziliens.
Wir fordern Industrie in Sizilien.« Da die jungen Leute überdrüssig wurden, immer wieder dasselbe zu schmieren, begannen sie plötzlich andere Losungen zu schreiben: »Nieder mit denen, die das Volk aushungern. An den Galgen mit denen, die das Korn zu 2500 Lire verkaufen.« So entwickelte sich eine Art Wettbewerb, durch den die Einwohner am nächsten Morgen von den leuchtend roten, spannenhohen Aufschriften erfuhren, daß Don Luigi La Vecchia ein Dieb sei und Don Pietro Scardia ein Dieb und ein Hahnrei zugleich. Das war ein schönes Spiel für uns, und vor allem, wenn ich unter dem Pinsel die Aufschrift entstehen sah: »Es lebe Amerika, es lebe der neunundvierzigste Stern«, kannte meine separatistische Begeisterung keine Grenzen. Ich wußte, der neunundvierzigste Stern würde Sizilien sein. Die amerikanische Flagge hatte achtundvierzig, mit Sizilien also neunundvierzig. Wir steuerten darauf zu, Amerikaner zu werden.

Meine Tante schrieb häufig, sie schickte die Briefe an ihren Sohn, und er gab sie in Italien auf. Vielleicht war er in Neapel. Den Briefen seiner Mutter fügte er jedesmal einen Gruß in Englisch hinzu. Meine Mutter jedoch konnte nicht antworten, es war ihr nicht einmal möglich, an ihren Neffen in Italien zu schreiben.

»Liebe Schwester«, schrieb meine Tante, »man verspricht uns hier, daß wir in Kürze Briefe und Pakete nach Italien senden können. Ich bereite so viele Sachen vor, für dich und für deinen Mann, und besonders für deinen Sohn, denn ich weiß, wie sehr die Kinder leiden, ich habe Bilder zu sehen bekommen, bei denen ich weinen mußte. Der Herrgott wird schon an jene denken, die uns in dieses Unglück gestürzt haben...«

»Wer hat uns denn in dieses Unglück gestürzt?« fragte mein Onkel voller Genugtuung. »Ihr Präsident, dieser Paralytiker, ist doch über uns hergefallen. Wir hätten den Engländern so eingeheizt, daß längst Frieden in der Welt wäre.«

»Ein schöner Frieden«, sagte mein Vater, »mit Hitler wäre es wirklich ein schöner Frieden geworden.«

»Ja, mit dem Holzkopf«, warf ich ein. Mein Onkel konnte mich nicht mehr ausstehen.

»Der Oberst Moscatelli!« rief mein Onkel aus. »O Gott, ich kriege Krämpfe. Wer ist denn dieser Moscatelli? Sicherlich ein Zuchthäusler. Und Parri – wer hat jemals diesen Namen gehört? Der hat bestimmt im Zuchthaus gesessen. Der ganze Abschaum kommt jetzt ans Tageslicht.«

»Gewiß sind es keine Straßenräuber«, erwiderte mein Vater. »Wenn, dann haben sie aus politischen Gründen im Zuchthaus gesessen.«

»Schlimmer als Straßenräuber«, sagte mein Onkel. »Ein Straßenräuber verlangt deine Brieftasche, und gibst du sie ihm nicht, dann streckt er dich mit einem Schuß nieder. Die aber haben Italien ermordet, Aufrührer, sie wollen das Ende der Welt. Um Himmels willen, laß mich nichts mehr hören! Wir beide haben uns nichts mehr zu sagen. Der Oberst Moscatelli! Heilige Mutter Gottes, ich werde verrückt.«

Ich lachte.

»Ich sehe schon, wie Italien sein wird«, fuhr er fort, und seine Augen quollen hervor vor Wut, »das Italien Parris, Oberst Moscatellis und solcher Mißtratener wie du: ohne Erziehung, ohne Gefühl. In deinem Alter kamen mir die Tränen, wenn ich das Wort Vaterland hörte. Wenn die ›Giovinezza‹ gespielt wurde, hätte ich mich am liebsten vor Begeisterung am Boden gerollt, bei dieser Melodie wäre ich zu allem fähig gewesen.«

Ich sah ihn auf der Erde liegen wie einen Esel, der sich sielt, und ich lachte wieder. Er sah in meinen Augen nicht den Esel, der sich im Gras wälzte, sondern las darin politische Verderbnis, und er geriet dermaßen in Wut, daß ich glaubte, er habe tatsächlich den Verstand verloren. »Du und dein Vater«, rief er aus, »ihr versteht ja nichts von dem, was vorgeht! Jetzt kommen die Kommunisten. Auch hier werdet ihr diese Mörder sehen, die die Kirchen in Brand stecken, die Familien zerstören, die Menschen aus den Betten holen und erschießen.«

Mein Onkel meinte damit sich selbst; er lag wenigstens sechzehn Stunden im Bett. Ich sah, wie sie ihn an den Füßen aus dem Bett zerrten. Die Sache gefiel mir, weniger gefallen wollte mir der Gedanke, daß sie ihn erschießen würden.

»Wir haben doch den General Cadorna«, sagte mein Vater, »glaubst du, daß ein General wie er sich die Hände binden läßt?

Und die Amerikaner – übersiehst du sie völlig?« Auch er schien jetzt ein wenig besorgt.

»Es ist Revolution«, entgegnete der Onkel. »Wer kann einer Revolution Einhalt gebieten? Sie haben die Waffen der Amerikaner; wer weiß, wie viele Russen es hier gibt! Glaubst du, Amerika wird einen Krieg gegen Rußland vom Zaune brechen? Das wird unsere Sorge sein, wir werden es ausbaden müssen. Ich weiß, wie das enden wird, ich gehe ins Kloster.«

Das Bild des Klosters besänftigte ihn für einen Augenblick. Dann kamen von neuem Mißtrauen und Wut in ihm auf.

»Da mache ich mir schöne Illusionen mit dem Kloster: Die liefern mich einfach aus und lassen mich lebendigen Leibes verbrennen, ein feines Gesindel. ›Mann der Vorsehung‹, Weihen, Singmessen. Suchst du dann aber den Kardinal auf, um dich in Sicherheit zu bringen, dann triffst du den Moscatelli bei ihm.«

»Rede keinen Unsinn«, wies mein Vater ihn zurecht, »sie haben ihn erwischt, als er mit den Deutschen auf der Flucht war.«

»Und du beschimpfst die Kommunisten, daß sie Kirchen verbrennen«, warf meine Mutter ein, »dabei denkst du selbst solches Zeug. Ein Kardinal ist ein Heiliger.«

»Heilig oder nicht«, erwiderte mein Onkel, »jedenfalls würde ich ihm nicht einmal einen Hund anvertrauen. Selbst wenn es nicht stimmen sollte, was erzählt wird, so steht doch fest, daß er keinen Finger gerührt hat, um die Schwachen zu beschützen.«

»Die Schwachen!« rief mein Vater aus. »Das wären demnach jene, die bis zum letzten Tag anständige Menschen erschossen haben. Seit wann wird ein Mörder, wenn die Carabinieri ihn ergreifen, ein Schutzbedürftiger?«

»Sie haben Rebellen erschossen«, widersprach mein Onkel, »Rebellen und Verräter.«

»Wer den Anordnungen der königlichen Regierung Folge leistete, war kein Rebell«, entgegnete mein Vater. »Kannst du denn diese einfache Sache nicht begreifen?«

»Königliche Regierung! Da muß ich lachen. Ein König, der sich bei den Amerikanern anbiedert. Ich will dir mal was sagen: Damit alles wieder in Ordnung kommt, müßte man den Giuliano zum König machen; Giuliano hat mehr Ehre im Leib als dein König.«

»Benedetto Croce . . .«, begann mein Vater.

»O Gott, müssen wir jetzt auch noch über Benedetto Croce reden? Ich pfeife auf ihn und auf die Bücher, die er geschrieben hat. Und auch auf Dante Alighieri. Und auf dich. Und auf dieses ganze Italien. Ich ziehe mich in einen Winkel zurück und sterbe, merkt euch, ich will nichts mehr hören und sage kein Wort mehr.«

»Die Amerikaner entwaffnen die Partisanen«, bemerkte mein Vater.

»Oh«, sagte mein Onkel, »da tun sie endlich etwas Richtiges.«

Meine Tante schrieb: »Liebe Schwester, wir sind hier noch in Feststimmung, weil der Krieg zu Ende ist. Unser Herr hat meine Bitten erhört und mein Haus verschont, mein Sohn ist in Deutschland. Ihm geht es gut, ebenso meinem Schwiegersohn, der in der Marine gedient hat und gegen die Japaner eingesetzt war. Diese neue Bombe hatten wir bitter nötig. Amerika hat so viele Gelehrte, daß hier stets etwas Neues entdeckt wird. Mussolini hat einen Fehler begangen, als er sich gegen Amerika stellte, er hätte immer ein Freund Amerikas bleiben sollen, dann lebte er noch und könnte weiter kommandieren, denn er verstand zu kommandieren, und Italien ist es unter ihm gut gegangen. Du kannst Dir nicht vorstellen, wie stark es mich beeindruckt hat, als ich erfuhr, auf welche Weise er ums Leben gekommen ist. Alle hier in Amerika sind erschüttert. Aber Gottes Fügungen sind nun einmal unerforschlich, darum bete ich unablässig, daß unser Herr dem Morden in Italien ein Ende setzen möge. Liebe Schwester, ich habe noch immer die Absicht zu kommen, um mein Gelübde zu erfüllen, das ich unserer Madonna gegeben habe, und um Dich und unsere lieben Verwandten zu umarmen. Es heißt, wir dürften jetzt Pakete nach Italien schicken, und Du kannst Dir nicht vorstellen, wieviel ich für Euch bereithalte, auch etwas zu essen, denn ich weiß, daß Ihr in Italien Hunger leidet . . .«

»Das nenne ich christlich gesprochen«, kommentierte mein Onkel. »Gewiß hat Mussolini manches falsch gemacht; aber die Atombombe war eine deutsche Sache, solche Wissenschaftler gibt es nur in Deutschland.«

Ich besuchte mit Filippo eine Privatschule. Wir bereiteten uns auf die Zulassungsprüfungen vor, erledigten gemeinsam die Schularbeiten und hielten uns bei ihm zu Hause auf, denn sein Vater war argwöhnisch, er wollte, daß er unter seiner Kontrolle lernte.

»Bedenke, jede Lira, die ich für dich ausgebe«, pflegte er zu sagen, »muß ich im Schweiße meines Angesichts verdienen.« Einen ähnlichen Satz hatte ich in den »Aufzeichnungen eines Schülers« von De Amicis gelesen. Filippos Vater schien mit Parri, der die Regierung bildete, das Große Los gezogen zu haben. Er schilderte Ereignisse aus Parris Leben und berichtete über gewisse Partisanenerlebnisse, an denen ich Gefallen fand. Er las sie in den Zeitungen und in Büchern und erzählte sie dann. In seiner Werkstatt konnte man immer Sozialisten antreffen; es war eine Art Zirkel. »Wenn dein Vater Verstand hätte«, sagte die Mutter zu Filippo, »dann würde er sich um einen Posten bemühen, statt hier Tische zu nageln und Reden zu schwingen. Bei den Verfolgungen, die er sich eingehandelt hat, würde er auch im Rathaus eine Stelle bekommen, lesen und schreiben kann er besser als ein Advokat.« Doch Filippos Vater fand eben Vergnügen daran, Tische zu hobeln und zu leimen, und dabei unterhielt er sich mit seinen Freunden über Parri und die Partisanen. Auch mir gefiel dieser Beruf, ich hätte ihn lieber ausgeübt, als zur Schule zu gehen. Auch jener Zirkel war ganz nach meinem Geschmack.

Mein Onkel behauptete, wenn er Parris Namen höre, dann spüre er einen Krampf in der Magengrube. »Redet von Parri«, erklärte er, »und meine Verdauung ist gestört. Wenn von ihm gesprochen wird, muß ich jedesmal eine Handvoll Bullrichsalz schlucken.«

»Und Moscatelli?« fragte ich. »Und Pompeo Colajanni?«

»Komm mir nicht mit Colajanni«, fuhr er mich an. »Ich habe mit eigenen Augen gesehen, welchen Schaden er angerichtet hat, in Caltanissetta und in Canicattí. Er sprach immer von Marx und von Rußland und zog die jungen Leute auf seine Seite. Wie dumm waren wir doch, ihn nicht in den Kerker zu werfen und dort verrecken zu lassen!«

Ich kannte nun meinen Onkel so, wie ein Klavierspieler die Tastatur seines Instruments. »Ihr seid wirklich dumm gewesen«, bestätigte ich. »Und wie dumm!«

»Nein, wir waren nicht dumm. Der Duce war eben ein guter Mensch. Was aber not tat, das war eine eiserne Faust.«

»Den Matteotti haben sie aber umgebracht«, sagte ich.

»Immer wieder dieser Matteotti! Tausende von diesen Verrätern hätten wir umbringen sollen.«

»Aber jetzt sind sie an der Macht«, entgegnete ich, »sie werden dich ergreifen und totschlagen wie Matteotti. Du wolltest Colajanni sterben sehen, und Colajanni wird dich in ein Auto verfrachten und durch Hiebe mit einem Meißel ermorden lassen.« Ich war mit Matteottis Leidensgeschichte bestens vertraut.

Mein Onkel machte ein entsetztes Gesicht. »Was tue ich denn Böses?« fragte er. »Ich wünsche niemandem den Tod. Colajanni ist Unterstaatssekretär, und ich hocke zu Hause, wir sind alle glücklich und zufrieden. Dir wird doch nicht einfallen, diesem . . . ich meine Filippos Vater, zu erzählen, daß ich so rede? Ich sage gar nichts, ich kümmere mich nur um meine eigenen Angelegenheiten. Selbst wenn die Leute auf dem Kopf herumliefen, würde ich kein Sterbenswörtchen sagen.«

Die Pakete von meiner Tante trafen ein, in einem Monat waren es rund zehn. Sie enthielten Dinge, von deren Existenz ich nicht einmal geträumt hätte: Biskuits, die nach Pfefferminz schmeckten, und Spaghetti in Dosen, Büchsen mit Hering und Büchsen mit Orangensaft, Anzüge, Hemden, flammende Krawatten und Strickjacken. In den Taschen der Kleidungsstücke staken Zigaretten, aus den Ärmeln rutschten Kaugummipäckchen, auch Füllfederhalter, Bleistifte und Sicherheitsnadeln fehlten nicht. Meine Tante dachte eben an alles.

Bei jedem eintreffenden Paket überwachte mein Onkel das Auspacken, prüfte, schnupperte, suchte dies und jenes heraus und murmelte: »Die Zigaretten nehme ich, du rauchst sie ja nicht, du rauchst nur die einheimischen; dieser Füller kommt gerade im richtigen Augenblick, in meinem funktioniert die Saugvorrichtung nicht; dieses Hemd ist gut, genau meine Größe; den Schlips kann ich tragen, er hat dezente Farben; vielleicht würde mir auch dieser Anzug passen, für dich ist er zu klein . . .« Mein Vater sagte weder ja noch nein, und mein Onkel nahm die Beute und trug sie in sein Zimmer.

»Nun ja«, bemerkte er, »diese Amerikaner! Sie haben eben alles in Amerika, da mußten sie ja siegen.«

Die Kleidungsstücke, die meine Tante für mich mitschickte, saßen entweder so knapp, daß ich eine ganz komische Figur abgab, oder aber ich versank darin. Besser waren immerhin die, in denen ich versank, denn meine Mutter konnte sie enger machen. Meine Tante vermochte kein rechtes Bild von mir, von meiner Statur und meinem Leibesumfang zu gewinnen, sie kaufte für mich aufs Geratewohl ein. Einige Trikots mit aufgedrucktem Mäusemuster paßten mir, ebenso die Blusen mit blauen und gelben Kringeln, aber die wollte ich um keinen Preis anziehen. Im Dorf wimmelte es von Jungen mit gekringelten Blusen und Trikots mit Mäusemuster. Die Erwachsenen trugen Anzüge von unverkennbar amerikanischem Schnitt, Hemden mit Taschen, Krawatten mit Chrysanthemen, Feuerrädern, Trompeten und nackten Frauen. Die Frauen im Dorf hatten Kleider an, die ähnlich wie die Schlipse bedruckt waren. »Amerika kleidet uns ein«, pflegte meine Mutter zu sagen. In der Tat wurden im ganzen Ort amerikanische Sachen getragen, das Dorf lebte von den Gaben der Verwandten in Amerika. Keine Familie, die nicht auf einen Verwandten in Amerika rechnete. An einer Ecke des Marktes florierte sogar eine kleine Wechselstube, bis zu neunhundert Lire wurden für einen Dollar gezahlt; doch mein Vater tauschte nicht um, er wartete, daß der Kurs noch höher stieg. Überall wurde mit amerikanischen Waren gehandelt, mit Lebensmitteln in Dosen und Toilettenseife, Schuhen, Anzügen, Zigaretten. Am lebhaftesten war der Handel mit Medikamenten. Ein Fläschchen Penicillin wurde mit Gold aufgewogen, man mußte eine ganze Menge Land verkaufen, um es erschwingen zu können. Der Arzt breitete in verzweifelten Fällen die Arme ratlos aus und meinte: »Was soll ich Ihnen sagen? Gelingt es, Penicillin aufzutreiben, dann kann ich Ihnen Hoffnungen machen.« Und es war allgemein bekannt, wo und zu welchen Preisen Penicillin zu haben war. Im Ort gab es Leute, die sich von ihren Verwandten in Amerika Medikamente an Stelle von Zigaretten und Fleischkonserven kommen ließen und haufenweise Geld machten. Mein Vater sagte öfter: »Schreib doch deiner Schwester, daß sie uns eine Packung Penicillin schickt«, und meine Mutter antwortete darauf in weiser Voraussicht: »Du würdest es jemandem schenken, der es braucht, und dir zum Lohn schließlich noch ein paar Jahre Zuchthaus einhandeln.«

Meine Tante schrieb immer wieder, schickte Pakete und lange Briefe mit Dollarscheinen, die zwischen den dünnen Blättern staken. Sie sagte stets dasselbe, der Herrgott, das heilige Herz Jesu, die Jungfrau Maria, das Gelübde an die Madonna, die Kinder, das Geschäft, die Landsleute in New York.

Das Schuljahr stand kurz vor dem Abschluß, aber ich hatte anderes im Kopf als die Schule. Jeden Tag gab es Meetings, Schlägereien in den Cafés, Versammlungen in der Werkstatt von Filippos Vater, Monarchie und Republik, Republik und Monarchie. Mir kam das vor wie beim Fußballspiel, wenn die Mannschaft aus dem Nachbardorf da war und es stürmisch zuging. Meinen Vater hatte der König in jenen Tagen zum Cavaliere ernannt, er hatte ihm ein schönes Diplom gesandt, dazu einen Begleitbrief. Jemand mit Namen Lucifero hatte ihn im Auftrag des Königs geschrieben. Der Name verfehlte nicht seine Wirkung auf mich. Mein Vater sagte, er mache sich nichts aus dieser Ernennung, ja, er wollte sogar das Diplom und den Brief zurückschicken. »Ich muß dem König meine Stimme geben«, sagte er. »Ich bin zwar aus Prinzip Republikaner, jedoch der gegenwärtige Zeitpunkt gestattet mir nicht, nach meinen Grundsätzen zu wählen.«

Ich hatte mir ein Efeublatt mit einer Nadel ans Hemd geheftet. Die republikanische Partei war für mich eins mit der Republik, auch mein Onkel fiel dieser Verwechslung zum Opfer. Nun hatte er es mit Pacciardi, er schaute mein Efeublatt an und sprach: »Du kannst dir den gesamten Efeu anstecken, den es auf dem Friedhof gibt, ich weiß, du machst es absichtlich. Du bist dir im klaren, daß mich das wurmt, und du tust es absichtlich.« Dann ging er dazu über, die Theorie vom Sprung ins Dunkel zu erläutern, und schloß damit, daß Gott allein wisse, ob Umberto seine Stimme verdiene nach dem Verrat, den sein Vater an Mussolini begangen habe. Aber es bleibe nichts anderes übrig, man müsse sie ihm geben: Siegte die Republik, dann würden wir beim Aufwachen Rotgardisten am Kopfkissen vorfinden. Große Ereignisse stellte er sich immer rings um sein Bett vor.

39

Meine Tante schrieb in jener Zeit, wenn sie in Italien lebte, dann würde sie ihre Stimme dem König geben; die Republik sei eine gute Sache für die Amerikaner, in Italien jedoch, bei so vielen Kommunisten, wisse man nie, wie es ausgehen könne.

Die Republik siegte. »Wir sind verloren«, sagte mein Onkel, »Du wirst sehen, sie machen Togliatti zum Präsidenten. Das wird ein schlimmes Ende nehmen.«

»Liebe Schwester, ich habe noch immer die Absicht zu kommen. Du sagst, Du glaubst es nicht mehr, aber ich versichere Dir, daß ich jeden Augenblick daran denke. Zuerst kam die Krankheit meines Mannes dazwischen, der sich nun, Gott sei es gedankt, besser fühlt, dann hatten wir das Geschäft vergrößert, und jetzt ist meine Tochter Grace guter Hoffnung. Wir erwarten das Kind in den ersten Tagen nach Neujahr. Wenn die Madonna es will und alles gut geht, komme ich im Laufe des Jahres 1948 nach Italien, zuvor jedoch will ich sehen, wie Eure Wahlen ausgehen. Wir denken hier alle daran, und die Zeitungen sind voll davon ...«

»Jetzt denken sie daran«, sagte mein Onkel, »wer nicht denken will, der muß fühlen. Sie hätten denken sollen, als es noch Zeit war.«

»Ich hoffe, liebe Schwester, daß bei den Wahlen nicht die Kommunisten an die Regierung gelangen und auch jene nicht, die wie die Kommunisten Feinde des Glaubens und der Ordnung sind. Unsere Regierungskreise haben ihr Vertrauen in De Gasperi und die christlich-demokratische Partei gesetzt. Ohne De Gasperi würde Italien die Unterstützung Amerikas einbüßen, denn wir zahlen hohe Steuern und wissen, daß unser Geld gut verwendet wird, und wir spenden immer Geld für Italien, in der Kirche und in verschiedenen Gesellschaften. Falls die Kommunisten siegten, würde das Geld des amerikanischen Volkes nicht mehr nach Italien fließen, und wir könnten auch keine Pakete mehr schicken. In Amerika ist der Geist der Religion sehr stark, das Geld der Amerikaner darf nicht in die Hände der Gottlosen fallen. De Gasperi ist ein frommer Mann, ich habe Bilder gesehen, auf denen er kniend die Messe anhört. Seine Partei schützt die Religion und sucht Freundschaft mit Amerika . . .«

»Hörst du«, sagte meine Mutter, »auch meine Schwester schreibt es.«

»Behaupte ich denn, daß es nicht wahr ist?« erwiderte mein Vater. »Aber wenn ich für die Liberalen stimme, dann ist es dasselbe.«

»Es ist eben nicht dasselbe«, widersprach meine Mutter. »Amerika hat nur Vertrauen zu De Gasperi.«

»Dieser De Gasperi liegt mir schwer im Magen«, warf mein Onkel ein. »Aber eins steht fest: Wenn sich die Stimmen nicht auf eine große Partei konzentrieren, dann spielt man den Kommunisten in die Hände. Es kostet mich viel, meine Stimme De Gasperi geben zu müssen; aber soll ich einer Zersplitterung Vorschub leisten? Immerhin, es ist eine Partei der Ordnung.«

»Liebe Schwester, es betrübt mich, erfahren zu müssen, daß Dein Mann seine Stimme den Liberalen geben will, denn ich habe den Padre La Spina befragt, den Sohn unseres Landsmannes Michele La Spina, an den Du Dich gewiß noch erinnern wirst. Er ist ein Priester von großer Gelehrsamkeit, und er hat gesagt, daß diese Liberalen nicht in der Gunst des Herrn stehen und sich in bestimmten Augenblicken mit den Kommunisten einig wissen. Versäume nicht, ihn auf die Gefahren aufmerksam zu machen, die aus einer falsch gegebenen Stimme für die Zukunft Eures Sohnes und für das Heil seiner Seele erwachsen . . .«

»Dann schreib ihr, daß ich sie De Gasperi gebe«, unterbrach mein Vater, »deine Schwester ist imstande, aus Sorge um mein Seelenheil noch an den Papst zu schreiben.«

»Du mußt sie ihm wirklich geben«, warf mein Onkel ein, »schon aus Rücksicht auf deine Schwägerin, die dir das Haus mit Sachen gefüllt hat. Und dann ist die Gefahr ja real. Siehst du nicht, wie stark die Kommunisten sind? Gestern abend haben sie eine Versammlung gehabt, an der zweitausend Menschen teilgenommen haben. Da kann einem ja angst und bange werden.«

». . . und ich danke dem Herrn, daß er Deinen Mann rechtzeitig erleuchtet hat; so mag er in dem Gewissen aller Italiener ein Licht anzünden. Hier herrscht große Erwartung, jeder, der in dieser Zeit zur Überfahrt bereit war, hat die Abreise verschoben, auch jene, die schon die Fahrkarte gelöst hatten. Sobald wir gute Nachricht aus Italien haben, werden wir an Bord gehen, die Koffer sind schon gepackt.«

»Die Koffer«, sagte mein Onkel. »Wer weiß, was sie alles enthalten.«

Einen Tag vor der Wahl traf ein Telegramm von meiner Tante ein, in dem sie uns noch einmal mahnte, für De Gasperis Partei zu stimmen. Mein Vater stellte schon bedenkliche Betrachtungen über die geistige Verfassung meiner Tante an, als er aber dann ins Dorf ging, erfuhr er, daß mehrere Hundert solcher Telegramme gekommen waren. Mein Onkel rieb sich die Hände. »Was für ein Einfall!« rief er aus. »Natürlich, hat man erst einmal Geld, dann kommen einem auch gute Gedanken. Diese Telegramme treffen nun bei Leuten ein, die nur dann eins erhalten, wenn der Tod im Spiel ist, und du wirst sehen, welche Wirkung damit erreicht wird – die gleiche nämlich, als handelte es sich tatsächlich um einen Todesfall. Manch einer wird ernstlich meinen: Schicken mir die Verwandten aus Amerika nichts mehr, dann ist es genau so, als nähme man einem Maultier die Gerste und ließe ihm nur das Stroh zum Fraß.«

Nur die Stimmen der Kutscher, die einander Grüße und Schimpfworte zuriefen, das Peitschenknallen und das Rattern der Wagen hallten. Der Schleier des Morgengrauens, der Dämmerung einer trägen Stadt, in der der Bratgeruch, der sie am Tage einhüllt, noch in der Morgenbrise wie ein Heiligenschein gespenstert – der Schleier der Dämmerung lag über den stillen Häusern Palermos. Die Via Maqueda, dann der Corso Vittorio Emanuele. Wir betraten das Hafengelände, in dem bereits das Leben pulsierte. Mein Vater erkundigte sich noch einmal nach der Ankunft des Dampfers. »Er ist schon in Sicht«, sagte jemand, aber wir konnten nichts entdecken. Eine Viertelstunde später zeichnete sich der Dampfer deutlich am Horizont ab und näherte sich zusehends. Es war, als fügte jemand mit Bleistift und Farben nach und nach dem Schiff Einzelheiten hinzu, von dem auf einem Blatt von schmutzigem Grün und Blau anfangs nur die Umrisse skizziert waren.

Als es so nahe war, daß man die Bewegungen der Passagiere erkennen konnte – sie standen so dicht gedrängt, daß ich befürchtete, der Dampfer würde sich nach einer Seite neigen, wie ein Gewicht die Schale einer Waage ausschlagen läßt –, da hob meine Mutter an, sich ungeduldig zu regen, schwenkte den Arm und meinte: »Gewiß sieht uns meine Schwester schon.« Aber auch wir waren mitten in einer solchen Ansammlung, so daß es für die Menschen auf dem Dampfer sicherlich unmöglich war, einen von uns zu erkennen. Das Schiff war nun schon so nahe, daß man die Gesichter unterscheiden konnte, die glattrasierten Gesichter der Amerikaner, die goldenen Brillen und die dicken Zigarren. Vom Kai aus und vom Schiff wurden Namen gerufen – Turí, Calí, Pepé –, aber es gab wohl ein gutes Hundert Turí, Calí und Pepé an Bord und ebenso viele an Land.

Meine Mutter erkannte ihre Schwester, als sie zehn Schritt von uns entfernt war. Sie übersprang die Kette und lief hin, sie zu umarmen. Meine Tante war dick, hatte ein großblumiges Kleid an, und auf ihrer Nase saß ein goldener Kneifer. Ihr Mann war groß und hatte unter schlohweißem Haar ein jugendlich frisches Gesicht. Die Tochter war klein wie meine Tante, jedoch gut gebaut und voller Anmut, der Junge ziemlich häßlich, auch weil er erbost schien und schlaftrunken taumelte.

Meine Tante ermahnte ihren Mann, auf das Gepäck zu achten. Mein Vater erbot sich, ihn zu begleiten, aber meine Tante sagte: »Er wird allein damit fertig.« Sie sagte es so, daß ich glaubte, sie hätten sich erst gestritten, später jedoch bemerkte ich, daß dies die Haltung war, die meine Tante ihrem Manne gegenüber immer einnahm. Meine Mutter weinte vor Freude und konnte sich kaum beruhigen, daß sie ihre Schwester unter den Passagieren an Bord des Schiffes nicht erkannt hatte. Meine Kusine nahm diese Tränen erstaunt und vielleicht auch ein wenig blasiert zur Kenntnis.

Als der Mann meiner Tante wiederkam und wir das Hafengelände verließen, sagte meine Tante, sie wünsche in das beste Hotel am Platze zu ziehen. Mein Vater meinte, unseres sei auch gut, die Tante aber widersprach: »Nein, es muß schon das beste

43

sein, und ihr kommt mit uns.« Mein Vater ließ also den Chauffeur zum Hotel »Unter den Palmen« fahren, und meine Mutter war darüber entsetzt.

Im Foyer des Hotels schnupperte meine Tante erhobenen Hauptes herum, fragte, ob es Air-Conditioning, Bad, Brause, Steckdose für den elektrischen Rasierapparat und fürs Radio gebe. Sie schien nicht ganz zufrieden und fragte meinen Vater, ob es wirklich das beste Hotel sei. Mein Vater antwortete, Richard Wagner, der Kaiser und General Patton hätten hier Einkehr gehalten, und meine Tante ließ sich überzeugen. Ich gewann den Eindruck, daß die Hotelangestellten durch die Fragen meiner Tante herausgefordert wurden, uns mit Ironie zu betrachten, das heißt mich, meinen Vater und meine Mutter; denn was konnten wir schon von Air-Conditioning und elektrischen Rasierapparaten wissen. Jene aber kamen aus Amerika und kannten diese Dinge, und sie konnten sie sich auch jahrelang in diesem Hotel leisten. Ich fühlte mich etwas unbehaglich.

Wir gingen auf die Zimmer, um ein wenig zu ruhen und uns umzuziehen, wie meine Tante sagte. Wir ruhten nicht und hatten auch keine Kleidung mit zum Wechseln. Als wir uns wieder in der Vorhalle trafen, waren die Amerikaner herausgeputzt und ausgeruht, wir aber fühlten uns noch erschöpfter, und unsere Sachen wiesen den Geruch und die Knitterfalten einer langen Eisenbahnreise auf. Man braucht fast einen ganzen Tag, um von unserem Ort nach Palermo zu gelangen. Meine Tante fing an, Fragen zu stellen, und sie fragte ohne Ende, als läge eine Karte des Dorfes vor ihr, mit Straßen und mit Häusern, und sie deutete, wie der Zufall es ergab, mit dem Finger auf eine Straße, auf ein Haus, und wollte Genaueres über Leben und Tod, Glück und Unglück der Bewohner erfahren ... Die Kinder und der Mann blieben stumm. Im Speisesaal fühlte ich noch die Blicke der Kellner auf mir lasten, meine Tante sprach indes von Armut und Reichtum, von Licht und Dunkel, und ich hatte das Empfinden, daß mich die Blicke der Kellner in die finstere Zone des armen Dorfes zurückstießen, aus dem ich kam. Meine Kusine bestellte bei einem Ober, der Amerikanisch sprach, nach kurzer Beratung mit ihren Eltern und ihrem Bruder das Essen; für uns bestellte mein Vater Spaghetti mit Tomatensoße und Fisch. Als wir nun

die Spaghetti vor uns sahen, die Amerikaner aber Tomatenhälf-
ten, gefüllt mit einer dunklen Farce, dazu ein Stück gallertigen
weißen Fisch mit Butterröllchen ringsherum erhielten, fühlten
wir uns noch mehr gedemütigt. Der Mann meiner Tante rief
einen Kellner herbei, an dessen weißer Jacke, gleichsam als Abzeichen, ein schwarzer Fleck mit einer gestickten violetten Wein-
traube angebracht war, und verhandelte eifrig mit ihm. Der Ober
brachte Flaschen an, ließ das Etikett sehen, und mein Onkel sagte: »Oreit.«[1] Er trank also, den Kindern aber maß er den Wein
vorsichtig zu, dem Jungen gerade nur so viel, daß der Boden des
Glases bedeckt war, dem Mädchen das Glas halb voll. Meine
Tante verfolgte die Operation aufmerksam und erging sich dann
des langen und breiten über ihre Erziehungsgrundsätze bezüglich
des Weins, des Lippenstifts und des Boy-friend. Ihren kompli-
zierten Ausführungen entnahm ich, daß der Boy-friend der
Schulfreund eines Mädchens ist oder ein Junge aus der Nachbar-
schaft, der zu ihrem gewohnten Begleiter avanciert. »Wenn ich
dahinterkomme, daß sie einen Boy-friend hat, hole ich sie aus
dem College und sperre sie zu Hause ein«, erklärte sie und starrte
ihre Tochter argwöhnisch und drohend an. Das Mädchen lächelte. Meine Mutter pflichtete ihr eifrig bei, fragte aber, um was für
ein College es sich handle; auch ich hatte schon diese Frage auf
der Zunge. »Syracuse«, antwortete meine Tante. »Du ahnst ja
nicht, was mich das kostet.« Meine Mutter wußte noch weniger
als vorher. Mein Vater erklärte ihr, College sei eine Universität,
und Syracuse sei der Name einer amerikanischen Stadt, die
Hochschulen habe. Meine Mutter betrachtete daraufhin ihre
Nichte mit gesteigerter Hochachtung. »Was studiert sie denn?«
fragte sie. Nun folgten von neuem komplizierte Ausführungen.
Mein Vater brachte mit einem Schlage Licht in das Dunkel, indem er sagte: »Medizin.« Der Junge dagegen sei ein Loafer,[2] fuhr
meine Tante fort, er würde vielleicht nicht einmal die High
school[3] beenden, im Grunde sei er jedoch nicht schlecht, er könne
im Geschäft nach dem Rechten sehen.

Ich ließ fast alles unberührt auf dem Teller, stocherte nur ein

1 All right, in Ordnung.
2 Faulpelz.
3 Oberschule.

bißchen mit der Gabel drin herum und aß nicht einmal die Bananen, die mir sonst so gut schmeckten.

Meine Mutter schlug vor, am nächsten Morgen nach Hause zu fahren; ihre Schwester widersprach ihr, sie wollte Palermo genießen. Sie erinnerte sich, wie die Stadt im Jahre neunzehn ausgesehen hatte, als sie nach Amerika abgereist war. Jetzt kam sie ihr verändert vor, schöner, und obwohl mit einer Stadt in Amerika nicht zu vergleichen, war sie dennoch schön. Besonders das prunkvolle Postamt rief ihre Bewunderung hervor. Das Schiff hatte, ehe es seine Route in Palermo abschloß, in Gibraltar, Barcelona und Genua angelegt. Von Barcelona blieben ihnen die Obstverkäufer in Erinnerung, von Gibraltar die Wachablösung, und in Genua hatten sie den Friedhof besichtigt; sie priesen ihn als das Schönste, was sie je zu Gesicht bekommen hätten; auch das Mädchen meinte, er sei wunderhübsch. Nun wollten sie den Friedhof von Palermo sehen, waren aber enttäuscht. Der Carabiniere, der im Schilderhaus vor dem Königspalais stand, kostete uns bei der Besichtigung mehr Zeit als die Kapelle im Palais und der Flughafen von Boccadifalco mehr als der Kreuzgang von Monreale. Ich wäre am liebsten den ganzen Tag in dem Kreuzgang geblieben. Vom nahen Aussichtspunkt aus zeigte mir mein Vater, einen Bogen in der Luft andeutend, da über Stadt und Land ein leichter Nebel glänzte, den Weg, den Garibaldi zurückgelegt hatte, um nach Palermo zu gelangen. Ich hatte in der Schule die »Aufzeichnungen« von Abba gelesen, ein Buch, das mir sehr gefiel. Meine Tante sagte, Garibaldi sei Kommunist gewesen, mein Vater versuchte, ihr zu erklären, daß es ganz anders sei, die Kommunisten nutzten Garibaldi nur für den Wahlkampf.

Meine Tante fiel ihm ins Wort und behauptete, das sei dasselbe.

So wanderten wir fünf oder sechs Tage durch Palermo. Ich sehe noch unser Grüppchen in den Straßen der Stadt, als wäre es auf einem Foto festgehalten, das durch Überbelichtung getrübt ist: meine Tante, die wie der Bug eines Motorboots die Straße in zwei Hälften schneidet, meine Mutter, stumm und erschöpft, mein Vater, leicht angeregt durch diese unverhofften Ferien, der Mann meiner Tante, wie ein Nachtwandler schreitend, der Junge, ständig mit finsterer Miene, und meine Kusine, die sich mit mir anzufreunden begann und ständig das, was sie sah, mit dem verglich, was es in Amerika gab. Diese Gruppe landete schließlich in einem Abteil erster Klasse, in dem Backofenhitze herrschte. Der Zug fuhr ins Innere Siziliens, unserem Dorf zu. Meine Tante redete unablässig, ich saß neben meiner Kusine, eingehüllt von ihrem Geruch aus Schweiß und Parfüm, der in mir Zärtlichkeit und ein unerklärliches Verlangen weckte, und schlummerte ein.

»In einer Stunde sind wir zu Hause«, sagte mein Vater, und es war schon dunkel. Die Lichter der Ortschaften funkelten, wenn ich auf den Stationen durchs Fenster blickte, wie Straßbroschen an einem schwarzen Kleid. Meine Kusine lehnte neben mir am Fenster, kraulte mir sanft den Nacken, und ich schnurrte wie ein Kater, öffnete so der in mir keimenden Liebe die Schleusen. Unser Dorf tauchte plötzlich aus dem Dunkel der Nacht auf: spärliche Reihen von Straßenlaternen zwischen niedrigen Häusern. Ich hätte es nicht erkannt, wenn mein Vater nicht begonnen hätte, die Koffer in den Gang zu tragen. Es war ein armes Dorf, und ich dachte, es würde meiner Kusine nicht gefallen, ich schämte mich seiner ein wenig.

Meine Tante schaute vom Bahnhof auf das tiefer liegende Dorf hinunter, dessen Straßen, von den Laternen angedeutet, sich fächerähnlich öffneten, und sagte: »Es sieht noch immer aus wie früher«, und mir schien in dieser Feststellung Ungehaltenheit, etwas wie Groll mitzuschwingen. Oder bewirkte vielleicht der rechtfertigende Ton, den meine Mutter anschlug, als sie erwiderte, es sei nicht mehr dasselbe, es gebe ja elektrisches Licht und neue Häuser und Straßen, daß ich diesen Eindruck gewann?

Am Bahnhof erwartete uns mein Onkel. Er hatte einen Karren für das Gepäck und für uns eine Droschke bestellt. Er musterte das Handgepäck, das der Kutscher bereits verstaut hatte, und fragte: »Und wo sind die schweren Koffer?« Meine Tante erklärte, sie würden später ankommen, und er gab sich mit dieser Antwort zufrieden.

Die Koffer trafen am nächsten Morgen ein, und meine Tante begann sogleich, die Sachen zu verteilen. »Dies ist für dich, das ist für deinen Mann, für deinen Sohn, für deinen Schwager.« Für mich kamen unausstehliche Hosen zum Vorschein, ich hätte ein Gewehr, Kaliber 36, lieber gesehen, oder eine Filmkamera, einen Projektor, selbst einen Fotoapparat. Statt dessen gab es nur Kleidungsstücke. Ein Kofferradio war da, doch mein Onkel zeigte sich so begeistert dafür, daß sich meine Tante entschloß, es ihm zu schenken – eine weiße Schachtel, wie ein Behälter für Medikamente. Mein Vater und mein Onkel erhielten elektrische Rasierapparate.

Und schon begannen die Besuche. Wer Verwandte in New York hatte, erschien bei uns, um sich zu erkundigen, ob meine Tante sie kenne und wie es ihnen gehe, und fragte, ob sie nicht etwas mitgeschickt hätten. Meine Tante hatte eine lange Liste, sie suchte darin den jeweiligen Namen und ließ ihren Mann dann fünf oder zehn Dollar auszahlen. Alle Landsleute in New York hatten für ihre Verwandten einen Fünf- oder Zehndollarschein mitgegeben. Es war wie eine Prozession. Hunderte stiegen die Stufen unseres Hauses hinan. So ist es immer in unseren Dörfern, wenn jemand aus Amerika kommt. Meine Tante schien ihre Freude daran zu haben. Jedem Besucher bot sie eine Art Momentaufnahme der Verwandten in Amerika dar: die Familie in blühender Gesundheit vor einem Hintergrund, der all die symbolischen Elemente wirtschaftlichen Wohlstandes aufwies. Dieser besaß einen Shop,[1] jener einen guten Job,[2] der eine hatte einen Store[3] ein anderer arbeitete auf einer Farm. Alle hatten ihre Kinder in der High school oder im College. Sie besaßen Car,[4] Icebox[5] oder Washtub.[6] Mit diesen Wörtern, deren Sinn nur wenige begriffen, die jedoch sicherlich erstrebenswerte Dinge bedeuteten, sang meine Tante das Loblied auf Amerika.

Auch die Verwandten eines gewissen Cardella erschienen und erhielten die Dollars ihres Angehörigen sowie Geschenke von meiner Tante. Die Tante erklärte später, Gio Cardella sei ein einflußreicher Mann in New York. Sie erzählte, einmal seien bei ihr zwei Typen aufgetaucht, hätten von ihr zwanzig Dollar ver-

1 Laden.
2 Arbeit.
3 Geschäft.
4 Auto.
5 Kühlschrank.
6 Waschmaschine.

langt und angekündigt: »Jeden weiteren Freitag wollen wir zwanzig Dollar haben«, sie aber sei auf den Gedanken gekommen, darüber mit Cardella zu sprechen. Am nächsten Freitag habe sich Cardella bei ihr im Laden versteckt und den beiden aufgelauert. Im geeigneten Moment sei er dann hervorgetreten und habe zu den beiden gesagt: »Jungs, was fällt euch ein? Dieses Geschäft ist nicht anders, als wäre es mein eigenes. Hier darf sich keiner mausig machen.« Darauf hätten die beiden gegrüßt und sich davongemacht.

»Natürlich«, warf der Mann meiner Tante ein, »Cardella hatte sie ja geschickt.«

Meine Tante fuhr auf, wie von einer Wespe gestochen. »Schattap!«[1] schrie sie ihren Mann an. Wenn du den Mund auftust, richtest du Unheil an. Gewisse Dinge spricht man nicht aus, auch wenn man sie denkt. Außerdem steht fest, daß alle anderen Ladeninhaber zahlen. Wir haben aber nie gezahlt.«

»Ist dieser Cardella etwa ein Mafiahäuptling?« fragte mein Onkel, der manches im Handumdrehen begriff.

»Ach was, Mafiahäuptling!« entgegnete meine Tante und warf ihrem Mann einen strafenden Blick zu. »Ein Ehrenmann ist er, reich und elegant, er beschützt seine Landsleute . . .«

»Jawohl«, versetzte ihr Mann, »genau so wie er La Mantia beschützt hat.«

Meine Tante schien vor Wut beinahe zu ersticken. »Wir sind hier unter uns«, fuhr ihr Mann fort und erzählte, ein gewisser La Mantia habe in angetrunkenem Zustand Cardella beleidigt. Freunde hatten sich sogleich eingeschaltet und die beiden noch an demselben Abend wieder miteinander versöhnt. Es gab unzählige Shakehands,[2] und man trank zusammen, aber am nächsten Morgen lag La Mantia mit einer Kugel im Kopf auf dem Bürgersteig.

»Rede du nur«, stichelte meine Tante, »so verdienst du dir auch noch eine Kugel in den Kopf.«

»Wir beide gehen heute spazieren«, sagte meine Kusine zu mir. »Nur 'raus aus dem Dorf. Uh, wieviel Fliegen es in diesem Nest gibt!«

1 Shut up, halt den Mund!
2 Händeschütteln.

Sie hatten DDT-Pulver mitgebracht, aber mit den Fliegen wollte es kein Ende nehmen; man brauchte bloß die Fenster zu öffnen, und schon strömten sie in Schwärmen herein. Meine Mutter war verzweifelt, denn sie sah, wie sehr die Amerikaner darunter litten. Sie rührten das Essen kaum an, aus Angst vor den Fliegen, die sich auf Teller und Gläser setzten, auf das Fleisch und auf das Brot. Meine Tante schimpfte über das Dorf, sie sagte, sie habe gehofft, es sei anders geworden, moderner und sauberer, statt dessen sei es schlimmer als vorher. Die Enttäuschung meiner Tante hatte zwei Seiten: Wir Verwandten waren nicht ausgehungert, wie sie sich das in Amerika vorgestellt hatte, und das Dorf hatte sich nicht so gebessert, wie sie es erwartet hatte. Sie hatte geglaubt, daß sie uns arm und nackt vorfinden würde, zu Menschen gemacht durch ihre Kleidung und hochgepäppelt durch ihre vitaminisierten Konserven. Und nun fehlte es uns weder an Weizenbrot und Olivenöl noch an Milch, Fleisch und Eiern. Wir besaßen ein Radio, Fenstervorhänge und weiche Betten. Meine Tante hatte sich in Amerika dieses Haus, in dem sie geboren wurde, mit einem Fußboden aus rotem Ton vorgestellt, das Bett eingepfercht in einen finsteren Alkoven und hart durch die Bretter und die Roßhaarmatratzen – als einziges Mobiliar eine Truhe und geflochtene Stühle. Sie war sich dessen nicht bewußt, aber es war enttäuschend für sie, die Räume voll Licht und anständig möbliert vorzufinden. Wir waren nicht so arm, wie sie glaubte, und auch wieder nicht so reich, daß sie und die Ihren jede Unbequemlichkeiten nicht spürten, die es, wie sie behauptete, weder in ihrem Heim in Amerika noch in den Häusern aller anderen Amerikaner gebe. Obendrein waren da die Fliegen.

Einmal – meine Tante erging sich gerade darin, all die Übel zu schildern, die die Fliegen mit sich bringen – sagte meine Mutter ein wenig aufgebracht: »Wir sind doch beide mitten unter Fliegen aufgewachsen, früher gab es noch mehr als jetzt, Gott sei Dank aber erfreuen wir uns der besten Gesundheit.« Meine Tante sprach an diesem Tage nicht mehr von Fliegen.

Ich ging also mit meiner Kusine an dem bewußten Tage ins Grüne, und dann täglich gegen Abend. Wir spazierten einen Feldweg entlang, auf dem wir nur Bauern begegneten, die ins Dorf zurückkehrten; sie hatten sonnengebräunte Gesichter, und ihre Maultiere waren mit Klee und rauschendem Hafer beladen. Die Bauern starrten uns zweideutig an. Meine Kusine hielt meine Hand in der ihren, und ich war so groß wie sie, obwohl ich noch kurze Hosen trug, oder aber sie hatte mir einen Arm um die Schultern gelegt und zog mich an sich, als wollte sie mir etwas ins Ohr flüstern. Sah uns einer meiner Freunde, dann spottete er, wenn er mich am nächsten Morgen allein traf. Auch Filippo stichelte, er fragte, ob ich in dem mannshohen Weizen mit meiner Kusine etwas anstellte. Ich wurde rot vor Scham und Wut, und Filippo schloß: »Du bist schön dumm, wenn du mit ihr nichts anstellst.« Und um das Maß vollzumachen, fügte er lachend hinzu, der Herr Jesus schicke denen Biskuits, die keine Zähne haben.

Hatten wir das Dorf hinter uns gelassen, dann holte meine Kusine Zigaretten und Streichhölzer hervor und begann wie ein Türke zu rauchen. Auch mir gab sie zu rauchen. Zu Hause konnte sie das nicht tun, der Verdacht allein hätte ihre Mutter zur Raserei gebracht, deshalb hatte sie sich den Nachmittagsspaziergang ausgedacht und als Begründung die Fliegenplage vorgeschützt. Wenn ihr Bruder den Wunsch äußerte, mitzukommen, wurde der Spaziergang verschoben; der Junge pflegte nämlich zu spionieren.

Meine Kusine rauchte nicht nur, sie trank auch heimlich Likör. Sie gab mir Geld, und ich vollführte allerlei Kunststücke, um den Alkohol ins Haus zu schmuggeln. Ich versteckte ihn auf dem Dachboden, und sie stieg dann und wann hinauf und trank. Sie erzählte mir, daß in Amerika alle College-Mädchen Alkohol tränken, und zwar immer um die Wette. Einmal habe sie hintereinander vierzehn Gläser getrunken, obendrein vom stärksten. Meine Tante aber hielt bei Tisch Reden über den Wein, zielte dann mit dem Finger auf die Tochter und mahnte: »Passiert dir etwas beim Autofahren, dann komme ich und hole dich heraus, selbst wenn es mich Tausende Dollar kosten sollte; aber wenn die Polizei sagt, dein Atem habe nach Whisky gestunken, dann lasse ich dich kurzerhand in die Tombs[1] bringen.« Das Mädchen machte eine Miene wie die heilige Unschuld. Sie gefiel mir, wenn

1 Gefängnis in New York.

sie in Anwesenheit ihrer Mutter still und bescheiden wie ein Mädchen aus dem Dorf wirkte, aber auch wenn wir allein waren und sie trank und rauchte. Doch weit mehr gefiel sie mir, wenn ich an ihr den Geruch von Zigaretten und Likör wahrnahm, und zwar wegen der Vorstellung von Sünde, die ich mir über die Frau, ihren Körper und ihre Liebe gemacht hatte. Ich glaubte, solche verbotenen Dinge wie das Rauchen und das Trinken seien die schlimmste und zugleich die süßeste Sünde.

In den heißen Mittagsstunden hatte sie ein leichtes Strandkleid an, die Schultern waren unbedeckt. Und wenn sie auch die Achselhöhlen mit einem kleinen elektrischen Apparat ausrasierte, dann schaute ich gebannt zu, und sie lächelte mich im Spiegel an. In diesem Tun lag etwas, was mich verwirrte, was mich anzog und zugleich abstieß, das Ahnen eines sündhaften Geheimnisses und einer noch sündhafteren Täuschung. Einmal kam mein Onkel hinzu, während sie bei dieser Beschäftigung war. Er billigte die Enthaarung im Namen der Hygiene und der Ästhetik und ließ sich zu einigen Scherzen herbei. Als er dann meiner ansichtig wurde, fragte er: »Was hat denn dieses Stachelschwein hier zu gaffen?« Worauf meine Kusine nur schelmisch lächelte; ich indes errötete vor Scham und Haß. Allein die Anwesenheit meines Onkels genügte, mich matt zu setzen. Ich begann, Rachepläne auszubrüten. War er da, dann beachtete mich meine Kusine nicht mehr. Der Spitzname Stachelschwein, den er mir meines struppigen Haars wegen angehängt hatte, war vernichtend. Meine Kusine lachte, wenn sie ihn hörte. Mein Onkel schien wie verwandelt, er rasierte sich jeden Tag, parfümierte sich mit Kölnischwasser und war den Amerikanern bei jeder Gelegenheit gefällig. Er zeigte sich galant und unterhaltsam in seiner widerwärtigen Art, von der meine Tante jedoch sehr angetan schien. Zusammen mit ihnen verwünschte er die Fliegen, behauptete, zu Mussolinis Zeiten habe es keine gegeben. Und meine Tante glaubte es. »Damals hat es mehr gegeben als heute«, erklärte ich. Er aber beschuldigte mich sofort: »Er ist Kommunist, schlechte Freunde haben ihn verdorben«, und meine Tante starrte mich unverhohlen entsetzt an. Meine Mutter verteidigte mich tapfer gegen diese Anwürfe. So begann meine Tante unser überdrüssig zu werden. Meine Mutter jedoch vermochte in ihrer großen Zuneigung, die sie ihrer Schwester entgegenbrachte, nicht die Anzeichen von Kälte und Widerwillen wahrzunehmen, die für meinen Vater und für mich offenkundig waren. Die Tante rückte täglich mehr von uns ab, zählte die Tage ihres Aufenthaltes, die ihr in unserem Hause noch verblieben, lange Sommertage mit viel Staub und voller Fliegen; zum Baden gab es nur einen Zuber, die Nächte waren so feucht, daß die Bettwäsche klebte, wenn man die Fenster aufließ; schloß man sie, dann war es heiß wie in einem Backofen. Tag für Tag leierte sie diese Litanei herunter. Ihr Junge aber, der übrigens nur Amerikanisch sprechen konnte, war in einen hypochondrischen Zustand verfallen. Wenn er wieder in Amerika sei, sagte er, würde er sich sofort in die Bedürfnisanstalten stürzen und sie küssen. Meine Tante übersetzte diesen großen Ausspruch uns zuliebe und führte ihn ständig im Munde; während sie ihn zitierte, zog sie den Jungen an sich, der sich stets in ihrer Nähe aufhielt, und küßte ihn. Was tat's, wenn er in der Schule ein Taugenichts war, vieles begriff er doch.

Unzählige kleine Zwischenfälle ergaben sich. Meine Tante teilte Dollars aus, zur Erinnerung und als Glücksbringer, wie sie sagte. Allen Verwandten schenkte sie einen Zehnerschein, einmal aber, als meine Mutter ihr eine unbemittelte Angehörige empfahl – eine kinderlose Witwe, die von Almosen lebte –, da rückte meine Tante nicht einen Dollar heraus. Später beklagte sie sich darüber und nannte diese arme Frau als Beispiel dafür, daß die Verwandtschaft sie aussaugen wolle. Man feiere sie wegen ihrer Dollars, alle seien Schmarotzer. Meine Mutter bestritt es, doch meine Tante beharrte auf ihrer Meinung, und zwar auf eine Weise, die uns klarmachte, daß auch wir in ihren Augen Schmarotzer waren. Dabei kam es im Gegenteil vor, daß mein Vater ablehnte, Geld für entstehende Mehrkosten von ihr anzunehmen. Auch durch diese Ablehnung fühlte sie sich verletzt.

Kurz, man wußte nicht recht, wie man sie behandeln sollte. Von Tag zu Tag wurde offensichtlicher, daß mein Onkel der einzige im Hause war, der ihr gefiel. Er war im Umgang mit meiner Tante ein hausbackener Saroyan geworden. Er pries Amerika in den höchsten Tönen, rühmte die vortrefflichen Waren und die guten Gefühle Amerikas, er schmolz wie Eis in der Sonne des guten und reichen Amerikas. In einem Band, den die amerikanischen Soldaten mitgebracht hatten, um uns an Amerika zu erziehen – er hieß »Die menschliche Komödie« –, hatte ich Saroyan kennengelernt und ihn wie eine Bibel in Ehren gehalten. Jetzt begann er, mich zu langweilen. Ich hatte den Eindruck, daß sein Buch ein Spiel war, eins jener belanglosen Spiele, wie sie manch einer nach einer guten Mahlzeit mit einem Zahnstocher und Brotkrümeln treibt. Saroyan war im Grunde ein satter und obendrein dankbarer Mann, der eben mit so einem Zahnstocher spielte und dabei Amerika besang.

Meine Kusine ging immer mit mir spazieren; wir beide waren allein auf weiter Flur. Und sie stieg auch auf den Dachboden, wo ich viele Stunden am Tage damit zubrachte, in alten Büchern und Zeitschriften zu kramen. Was ich suchte, weiß ich selbst nicht einmal. Dann und wann zog ich ein Buch mit einem von Motten zerfressenen Umschlag hervor, den »Marco Visconti« oder »Die glücklichen Paoli«, und schmökerte darin. Ich las in diesen Jahren Hunderte von Büchern, darunter die gesamten Werke Vincenzo Giobertis. Doch wenn meine Kusine kam, ließ ich das Lesen und das Stöbern sein. Sie hockte sich auf eine Kiste und erzählte von Amerika, dabei nahm sie hin und wieder einen Schluck aus der Flasche. Dann zog sie mich an sich und lachte. Meine Finger wurden wie die eines Blinden mit jedem Tag wissender und zögernder. Ihr Körper unter dem dünnen Kleid war in meinen Händen wie Musik.

Währenddessen spann meine Tante ihre Fäden. Sie hatte meiner Mutter bereits angedeutet, daß sie ihre Tochter gern mit einem aus dem Dorfe verheiraten würde, wenn sich eine passende Partie böte, mit einem ordentlichen jungen Mann, der gewillt wäre, nach Amerika auszuwandern. Sie würde ihm ein Geschäft einrichten. Sie wollte also unbedingt einen aus dem Heimatdorf. Dann schloß sie meinen Onkel ins Herz und sagte zu meiner Mutter, sie würde sich freuen, wenn sie ihn nach Amerika mitnehmen könnte. Ein so anständiger, sympathischer junger Mann wie er würde gewiß einen guten Gatten für ihre Tochter abgeben. Meine Mutter, froh, auf diese Weise ihren Schwager loszuwerden, aber gleichermaßen um die Zukunft ihrer Nichte besorgt, meinte, es sei zweifellos ein vortrefflicher Gedanke, nur müsse man den Altersunterschied berücksichtigen, ebenso den Umstand, daß ihr Schwager eigentlich nie gearbeitet habe. Er besitze zwar ein schönes Buchhalterdiplom, das ihm die Ernennung zum Verwaltungssekretär des Fascio eingebracht habe, sonst aber habe er nichts geleistet. Im Gegenteil, da er notorisch unfähig sei zu stehlen, wohl aber so glücklich veranlagt, sich von jedermann Geld aus der Tasche locken zu lassen, habe ein Angestellter des Fascio seine absolute Unzulänglichkeit in Sachen Rechnungsführung mißbraucht, um tüchtig die eigenen Taschen zu füllen. All das brachte meine Mutter vor, ihre Schwester aber versicherte, wenn er erst einmal in Amerika sei, werde sie schon dafür sorgen, daß ihm die Arbeitslust komme. Sie zogen meinen Vater zu Rate. Er faßte den Plan als einen Scherz auf und fragte: »Nehmt ihr ihn gleich mit, oder soll ich ihn euch mit der Post nachschikken?« Dann aber erkannte er, daß meine Tante es ernst meinte, und legte offen die negativen Seiten der Angelegenheit dar. Meine Tante sagte, sie nehme das Risiko in Kauf. Darauf wurde der Betroffene eingeweiht. Er war sehr bewegt, erbat sich aber Bedenkzeit. Doch das zwanzigjährige Mädchen tanzte ihm vor Augen, da blieb nicht viel zu überlegen, er war fünfunddreißig und hatte große Lust, Amerika zu sehen; das Mädchen war hübsch, und beide, meine Tante und Amerika, waren reich. Wie es scheint, war in zwei Tagen alles geregelt; ich wurde vor vollendete Tatsache gestellt, später erfuhr ich die Einzelheiten. Ein Rundgang wurde beschlossen, um das Ereignis im Dorf bekanntzumachen. Mein Onkel und die Kusine gingen untergehakt voran; in zwanzig Schritt Abstand folgten ihnen meine Mutter und meine Tante, dann mein Vater und der Mann meiner Tante. Mein Vetter und ich liefen auf eigene Faust mit – er mürrisch wie immer, ich mit einem schwarzen Todesfleck vor Augen, der in mir größer und größer wurde. Plötzlich begann ich, eine leere Blechbüchse mit Fußtritten zu bearbeiten, und begleitete den Spaziergang mit diesem Geräusch. Mein Vater warf mir strafende Blicke zu, damit ich aufhörte, und mein Onkel sagte, als ich ihm die Büchse zwischen die Füße gefeuert hatte: »Du mußt wohl immer in den Fettnapf treten?« Aber er lächelte dabei. Man sah, er war glücklich, und meine Kusine schmiegte sich wie eine Katze an ihn.

Ein paar Tage waren erforderlich, die Papiere für meinen Onkel zu beschaffen; meine Kusine hatte ihre aus Amerika mitgebracht. Die Eheschließung fand im Rathaus statt. Die kirchliche Trauung sollte nach dem Wunsch meiner Tante mit großem Prunk in Amerika vollzogen werden. Einen Tag vor der Hochzeit sagte meine Tante zu meiner Mutter: »Hör mal, du hast ein Kind, ich habe vier. Das Haus, in dem du wohnst, ist zur Hälfte mein. Bevor ich abreise, möchte ich diese Angelegenheit ins reine bringen. Ich verkaufe dir meinen Anteil.« Das hatte meine Mutter nicht erwartet. Sie besprach es mit meinem Vater. Geld hatten sie nicht, und mein Vater bat um Aufschub. »Es muß jetzt sein«, entgegnete meine Tante, »wenn nicht, dann verschleudere ich den Anteil an den ersten besten, und ihr könnt sehen, wie ihr fertig werdet.« Mein Vater wurde so wütend, als hätte ihn einer an der Kehle gepackt. Meine Tante rechnete uns vor, was sie alles für uns getan habe. Mein Vater erwiderte, sie hätte uns eigentlich nur ein paar Lumpen geschickt, lauter abgetragene Sachen. Damit war das Maß voll, meine Tante schrie: »Secondhand-Ware habe ich euch also geschickt? So vergeltet ihr mir all das Gute, das ich euch getan habe! Es waren alles neue Sachen, für euch gekauft, Berge von Dollar hat mich das gekostet, Waren für tausend Dollar habe ich euch geschickt.« Ihr Mann nickte stumm dazu.

Mein Onkel mischte sich ein und gab meinem Vater unrecht. Meine Mutter weinte. Schließlich kam eine Aussöhnung zustande. Mein Vater sollte die Fahrkarte für die Reise seines Bruders nach Amerika bezahlen, und zwar erster Klasse, wie mein Onkel ausdrücklich betonte; meine Tante würde dann auf ihren Anteil an dem Haus verzichten. Die Erbitterung jedoch blieb, die Hochzeit fand am nächsten Morgen in gedrückter Stimmung statt.

Dann fuhren alle ab, sie begaben sich auf eine Reise durch ganz Italien. In Neapel wollten sie an Bord des Schiffes für die Überfahrt gehen, mein Onkel sollte dann noch dableiben und auf die offizielle Einladung seiner Frau warten; es könnte sich nur um wenige Monate handeln. Inzwischen machte er zusammen mit ihnen die Hochzeitsreise, zunächst nach Taormina und dann nach Rom. Wir begleiteten sie zum Bahnhof, meine Mutter weinte in einem fort. Zwischen den Schluchzern klagte sie, daß nun die Trennung endgültig sei, nie im Leben würde sie ihre

Schwester wiedersehen. »Im Jenseits sehen wir uns wieder«, jammerte sie. Sicherlich würde meine Tante nie mehr nach Italien kommen, dieser Gedanke bewegte auch mich. Während der Triebwagen pfiff, umarmten sich die Schwestern noch einmal, dann wandte sich meine Tante auf dem Trittbrett um und rief: »Aber die Sachen, die ich dir geschickt habe, sind nicht aus zweiter Hand gewesen.« Das letzte, was ich sah, während der Zug in der Biegung zwischen den Bäumen verschwand, war der blaue Handschuh meiner Kusine. Ohne zu überlegen, als spräche ich vor mich hin, denn ich hätte nie gewagt, so etwas in Anwesenheit meines Vaters zu sagen, bemerkte ich: »Ich fürchte, er wird bald ein Hahnrei sein.« Damit meinte ich meinen Onkel. Meine Mutter blickte mich erstaunt mit ihren rotgeweinten Augen an, und die Ohrfeige meines Vaters betäubte mich für einen Moment. Zum Glück war der Bahnhof leer.

Stalins Tod

Am 18. April 1948 sah Calogero Schirò im Schlaf des Morgengrauens Stalin. Es war ein Traum innerhalb eines Traums. Calogero träumte von Wahlscheinen, in großen Haufen, am Abend zuvor hatte er an die tausend gegengezeichnet, denn er war von der Partei zum Wahlhelfer bestimmt worden; nun sah er alle diese Scheine vor sich, und dann erschien auf den Scheinen in einem bestimmten Augenblick eine schwere Hand, die aus dem Ärmel eines altmodischen Waffenrocks hervorragte. Im Traum dachte er, »jetzt träume ich, das ist Stalin«, und hob den Kopf, um Stalin ins Gesicht zu blicken. Es war ein finsteres Gesicht, Calogero dachte, »der ist ganz schön wütend, irgend etwas geht ihm gegen den Strich«, und er erforschte auch gleich sein Gewissen, für sich selbst und die Ortsgruppe von Regalpetra. Ein paar Schandfleckchen fand er: Der stellvertretende Ortsgruppenleiter hatte etwas vom Zucker aus den Hilfssendungen der Vereinten Nationen an sich gebracht und war nicht ausgestoßen worden, der Sekretär der Bergarbeitergewerkschaft hatte es sich bezahlen lassen, daß gewisse Akten verschwunden waren ... Calogero begann unruhig zu werden. Stalin sagte, und er sprach mit neapolitanischem Akzent: »Calì, bei diesen Wahlen ziehen wir den kürzeren, da ist nichts zu machen, die Pfaffen haben den Daumen drauf.«

Calogero dachte »ein Traum«, aber vielleicht las Stalin ihm Enttäuschung und Traurigkeit vom Gesicht ab, denn er sagte mit halbem Lächeln: »und du glaubst, wir packen das nicht doch noch? Heute verlieren wir, die Leute sind noch nicht reif, aber du wirst schon sehen, ob wir sie nicht kriegen am Ende.« Er legte ihm eine Hand auf die Schulter, schüttelte ihn; und mitten im Schütteln hörte Calogero seine Frau sagen, »Calì, es hat sechse geschlagen, da ist Carmelo, der will was von dir.«

Calogero erwachte, und von dem Traum, den er da geträumt hatte, war ihm so, als ob sich in seinem Inneren ein schwarzer Polyp zusammenziehe. Während er sich ankleidete, sagte er zu seiner Frau, Carmelo solle heraufkommen; der Genosse kam, heiter, wie für eine Hochzeit angezogen, und begrüßte ihn mit dem Ausruf: »Heute machen wir sie fertig, diese gehörnten Pfaffen«, aber Calogero bückte sich, um die Schuhe zuzubinden, und antwortete nicht.

Die Frau brachte den Kaffee, Carmelo sagte zwischen zwei Schlückchen: »Ich freu' mich auf das Gesicht, das der Erzpriester machen wird, er schüchtert die Leute damit ein, daß er sagt, wir hätten schon den Strick in der Hand, um sie aufzuknüpfen, den will ich ihm tatsächlich vor die Nase halten, den Strick«, und Calogero sagte, ohne ihn anzusehen: »Was willst du ihm vor die Nase halten? Das dauert Jahre, bis wir sie vom Hals haben.«

Verblüfft sagte Carmelo: »Aber was denn, du hast doch gestern noch gewettet . . .«

»Gestern war gestern«, sagte Calogero, »dann kommt die Nacht und du überlegst dir das besser; die Pfaffen halten den Daumen drauf, wir sind noch nicht reif.«

Vom Traum wollte er nichts reden, Carmelo war jung, hatte für Träume nur ein Grinsen, Burschen wie er spielten ja nicht einmal in der Lotterie mit. Calogero glaubte an keine Seelen im Fegefeuer, auch nicht, daß die Seelen im Fegefeuer Nummern trugen, immerhin aber glaubte er an gewisse Träume, vor allem bei Tagesanbruch, die auch Dante für Wahrträume gehalten. Calogero hatte zusammen mit einem anarchistischen Dichter in der Verbannung gelebt, er kannte ein Dutzend Gesänge aus der *Göttlichen Komödie* auswendig und Gedichte von Carducci und dem anarchistischen Freund. Außerdem war es nicht das erste Mal, daß er von Stalin träumte, und die Wahrheit des Traums war dann durch Tatsachen bestätigt worden. Oh, nichts Übernatürliches, versteht sich: Stalin dachte, und Calogero empfing im Traum diesen Gedanken, so etwas halten sogar die Wissenschaftler für möglich. 1939, als er in der Zeitung las, daß Stalin mit Hitler einen Vertrag schloß, hätte ihn beinah der Schlag getroffen. Zwei Monate zuvor hatte man ihn aus der Verbannung entlassen, sein Laden stand wieder offen, aber kein Schwanz brachte ihm ein Paar Schuhe zum Besohlen oder Flicken, den ganzen Tag lang las er wieder und wieder die wenigen Bücher, die ihm gehörten, der schönste Augenblick des Tages war der, wenn der »Giornale di Sicilia« eintraf, das Blatt verschlang er von vorn bis hinten, bis zu den Verkaufsannoncen und Todesanzeigen. Es war schön, zu lesen, daß der Duce einweihte – empfing – redete – flog, und mit lauter Stimme die Nachrichten und Reden zu kommentieren, indem man Geschwüre und galoppierende Syphilis auf jenen munteren Körper herabbeschwor, und das lächelnde oder scheel blickende Bild, das die Zeitung nie abzudrucken verfehlte, mit den abgefeimtesten Beleidigungen und schrecklichsten Prophezeiungen überschüttete. Niemand kam in den Laden, um zu schwatzen, nur der Erzpriester blieb mal einen Augenblick lang stehen, um ihm Vorsicht und Vernunft zu empfehlen; und dann kam es vor, daß er hinzufügte: »Gott ist groß, dieser tollwütige Hund wird bekommen, was er verdient«, und Calogero, der nicht an Gott glaubte, fühlte sich ganz getröstet, der tolle Hund war Hitler, auch der »Osservatore Romano«[1] deutete das an, was der Erzpriester klar und rund aussprach. Dann gab es den Pakt, und der Erzpriester erklärte: »So mußte es kommen, sie haben sich wie die Hunde beschnüffelt«, und Calogero ließ alle Vorsicht fahren und brachte sich selbst um die tägliche Tröstung durch den Erzpriester, er fing an zu schreien, das könne nicht stimmen; entweder die Nachricht war falsch oder es steckte etwas dahinter, und Stalin war mehr wert als der Papst. Der Erzpriester machte ein Gesicht wie jemand, der einen Hagelschauer herunterbrechen sieht, und eben war der Himmel noch heiter gewesen; er kehrte ihm den Rücken und kam monatelang nicht mehr beim Laden vorbei.

Tatsächlich meinte Calogero bei jener Nachricht, er würde verrückt. Daß es sich um eine falsche Nachricht handelte, war nicht zu hoffen. Dann kamen die Fotografien, Stalin neben Ribbentrop, sie sahen aus wie alte Freunde. Wie war es möglich, daß Stalin, Genosse Stalin, der Mann, der aus Rußland das Vaterland der Werktätigen, die Hoffnung der Menschheit gemacht hatte, jenem kriminellen Sohn einer ... die Hand reichte? Ge-

---

1 Der »Osservatore Romano« ist die offizielle Zeitung des Vatikans.

wiß, der alte Trottel mit dem Regenschirm[1] hatte nichts getan, um ihn auf seine Seite zu ziehen, vielleicht hatte Mussolini allen Grund, das altersschwache England auf die Schippe zu nehmen; aber deshalb konnte Stalin sich doch nicht mit diesem Mordbuben zusammentun. Es sei denn, er stellte ihm, Freundschaft heuchelnd, eine tödliche Falle.

So kam es, daß Calogero von Stalin träumte, und Stalin sagte ihm im Vertrauen: »Calì, wir müssen diese Giftschlange zerquetschen. Wenn der Augenblick da ist, wirst du sehen, was für einen Schlag ich bei ihm lande«, und Calogero fühlte sich aufgemuntert, jetzt war es so klar wie die Sonne, daß Hitler Stalins rechte Gerade einstecken würde, und zwar im richtigen Augenblick. Ein Freund verschaffte ihm die Rede, in der Dimitroff sagte, die UdSSR bliebe Zuschauer zwischen den beiden imperialistischen Blöcken. Calogero teilte diese Ansicht bis zu einem bestimmten Punkt: Seiner Meinung nach verschwieg Dimitroff, mußte Dimitroff verschweigen, daß Rußland den Moment abwartete, in dem die deutschen Streitkräfte, wenn auch siegreich, völlig zermürbt sein würden – um dann zum Angriff überzugehen. Er malte sich die geheimen Vorbereitungen aus: Flugzeuge und Panzerwagen, die aus den Fabriken des Volkes rollten und sich in einer ungeheuren, getarnten Linie längs der Fronten verteilten, die Hitler für völlig gesichert hielt; und Stalin würde im geeignetsten Augenblick das Zeichen geben, nicht früher, nicht später, auf die Minute genau: Und die Rote Armee würde Berge und Ebenen des faschistischen Europa überfluten, bis Berlin, bis Rom. Unterdessen schluckte Hitler Polen, wie ein Nußknacker bewegte sich sein Heer, schon war Polen zerbrochen; jenes korrupte Polen der Großgrundbesitzer, dachte Calogero, das heldenhafte polnische Volk, die korrupten Barone, die gegen Hitlers Panzerwagen Kavallerieangriffe führten, ganz Polen ein einziges großes Herz, lang lebe das heroische, unglückselige Polen. Es drängte ihn, auf öffentlichem Platz zu brüllen: »Es lebe Polen!« und er vergoß Tränen bei der Lektüre der Kriegsberichte, sogar

[1] Arthur Neville, Chamberlain, ab 1937 englischer Premierminister, Vertreter der »Appeasementpolitik«, die zum Abkommen von München führte. Er wurde weltweit bekannt als der Mann, der nie ohne Regenschirm ging.

die faschistischen Journalisten schienen gerührt, wenn sie über das sterbende Polen schrieben, einer von ihnen verfaßte einen Artikel über den Fall Warschaus, den Calogero sich aus der Zeitung ausschnitt und in der Brieftasche verwahrte. Als Rußland daran ging, sich sein Stück von Polen zu nehmen, tauchte der Erzpriester wieder auf, lehnte sich an den Türpfosten und sagte: »Du solltest doch eigentlich die alte Nationalhymne kennen«, und Calogero begriff nicht, worauf das nun wieder zielte, er konnte die Hymne von Mameli auswendig, nicht ganz, aber er hatte sie in einem Buch. Und der Erzpriester sagte: »Lies sie, die Stelle, wo es heißt ›er trank das polnische Blut gemeinsam mit dem Kosaken‹, darauf verwende mal einen kleinen Gedanken, einen, den dir dein Gewissen eingibt.«

»Das habe ich schon getan«, sagte Calogero. »Wollen wir darüber reden?«

»Na, reden wir . . .« sagte der Erzpriester.

»Der Pakt, der Nichtangriffsvertrag, wie es heißt, ist nur ein Scherz: Es wird der richtige Augenblick kommen, und dann versetzt Stalin diesem Sohn einer . . . einen Schlag, der ihn in Fetzen reißt.«

»Bumm!« bemerkte der Erzpriester dazu.

»So sicher wie es für Sie einen Gott gibt«, sagte Calogero, »wird diese Sache so und nicht anders ausgehen: Der Faschismus muß unter Stalins Faust sterben, der Faschismus und noch vieles andere, und auch jeder, der die faschistischen Fahnen segnet, wird so sterben.«

»Hör mal«, sagte der Erzpriester, »wir segnen nicht die Fahnen des Faschismus oder des Teufels, der dir den Kopf verdreht; wir segnen all die Menschenkinder, die unter jenen Fahnen marschieren, alle die Christenmenschen, die den Fahnen folgen. Und außerdem, wenn ich es dir klar und deutlich sagen soll, Mussolini ist nicht dasselbe wie Hitler, er fühlt Ehrfurcht vor Gott und der Kirche.«

»Lassen wir das«, sagte Calogero, »oder ich fange an zu schreien wie am Spieß. Erlauben Sie mir, es auf meine Art zu erklären, danach können Sie ja reden, was Sie wollen. Also Stalin wird Hitler angreifen; bis dahin verbessert er seine Stellungen, schiebt sich näher an Deutschland heran. Und, was jetzt das Wichtigste ist, er nimmt ihm halb Polen weg, rettet es vor der nazistischen Unterdrückung, erneuert es: Denn Polen war veraltet, voll von Ungerechtigkeiten, das Proletariat litt, und die Reichen . . .«

»Die haben bestimmt einen schönen Gewinn gemacht, die Polen«, unterbrach ihn der Erzpriester, »Stalin statt Hitler, wirklich, ein schöner Gewinn, das Große Los haben sie gezogen.«

»Wie denn, kann man nicht mal mehr vernünftig miteinander reden?« sagte Calogero.

»Was heißt hier vernünftig reden«, sagte der Erzpriester, »wenn du das vernünftig reden nennst, was dir aus dem Mund quillt, dann gute Nacht, Vernunft. Stalin wird Hitler angreifen, Stalin verbessert seine Stellungen, Stalin rettet halb Polen . . . da vergeht ja den Kälbern die Lust auf Milch.«

»Heute ist heute«, sagte Calogero, sich mit Mühe bezähmend, »und in ein paar Monaten, einem Jahr höchstens, werden wir sehen, wer von uns beiden vernünftig redet.«

»Das warte nur ab . . .«, sagte der Erzpriester.

Calogero wartete: Unterdessen griff Rußland Finnland an, und er überraschte sich dabei, mit den Finnen zu sympathisieren, das waren Augenblicke, die kamen eben so, Finnland hielt stand, und er dachte, dieses kleine Volk bewährt sich gut, halt aus, Finnland, halt aus, Mannerheim[1]; ein kleiner faschistischer General; nein, kein Faschist; doch, ein Faschist; rings um Rußland nichts wie Faschisten, ein Faschist war, wer Rußland Widerstand leistete, oder sich auch nur vor Rußland fürchtete. »Auch Finnland muß von den Faschisten befreit werden«, dachte er, »und wenn es keine Faschisten sind, kommt es doch darauf an, eher als die Deutschen da zu sein, eine Basis für den Krieg gegen die Deutschen zu erobern. »Die Russen mit blutigen Verlusten auf der Mannerheim-Linie zurückgeschlagen«, vorwärts Finnland, ein kleines Volk von Faschisten, ein faschistischer General, vielleicht gibt es da Deutsche in geheimer Mission, die Sache ist nicht recht

1 Carl-Gustav von Mannerheim hatte 1918 mit den »weißen« Regierungstruppen über die finnische Rote Armee gesiegt. Als Vorsitzender des Kriegsrates ließ er in den dreißiger Jahren die nach ihm genannte Befestigungslinie, durch die karelische Landenge ziehen, und er war während des 2. Weltkriegs, bis zum Waffenstillstand von 1944, Oberbefehlshaber der finnischen Truppen.

klar. Calogero unterwarf sich in langen Gedankengängen dem Prozeß der Selbstkritik, aber es gelang ihm weder, zu vermeiden, daß ihn unversehens Teilnahme für Finnland anwandelte, noch konnte er Zweifel an der tatsächlichen Schlagkraft der Sowjetarmee ganz ausschalten. Von diesen Zweifeln erlöste ihn der Erzpriester, er wollte ihn mit den russischen Verlusten ein wenig aufziehen, statt dessen weckte er alle rationalen Kräfte in Calogero, rief einen Geistesblitz hervor, der die Dunkelheit der Ereignisse zerriß. »Es ist alles nur ein Trick«, sagte Calogero, »Stalin tut so, als wäre er schwach, er will Hitler in Sicherheit wiegen, sämtliche Faschisten auf der Welt stellen sich vor, daß Rußland schwach ist; Hitler bildet sich ein, diesen Brocken kann er sich bis zuletzt aufheben; und im Gegenteil, Rußland ist stark, wenn es einmal richtig loslegt, dann haben Hitler und sein Kumpan nicht mal Zeit genug für ein ›Amen‹.«

»In der Tat«, sagte der Erzpriester, »dieser Verdacht ist mir auch gekommen: Die Sache ist etwas merkwürdig, kein Zweifel.«

Calogero schwieg sich darüber aus, daß er bis zu diesem Augenblick nicht den leisesten Verdacht gehabt hatte, es könnte sich um solch ein Spiel handeln, daß sich ihm die Wahrheit ganz plötzlich enthüllt hatte. Lustvoll genoß er seinen Triumph. »Stalin ist der größte Mann der Welt«, sagte er. »Um sich solche Fallen auszudenken, muß man ein Gehirn von einem Umfang haben, daß mehr als zwei Scheffel Korn hineinpassen.«

Es endete, wie es enden mußte, Finnland steckte vor Rußland zurück; gleich darauf nahmen die Deutschen Norwegen, das waren zwei Fliegen mit einem Schlag: Sie setzten sich in einer guten Ausgangsposition für den Angriff auf England fest und machten den Vorteil wett, den die Russen in Finnland erlangt hatten, vielleicht witterte jener Irre endlich etwas von Stalins Spiel. Calogero meinte, Stalin hätte zuschlagen müssen, als die Deutschen Norwegen angriffen, statt dessen tat er so, als wäre nichts geschehen. Die Deutschen fielen in Belgien und Holland ein. »Jetzt ist der Moment da«, dachte Calogero: Aber Stalin rührte sich nicht. Ein Glück immerhin, daß in England diese alte Mumie mit dem Regenschirm abtrat, Churchill kam hoch und machte einen guten Eindruck auf Calogero, der wußte, daß Churchill zu den wenigen gehörte, die nicht auf die Narrenposse von München hereingefallen waren. »Ein schönes Bulldoggengesicht hat er«, sagte Calogero, »zwischen ihm und Stalin eingeklemmt, werden die Deutschen noch den Tag ihrer Geburt verfluchen.« Doch war ihm eine andere Befürchtung gekommen: Daß Mussolini womöglich nicht einstieg, daß er neutral blieb, um sich im letzten Augenblick auf die Seite der Sieger zu schlagen. Aber dann waren die Deutschen in Frankreich, Mussolini sah den Krieg entschieden: Er befreite Calogero von allen Zweifeln über seine geheimen Absichten. Stalin schwieg, doch Calogero sah ihn vor sich, wie er in einem großen Saal des Kremls über eine Landkarte Frankreichs gebückt stand, bewegt und voller Mitleid, von seinem Gefühl verlockt, den Franzosen sofort zu Hilfe zu eilen, von seinem Verstand jedoch genötigt, eine genaue Berechnung über Zeitpunkt und Art der Invasion anzustellen. Paris fiel, Calogero war dort gewesen, von 1920 bis 1924, im Juni ist Paris herrlich, er wohnte in einer Pension an der Rue Antoinette, abends besuchte er ein Café an der Pigalle oder das Café Madrid mit Orchester und dem Mann mit dem mageren, intelligenten Gesicht, der leise sang oder Witze erzählte, der Boulevard der Italiener, der Boulevard von Montmartre; jetzt saßen Deutsche im Café de Madrid, Deutsche spazierten durch den Bois, den Luxembourg, über die Place Pigalle. Und die Jüdinnen vom Pigalle, dieses jüdische Mädchen mit der Geige? Haß- und schmerzerfüllt verzehrte er sich einen Monat lang wegen Reynauds Appell an den Präsidenten Roosevelt. »Sie rühren sich nicht, diese gehörnten Amerikaner; sie lassen Frankreich sterben; Maulesel sind's, Bastarde, denen Frankreich und Europa scheißegal sind ...«

»Auch Rußland bleibt Zuschauer«, sagte der Erzpriester.

»Rußland, das ist etwas anderes«, sagte Calogero, »Rußland wartet ab.«

»Worauf wartet es denn? Darauf, daß Hitler ihm irgendeinen Knochen übrig läßt, zum Abnagen, darauf wartet es«, sagte der Erzpriester.

»In einem Jahr wird man sehen, worauf es wartet. Hitler

und unser Schwein hier, die werden ganz schön zappeln, wenn Stalin sich erst einmal entscheidet.«

»Ja, in einem Jahr, das hast du im vorigen Jahr auch schon gesagt«, meinte der Erzpriester abschließend.

Am 1. Oktober 1940 brachte die Zeitung zwei Schlagzeilen: Serrano Suner, ein spanischer Minister und, soviel man verstand, Francos Schwager, wurde zu einer Unterredung mit dem Duce erwartet; und »Rußland bestätigt die Unveränderlichkeit seiner Beziehungen zu den Mächten des Dreierpaktes«. Wegen des Spanienkriegs hatte Calogero zwei Jahre in der Verbannung zugebracht, von Amerika aus war sein Schwager in die Internationale Brigade eingetreten, er schrieb einen schönen Brief über die Kriegsursachen und über seine Teilnahme am Kampf gegen die Faschisten, Calogero lernte den Inhalt auf der Polizei kennen, wohin man ihn bestellt hatte, um zu erfahren, wie er zu diesem Schwager stehe; man las ihm einzelne Abschnitte aus dem Brief vor und verschiffte ihn schnurgerade nach Lampedusa. Jetzt kam es ihm so vor, als ob die beiden Meldungen auf derselben Seite der Zeitung ihn verhöhnen wollten, ihn und alle seine Freunde von der Verbannung, den Schwager, und alle Kommunisten, die für die Spanische Republik kämpfend gefallen waren. Wie war es nur möglich, daß Genosse Stalin, der Mann, der aus Rußland das Vaterland aller Werktätigen und die Hoffnung der Menschheit gemacht hatte, immer weiter Freundschaftserklärungen für die Faschisten von sich gab, während Europa sein Blut verströmte; und da war Frankreich mit seiner neuen Kloakenregierung, und Spanien mit diesem wildgewordenen General, der ein Gesicht hatte wie ein Domherr? »Wenn ich daran denke, schnappe ich über«, sagte er zu sich selbst. Plötzlich faßte er den Entschluß, mit jemandem darüber zu sprechen, ein bißchen mit Leuten zusammenzusein, die seine Gefühle teilten und bestimmt ebenso litten wie er. Er mußte nach Caltanissetta: da lebte der Abgeordnete Gurreri, da war Michele Fiandaca, Männer, die sich besser als er auf die Politik verstanden.

Der Abgeordnete empfing ihn, nachdem er ihn eine halbe Stunde hatte warten lassen, Calogero erkannte ihn nicht wieder, er war kahl geworden und hatte ein müdes Gesicht, immer fuhr er sich mit dem Taschentuch über den Kopf, nannte ihn »Ihr«[1] und fragte ihn, was er wolle. Calogero begriff, daß er großen Mist gebaut hatte, sagte: »Tatsächlich wollte ich ... ich weiß nicht, ob Sie sich erinnern, nach Kriegsende, in Regalpetra ... ich heiße Schirò.« Immer mit dem Taschentuch über die Stirn streichend, sagte der Abgeordnete: »Ja, ich erinnere mich, Schirò; natürlich erinnere ich mich«. Calogero fühlte sich erleichtert. »Wissen Sie noch, wie wir gekämpft haben? Ich war Sekretär des Ortsvereins, der Sektion Nicola Barbato; und die Rede, die Sie vom Balkon der Lo Presti gehalten haben ...«

»Oh«, sagte der Abgeordnete, und wie er den Mund zum Lächeln öffnete, sah es so aus, als sei ihm ein Aloekorn auf die Zungenspitze geraten, er verzog das Gesicht. »Alte Geschichten. Wir verlieren nur unsere Zeit mit solchen Erinnerungen ... Ihr seid bestimmt gekommen, um Rat zu holen ...«

»Tatsächlich«, sagte Calogero, wieder wie auf Kohlen, »ich bin zu Ihnen gekommen, um die Lage zu besprechen, eine Aufklärung zu erhalten, ich verstehe das nicht recht: Rußland hält still, und Deutschland tritt die halbe Welt mit Füßen ...«

Nun schwitzte der Abgeordnete wirklich. »Genau so ist es, mein Lieber: Rußland hält still, und Deutschland erobert die Welt, und es verdient, die Welt zu erobern. Was für ein Volk! Was für eine Armee! ... Ich hingegen, verehrter Freund, bin Rechtsanwalt; ich bin nicht hier, um über Politik zu reden.« Er erhob sich aus seinem Lehnstuhl, auch Calogero stand auf; der Abgeordnete legte ihm eine Hand auf die Schulter und schob ihn sanft zur Tür, öffnete sie, sagte: »Bitte, denke immer daran, daß ich Rechtsanwalt bin, sonst nichts.«

Calogero fand sich auf der Straße wieder, platzend vor Scham und Zorn. Der Abgeordnete, der immer noch mitten im Zimmer stand und sich den Schweiß abwischte, sagte: »Kanaillen! Seit fünfzehn Jahren kümmere ich mich nur noch um meine eigene Nase, und trotzdem lassen sie nicht locker, sie wollen's nicht einsehen ... Schicken mir, einen Spitzel schicken sie mir.«

1 »Voi« (Ihr) statt »Lei« (Sie) in der Anrede zu brauchen, war eine Einrichtung aus der Zeit des Faschismus, die sich angeblich gegen die Klassenunterschiede richtete und zur »Volksgemeinschaft« beitragen sollte.

Calogero stieg den Corso Vittorio Emanuele hinauf, erkundigte sich nach der Via Re d'Italia, erinnerte sich nicht mehr, wo diese Straße zu finden sein könnte, nach so vielen Jahren kam Caltanissetta ihm wie eine neue Stadt vor, und dabei gab es da nichts Neues. Er fand das dunkle kleine Haustor, die Wendeltreppe, und es roch immer noch nach gekochtem Kohl und faulen Eiern. Michele Fiandaca war zu Haus, er erledigte seine Arbeit als Uhrmacher in den eigenen vier Wänden, da waren die Kinder, die beim Spielen einen Höllenlärm machten, und da saß er selbst, friedlich mit der ins Auge geklemmten Lupe über die winzigen Maschinen gebeugt.

Nach der Begegnung mit dem Abgeordneten gab Michele Fiandacas Willkommen Calogero neuen Mut. Micheles Frau, blaß und schweigsam, kochte für den Freund sofort einen Kaffee, Michele zog Tabak und Zigarettenpapier hervor. Zuerst fragten sie einander nach Neuigkeiten über die Gefährten aus der Verbannung, dann kam Calogero auf das zu sprechen, was ihn bewegt.

»Ich hab' den Abgeordneten Gurreri besucht«, sagte er, »ich wollte ihn fragen, was er über die Lage denkt, da hat er es derartig mit der Angst gekriegt . . .«

»Aber der spinnt doch«, erklärte Michele, »du müßtest ihn mal auf der Straße sehen: er geht, als wäre eine Meute von Jagdhunden hinter ihm her . . . Da ist nichts zu machen, jetzt nicht mehr; der sieht die Lage so, daß es ein Riesenfest wäre, wenn der Gauleiter je auf die Idee kommen sollte, ihn holen zu lassen, um ihm die Mitgliedskarte der Faschisten zu geben.«

»Und du, wie siehst du die Lage?« fragte Calogero.

»Was soll ich sagen? Unruhig bin ich. Aber es kann ja nicht so enden, daß eine Mörderbande die Welt beherrscht.«

»Und Rußland?« sagte Calogero. »Was wird Rußland machen?«

»Rußland, da vergehen keine sechs Monate und es wirft sich den Deutschen entgegen, das sagt Pompeo. Willst du mit Pompeo reden? Wir sehen uns jeden Abend, wenn du bis heute abend wartest, bringe ich dich hin; Pompeo ist in Ordnung.«

»Weiß ich«, sagte Calogero, »ich weiß, daß er in Ordnung ist, ich möcht ihn schon kennenlernen; aber meine Frau will abends nicht allein im Haus sein, ich habe ihr versprochen, am Nachmit-

69

tag heimzukommen. Es genügt mir, von dir zu hören, wie Pompeo darüber denkt. Also er meint, in sechs Monaten.«

»Ja, der versteht es, einem die Lage zu erklären, er redet, daß es ein Genuß ist, ihm zuzuhören; wenn er nicht wäre, ich könnt mich hier wie einer von den streunenden Hunden fühlen, die sich zuletzt zusammenkringeln und verrecken, er stärkt mir den Rükken, er ist immer so zuversichtlich . . . Und dann gibt es da noch einen anderen Anwalt, den von der Volkspartei[1], auch der ist in Ordnung, wir sehen uns manchmal.«

»Und dieser Anwalt, was sagt er über Rußland, glaubt er, es wird über die Faschisten herfallen?«

»Er sieht das wie Pompeo«, sagte Michele.

»Schön!« sagte Calogero, »das werde ich dem Erzpriester erzählen, er redet mir von diesem Anwalt immer die Ohren voll, ich sage ihm, wie der die Sache sieht.«

»Auch hier haben wir's mit den Priestern«, sagte Michele, »wir sind uns so einig, daß es eine Pracht ist.«

»Alte Seebären«, sagte Calogero, »spüren, woher der Wind weht, und setzen Segel. Wir fallen schon immer wieder auf die Füße.«

»Uns kommt es jetzt darauf an, die gemeinsame Flotte zu vergrößern, alle antifaschistischen Kräfte zusammenzufassen: auch die Priester und die Bürgerlichen, später wird man dann weitersehen. Kapierst du nicht, wie Stalin das Spiel angeht?«

»Eine große Sache!« sagte Calogero. »Wenn er sich in sechs Monaten auf die Faschisten stürzt, stehen sie angeschmiert da, die Pinsel.«

»Und inzwischen sterben auch die Mächte des Kapitalismus, Stalin wird der einzige Sieger in diesem Krieg sein. Er ist größer als Napoleon! Stalin pfeift auf Napoleon.«

---

1 Aus dem »partito popolare«, der Volkspartei, ging nach dem Krieg unter Führung des Parlamentariers De Gasperi und des sizilianischen Priesters Don Luigi Sturzo die neue christlich-demokratische Partei, die »Democrazia Cristiana«, hervor. Sie hat zuerst mit der KPI koaliert, es dann aber, von 1947 bis heute, trotz aller Annäherungen und Versprechungen immer wieder verstanden, die Kommunisten aus der Regierung herauszuhalten.

Mussolini schickte Soldaten ohne Schuhe los, um Griechenland die Rippen zu brechen, in Griechenland war Schnee und ein Volk, das sich die Rippen nicht brechen lassen wollte; der Frühling kam und die Deutschen kamen, die Italiener gelangten zusammen mit den Deutschen nach Athen, auch Jugoslawien wurde besetzt, ein schwarzer Vorhang senkte sich über das griechische und jugoslawische Volk. Sechs Monate, ein Jahr: endlich trat Rußland in den Krieg ein, oder Deutschland griff es an, Calogero sah da nicht hindurch. Die Tatsache, daß die deutschen Truppen rasch auf russischem Territorium vorrückten, Gebiete von der Größe ganz Italiens einfach schluckten, mit sowjetischen Armeen, die sich ergaben, das alles wurde für Calogero nicht recht klar. Es gab zwei Möglichkeiten: entweder Hitler war dem russischen Angriff um ein paar Tage zuvorgekommen und hatte die sowjetischen Pläne umgestoßen, oder Stalin hatte angegriffen, jedoch mit ganz geringen Streitkräften, als ginge es um einen kleinen Grenzzwischenfall; auf diese Weise wurden die Deutschen magnetisch in die ungeheuren Weiten des russischen Landes hineingezogen, wie das französische Heer Napoleons, und dann geschlagen und aufgerieben. Nach einigen Tagen der Unsicherheit war Calogero überzeugt, daß Stalin die Tore Rußlands den Deutschen mit Absicht geöffnet hatte.

Jetzt gab es in Calogeros Laden allmählich wieder mehr Betrieb, es kamen ein Schüler, ein Makler, der Lagerverwalter der Genossenschaft und der Küster von Unserer Lieben Frau. Der Küster riß sich nur zum Glockenläuten von der Unterhaltung los, das beunruhigte den Erzpriester, eines Nachmittags hatte der ihn ausgestreckt auf einer Kiste in der Sakristei liegen sehen, wie er die Reihe der Bilder betrachtete, auf denen die Erzpriester der Mutterkirche zu sehen waren, alle Erzpriester seit 1630, und halblaut hatte er dabei vor sich hingesungen: »Nieder mit all diesen Spitzeln von Pfaffen, den Königsbullen, den Bürgerlaffen.« Der Erzpriester nahm sich vor, einen neuen Küster heranzubilden. Calogero fühlte sich glücklich unter diesen vier Leuten, die der Strategie Stalins, wie er sie leidenschaftlich verfocht, ohne Vorbehalt zustimmten. Er hatte wieder von Stalin geträumt, aber etwas wirr, es schneite und schneite, da waren Birken, in denen der Wind pfiff, und im Schnee wimmelte es von Menschen, in zerstörter Marschordnung eilten sie dahin; dann erschien, aber wie in letzter Auflösung, Stalins Gesicht, lächelnd in spitzfindigem Einverständnis.

Calogero hatte *Krieg und Frieden* gelesen, in seiner Phantasie wurden Stalins Tage zu denen Kutusows im Roman, nach einem Monat Krieg hatte Stalin den Oberbefehl über die Armee übernommen: Calogero sah es vor sich, wie in den Hütten der Bauern Kriegsrat gehalten wurde, hier die Generäle besorgt und verwirrt, dort die wissende, heitere Gelassenheit jenes Mannes, er sah das schwarze Bauernbrot und den Honig auf dem Tisch vor dem lächelnden, väterlichen Mann. Bestimmt dachte Stalin bei jeder Nachricht über den Vormarsch der Deutschen: »Na, laßt sie doch rennen! Rennen wie Füllen!« Und er steckte sich die Pfeife an und stieß zufrieden Rauchwolken aus. Im August, als Mussolini Hitler um die Ehre bat, Streitkräfte nach Rußland zu entsenden, dachte Calogero: »Die armen Jungens, sie werden enden wie die Mäuse«, und so mußte wohl auch Stalin denken, ironisch und mitleidsvoll.

Im November 41 blieben die Deutschen vor Moskau, Leningrad und Rostov stehen, und Calogero sagte: »Jetzt regnet es wie aus Kübeln, ihr werdet schon sehen, was jetzt passiert.« Aber bis zum Mai 42 passierte nichts; und danach begannen die Deutschen wieder einen Vormarsch, vor Moskau und Leningrad hielten sie still, gegen den Kaukasus setzten sie sich in Bewegung. Calogero ließ sich dadurch nicht beirren, »das Fohlen rennt weiter in sein Unglück«, und er prophezeite, daß noch vor Ablauf von sechs Monaten die russische Gegenoffensive unnachsichtlich einsetzen würde. »Der Winter muß kommen«, sagte er, »laßt mal erst den Winter kommen und dann werdet ihr sehen, was für ein Ende der antibolschewistische Kreuzzug nimmt, Stalin überreicht euch die deutsche Wehrmacht zusammengedrückt wie in einem Faß Heringe«, und er betete um einen furchtbaren Winter, eine ungeheure Klinge aus Kälte, die jenes bisher siegreiche Heer vom Antlitz der russischen Erde wegrasieren würde.

Schon im Herbst hatte es spürbare Verluste gegeben. Vor Stalingrad, und das konnte vor einer Stadt, die nach Stalin hieß, gar nicht anders sein, wurden die Deutschen gestellt; die Gegenoffensive begann, jetzt setzten die Russen die große Schere an, und die schloß sich, schloß sich um eine halbe Million Mann. Calogero litt um unsere Soldaten, die im Schnee erfroren, er verfluchte den gehörnten Schuft, der die Söhne des Volkes aus den Regionen der Sonne in jene kalten Ebenen zum Sterben geschickt hatte.

Zusammen mit der deutschen Armee des Generalfeldmarschalls von Paulus wurde auch die italienische aufgerieben; als von Paulus sich ergab, herrschte Trauer bei den Deutschen, aber schon zirkulierten Gerüchte von einem geheimen Einverständnis zwischen von Paulus und den Russen, Calogero begann mit einer kommunistischen Revolution in Deutschland zu rechnen. Seiner Meinung nach konnte der Krieg sich noch ein paar Monate oder Jahre hinziehen: aber Rußland hatte ihn gewonnen, in Stalingrad, keine Macht konnte die kommunistische Weltherrschaft mehr aufhalten.

Die Amerikaner waren schon in Regalpetra, als man etwas von Mussolinis Verhaftung in Rom erfuhr, die Nachricht schien aus einer anderen Welt zu kommen, in Regalpetra tobte man sich bereits seit zehn Tagen aus, indem man mit Meißel, Feuer und Spucke über jedes Zeichen herfiel, das an den Faschismus erinnerte. Calogero sah nicht ohne Melancholie zu, wie Spitzel der Schwarzhemden und kleine Parteibonzen frenetischen antifaschistischen Eifer an den Tag legten; sie umschwärmten die Amerikaner, flüsterten ihnen Denunziationen zu, und um die Denunzianten zufriedenzustellen, brachten die Amerikaner den politischen Sekretär weg, den Bürgermeister und den Hauptmann der Carabinieri. Calogero verurteilte die Amerikaner, nannte sie *voreilig*, es waren Leute, die dem ersten, der kam, recht gaben; die Russen hätten sich da anders verhalten. Seinen Unmut voll zu machen, erschien bei Calogero der Unteroffizier der Carabinieri, um ihm mitzuteilen, den Amerikanern paßten die Versammlungen in seinem Laden nicht. Vermutlich hatten die Amerikaner keine Ahnung von diesen Versammlungen, aber irgendeinem Zutreiber der Amerikaner mußten sie wohl mißfallen. Gereizt und übermütig schnitt Calogero zwei Bilder von Stalin aus einer amerikanischen Zeitschrift aus, rahmte sie schön ein und hängte sie auf, das eine im Laden, das andere im Schlafzimmer, in die Nähe der Madonna von Pompei, die seine Frau auf ihrer Bettseite angebracht hatte.

Seine Frau bemerkte säuerlich dazu: »Na was, ist das dein Vater?« Aber als sie sah, wie wütend Calogero wurde, sagte sie nichts mehr; heftiger reagierte der Erzpriester, es kam zu einem gesalzenen Wortwechsel. Man sah das Bild, das im Laden hing, schon von der anderen Seite des Platzes; neugierig näherte sich der Erzpriester, der seit langem nicht mehr den Fuß über die Schwelle setzte, und dann fragte er mit gespielter Unschuld, zitternd vor zurückgehaltener Empörung: »Wer ist denn das?« und Calogero erwiderte, das sei der größte Mann der Welt, der Mann, der das Antlitz der Welt verändern würde, der Größte und Gerechteste.

»Wie schön er ist«, sagte der Erzpriester, »er sieht aus wie ein Kater mit einer dicken Eidechse im Maul.«

»Rodolfo Valentino ist er nicht«, sagte Calogero geduldig, »und wenn er auch wie ein Kater aussieht, ich freue mich, daß Ihnen das auffällt: auf die Weise lernen Sie, was für ein Tod auf Sie wartet; wenn Stalin der Kater ist, dann weiß ich einen, der wie die Eidechse sterben wird.«

»Meine Katze«, sagte der Erzpriester, »ist an ihrem lasterhaften Verlangen nach Eidechsen gestorben: sie blieben ihr im Leib stecken, sie spuckte wie ein Epileptiker, verzehrte sich derartig, daß sie einer Fledermaus glich.«

»Dieser Kater ist von anderer Art«, sagte Calogero, »der verdaut auch einen schwarzen Lavabrei.«

»Schwarzer Lavabrei!« sagte der Erzpriester, »wenn du damit das meinst, was ich vermute, dann ist eine Katze, die den verdaut, noch nicht geboren; und du kannst Gift darauf nehmen, daß sie nie geboren wird. Aber lassen wir das mit den Katzen und schwarzen Brühen: nimm du das Bild ab, und ich komme und segne den Laden und schenke dir ein schönes Bild mit dem heiligen Tischler Joseph drauf.«

»Machen wir's so«, sagte Calogero, »Sie geben mir den heiligen Joseph und ich hänge ihn neben Stalin, der ein heiliger Arbeiter ist und dadurch nicht schlechter wird; dafür schenke ich Ihnen das Bild von Stalin, das ich über meinem Kopfkissen habe, und Sie hängen es sich ins Pfarrhaus, aber in die Nähe von einem guten Heiligen, nicht etwa neben Sankt Ignazius oder Sankt Dominikus: Sie verstehen mich schon, ich meine die von der spanischen Inquisition.«

»Verlorene Mistseele!« schrie der Priester, wobei er sich mehrfach bekreuzigte, »dich will ich sehen, wenn dir die Füße gebügelt werden beim jüngsten Gericht, und da werde ich dir das Zeichen des Kreuzes verweigern.«

»Da faß ich Eisen an«, sagte Calogero, rasch nach dem Schustermesser greifend, »denn wenn ihr Priester redet, ist nur eines sicher: Was den bösen Blick angeht, versagt ihr nie.«

»Bestie«, sagte der Erzpriester und entfernte sich tief erschüttert.

Befreiungskomitees entstanden, auf dem italienischen Festland kämpften die Antifaschisten, starben gefoltert, aufgehängt, mit durchschnittener Kehle, die Deutschen wehrten sich wie tolle Hunde; in Sizilien waren die Amerikaner, und die Befreiungskomitees amüsierten sich damit, Kommunalverwaltungen zu bilden und wieder aufzulösen, auch mit Säuberungen gaben sie sich ab. Es gab die Parteien, und jede Partei schickte zwei Vertreter in das Komitee, Calogero war sicher, daß ein solcher Platz im Komitee ihm zufallen würde, statt dessen entsandte die Partei den Postvorsteher, einen ehemaligen Feldwebel der faschistischen Miliz, um ein Haar hätte ihn das verstimmt, doch dann überlegte er, daß es für jede Entscheidung der Partei einen guten Grund gab und folglich auch für diese Wahl einen geben mußte. Zum Ausgleich ernannte man ihn zum Gemeinderat, gab ihm das Dezernat für öffentliche Arbeiten; Calogero hatte dann auch diesen und jenen hübschen Plan, aber in der Gemeindekasse war nicht eine Lira.

Unterdessen stürmten die Russen weiter vor, der Erzpriester machte sich Sorgen und verfolgte ungeduldig das Vorrücken der Zweiten Front, also der Engländer und Amerikaner; aber da es einen prophetischen Ausspruch von San Giovanni Bosco gab, die Pferde des russischen Heeres würden eines Tages an den Brunnen auf dem Petersplatz getränkt werden, vermochte der Erzpriester sich auch mit diesen Absichten der Vorsehung abzufinden. »Wenn es Gottes Wille ist, kommen die Russen eben bis nach Rom; es wird der Kirche zum Ruhme gereichen, diese neuen Hunnen zum Glauben zu bekehren.« Calogero hingegen nährte ganz andere Hoffnungen: Stalin gelangte bis ins Herz Europas; Kommunismus, Gerechtigkeit; Diebe und Ausbeuter erzitterten, all die Spinnen in ihrem Netz aus Reichtum und Unrecht; für jede Stadt, die der Roten Armee anheimfiel, sah Calogero ein finsteres Fluchtgewimmel voraus, die Männer des Unrechts und der Unterdrückung von viehischer Angst geschüttelt: und auf den lichterfüllten Plätzen Arbeiter rings um Stalins Soldaten. Der Genosse Stalin, der Marschall Stalin, Onkelchen Joschi, *lu zi' Peppi*, ihrer aller Onkel, der Beschützer der Armen und Schwachen, der Mann der Gerechtigkeit. Calogero hörte auf, an allem herumzumäkeln, was in Regalpetra und der übrigen Welt verkehrt lief, und zeigte auf das Bild. »Darum wird sich *lu zi' Peppi* kümmern«, und er bildete sich ein, er habe diesen familiären Spitznamen erfunden, mit dem die Genossen von Regalpetra Stalin jetzt bezeichneten; dabei sagten alle Tagelöhner und Schwefelarbeiter Siziliens, alle Armen, denen sich ein Lichtblick auftat: »*Lu zi' Peppi.*[1]« So hatten sie früher einmal auch Garibaldi genannt, sie nannten alle Männer *Onkel,* die für Gerechtigkeit oder Rache sorgten, den Helden und den Mafiahäuptling; denn auch wenn es um Rache ging, wurde die Idee der Gerechtigkeit beschworen. Calogero hatte seine Zeit der Verbannung abgesessen, in der Verbannung hatten die Genossen ihm die Politik beigebracht; aber er konnte sich Stalin nicht anders denn als einen *Onkel* vorstellen, der Rache übt und mit Sätzen *a baccagliu*, also im Jargon aller *Onkel* Siziliens, die Feinde von Calogero Schiró zerschmettert: den Cavaliere Pecorilla, der ihm die Verbannung eingebrockt hatte, Gangemini vom Schwefelbergwerk, der ihm den Preis für eine Schuhbesohlung schuldig geblieben war, den Doktor La Ferla, der ihm ein Maß Korn hatte wegpfänden lassen, um zu seinem Honorar für einen operativen Eingriff in Calogeros Leistengegend zu kommen, eine Schlächterei war das gewesen. Calogero betrachtete die Fotos von Konferenzen in Teheran und Yalta, Roosevelt, Churchill und Stalin; aber Stalin war etwas Besonderes, die anderen zwei waren zweifellos große Männer, sie wußten, was sie taten, aber sie sahen nur das Heute; Stalin dagegen hatte die Karten für das Spiel von morgen in der Hand, das Spiel für alle Zukunft, das Spiel von Calogero Schirò und der

---

1 Garibaldi, der bekannte italienische Freiheitskämpfer, hieß ebenso wie Stalin mit Vornamen Josef, Giuseppe, und konnte deshalb ebenso mit der Verniedlichungsform »Peppi« bezeichnet werden.

ganzen Welt; wenn Stalin eine Karte auf den Tisch legte, war es eine Trumpfkarte für Calogero Schirò und die Zukunft der Menschheit. Roosevelt und Churchill dachten nur daran, den Krieg zu gewinnen, und wie die Schiffe Englands und Amerikas ein Netz von Handelsbeziehungen über den Erdball spannen könnten. Stalin dagegen dachte an die Salinenarbeiter von Regalpetra, die Arbeiter in der Schwefelmine von Cianciana, die Bauern mit ihrem Stück Pachtland, an alle, die bei der Arbeit Blut und Wasser schwitzten: es hatte gar keinen Sinn, Deutschland zu besiegen, wenn Menschen in Regalpetra und Cianciana weiterhin wie Tiere leben mußten.

Während Calogero die Kriegsereignisse beobachtete, hatte er sich leidenschaftlich für die Taten des Generals Timoschenko begeistert, er hielt ihn für Stalins rechte Hand, Stalin plante und Timoschenko schlug zu, ein General des Volkes. Timoschenko hatte einen Kopf von der Härte eines Klotzes, »man kann Fleisch darauf zerhacken«, sagte Calogero liebevoll; ein dickköpfiger, mißtrauischer, listiger Bauer; er hatte von der Pike auf gedient, während der Revolution hatten seine Gefährten ihn zum Offizier gewählt, jetzt war er General, und von den Deutschen ließ er sich nicht einpacken, die ersten guten Nachrichten aus Rußland waren mit seinem Namen verbunden. Es gab noch andere Generäle in Rußland: den Verteidiger von Leningrad und dann den von Stalingrad, vom Don; doch Calogero sah das Los des Krieges um Timoschenko kreisen wie um einen festen Zapfen. Dann waren da noch russische Generäle, die einen Spitzbart trugen, und Leute mit Spitzbart gefielen Calogero, ehrlich gesprochen, nicht, er dachte an den Spitzbart von De Bono, von Giurati, von Balbo[1], und jeder Hauptmann der faschistischen Miliz, den er gekannt hatte, trug einen Spitzbart, ein Mann, der das tut, muß irgendei-

1 Generäle aus der Zeit des Faschismus. Italo Balbo wurde als Fliegergeneral so populär, daß ein Lied auf ihn gedichtet und gesungen wurde, er fiel 1940 bei Tobruk. Emilio De Bono erhielt als fast Siebzigjähriger den Oberbefehl im Krieg gegen Äthiopien; obwohl er einer der ersten faschistischen Führer gewesen war, Polizeichef, Generalgouverneur und Kolonialminister unter Mussolini, stimmte er 1943 im Großrat für dessen Abdankung und wurde später deswegen hingerichtet.

nen Defekt haben; Timoschenko dagegen trug einen knappen Militärschnitt wie ein Rekrut, der gerade beim Regiment eingetroffen ist. Bitte, es war das Gesicht eines eingezogenen Bauern, eines Mannes, der zu den Waffen gerufen wurde, um die Kolchose zu verteidigen, nicht des Generals von Beruf, das wäre ja ein schöner Mist, sich den Beruf des Generals auszusuchen. Calogero hatte in der Kavallerie gedient, da kam dann der General mit dem Spitzbart zur Inspektion, und der hielt sich damit auf nachzuprüfen, ob die Steigbügel auch von unten blitzblank waren, wenn sie nicht blitzblank waren, brüllte er vor Empörung und Kummer; den General hätte er sehen mögen, während des Rückzugs in Rußland, wie er die Steigbügel umdrehte, um festzustellen, ob sie auch von der anderen Seite glänzten. Timoschenko war ein Mann, der den Soldaten ins Gesicht sah, nicht auf die Steigbügel, bestimmt scherzte er mit den Soldaten, machte mit ihnen saftige Bauernspäße; und diese Bauern hielten langsam und schwerfällig wie Ochsen dem Ansturm der Deutschen stand und zerschmetterten sie.

Calogero kannte Timoschenkos sämtliche Taten wie am Schnürchen. Stützpunkte und wiedereroberte Städte; und die lobenden Erwähnungen und Orden, die Timoschenko bekam. Er dachte: »In hundert Jahren, hoffen wir, daß Stalins Todestag noch fern bleibt, ist Timoschenko der Mann, der die Sache in die Hand nehmen kann«, und er stellte sich vor, daß Stalin sich für solch eine Nachfolge bereits heimlich entschieden und testamentarisch darüber verfügt hatte.

Statt dessen ging der Krieg zu Ende und von Timoschenko war keine Rede mehr, man sah andere Generäle auf den Fotos neben Stalin, Timoschenkos Name war vergessen. Einmal erkundigte Calogero sich nach ihm bei einem Deputierten seiner Partei, der eben aus Rußland zurückkam, und der tat so, als habe er diesen Namen noch nie gehört. Später sagte irgendwer zu Calogero, Stalin hätte ein paar Generäle in die Wüste geschickt, eine Art Verbannung: vielleicht war Timoschenko dabei. Zum ersten Mal kam Calogero der Verdacht, jemand flüstere Stalin schlechte Ratschläge ein, er sprach darüber mit einem Genossen vom Parteisekretariat der Provinz: der sah ihn hart an, erklärte dann aber mit liebevoller Geduld, etwas Derartiges sei unmöglich; allein der

Gedanke, auch wenn er aus gutem Glauben kam, war ein schwerer Fehler. Calogero dachte nicht mehr an Timoschenko.

Am 18. April 1948 hatte Calogero dann diesen Traum; und am nächsten Tag bestätigten die Wahlergebnisse die Wahrheit des Traums, Calogero zweifelte nicht daran, er war seiner so sicher, daß er nicht einmal ins Büro der Ortsgruppe gehen wollte, um die Nachrichten im Radio zu hören; die Genossen, die vorher, noch am Morgen des 18. seine letzte Vorhersage damit abgetan hatten, daß sie ihn einen Unglücksvogel nannten, kamen nun überein, er habe nur folgerichtig nachgedacht. Daß Stalin ihm die Voraussage im Traum zugetragen hatte, verriet Calogero niemandem.

In den Anblick von Stalins Bild versunken, sah er dahinter von Tag zu Tag deutlicher die Gedanken, als wäre es eine Landkarte, die nach und nach an verschiedenen Punkten aufleuchtet, jetzt Italien, jetzt Indien oder Amerika, jeder Gedanke Stalins war ein Ereignis in der Welt; auf dem Schachbrett der Welt machte Stalin seine Züge, und aufgrund geheimnisvoller Enthüllungen sah Calogero voraus, wie er ziehen würde. Deshalb wußte er, während die »Unità«[1] erklärte, Südkorea habe Nordkorea angegriffen, daß die Angelegenheit dies eine Mal sich so zutrug, wie die faschistischen und die bürgerlichen Zeitungen es darstellten. Nicht etwa, daß er wegen der Korea-Affäre einen weiteren Traum gehabt, oder vorausgesehen hätte, daß in Korea etwas in Bewegung geraten würde, er wußte ja nicht einmal, daß es auf dieser Erde ein Korea gab: aber er war sich klar darüber, daß Stalin einen Zug tun mußte, und sei es nur, um zu sehen, wie die Amerikaner darauf reagierten. Die Amerikaner eilten Südkorea sofort zu Hilfe; eine Probe, die gemacht werden mußte, jetzt wußte Stalin, daß die Amerikaner rannten, wenn er angriff, jetzt hieß es, vom Frieden reden, »der Friede arbeitet für uns«, sagte Calogero, er wurde ein Vorkämpfer für den Frieden, sammelte Unterschriften für den Frieden und gegen die Atombombe, ins Knopfloch steckte er sich Picassos Taube; dabei begriff er im Grunde nichts von all dem Gerede um Picasso und die Taube, er selbst konnte bessere

1 Die »Unità« ist die offizielle Parteizeitung der italienischen Kommunisten.

Tauben zeichnen, in einem Helldunkel, daß sie lebendig zu sein schienen, wenn man sie nicht gerade ins Licht hielt. Als Picasso dann Stalins Porträt zeichnete und die Partei erklärte, so ginge es nicht, fühlte Calogero Befriedigung, »gewisse Dinge muß man klar und deutlich sagen, Picasso mag ein guter Kommunist sein, aber er ist kein Maler für uns, soll er seine Bilder doch lieber für die bekloppten Bürger machen, die ihm schweres Geld dafür geben«, so sagte er; über Picasso bildete er sich eine Meinung, daß der nämlich seinen Spaß daran habe, die Reichen anzuschmieren, die Amerikaner, und das, man mußte es zugeben, gelang ihm schier göttlich.

Tag für Tag gab ihm die Zeitung neue Ereignisse zu bedenken und zu bereden. Sein Laden schien ein Debattierklub; wenn einer hereinplatzte, der es auf den Kommunismus abgesehen hatte, fühlte Calogero sich in seinem Element, er zwinkerte den Genossen zu, um anzudeuten, »laßt mich nur machen, mit dem werd' ich fertig, süßsauer angerichtet serviere ich ihn euch«, und geradezu wohlwollend begann er seinen Angriff; aber es endete noch jedesmal mit Pöbeleien. »Es ist nicht jedem gegeben, dialektisch zu argumentieren, wenn Faschisten und Klerikale dabei sind, Köpfe haben die, ebensogut könnte man ein Weinfaß gegen die Wand schlagen.« Tatsächlich jedoch hielten sich die Faschisten und Klerikalen, die sich im Laden auf eine Diskussion einließen, angesichts all der Kommunisten um sie herum vorsichtig zurück; immer war es Calogero, der zu Beleidigungen überging, er diskutierte so lange in aller Gelassenheit, bis Stalins Name fiel, kaum hatte der andere sich diesen Namen unvorsichtigerweise entschlüpfen lassen, geriet das Gespräch auf abschüssige Bahnen. Den Erzpriester, der sofort mit Stalins Namen auf den Lippen zum Frontalangriff zu schreiten pflegte, empfand Calogero wie ein Krebsgeschwür im Magen: und das um so mehr, als der Erzpriester in der ganzen Gegend den Ton angab, weit zurück lag die große Angst des Jahres 45. Jetzt betrachtete er Stalins Bild beinahe mit Erbarmen, »gewiß wird er vor Gott Rechenschaft ablegen müssen«, sagte er gern, »aber womöglich will es die Vorsehung auch, daß er sich vor den Menschen werde verantworten müssen, kann sein, daß er nicht dazu bestimmt ist, in seinem Bett zu sterben«, und schon schnellte Calogero empor,

um der gesamten Hierarchie der Kirche einen ausgesucht gewalttätigen Tod an den Hals zu wünschen, angefangen vom Küster,
der aus einem Kommunisten zu einer Säule der Christlich-demokratischen Partei geworden war.

In Regalpetra war Calogero der letzte, der erfuhr, daß Stalin
gestorben war. An jenem Tag stand er spät auf, ging erst nach
neun in seinen Laden hinunter, arbeitete zwei Stunden lang vor
sich hin; und es beunruhigte ihn allmählich, warum an dem
Morgen keiner vom Freundeskreis auftauchte. Er überlegte, die
Gefährten könnten an diesem sonnigen, wenn auch windigen Tag
auf die Felder oder, um die Sonne zu genießen, spazierengegan-
gen sein; woraufhin auch ihn die Lust ankam, auszugehen; und
während er seinen Laden zuschloß und ihn heftig das Verlangen
nach Muße und Sonnenschein packte, kamen ihm ungute Gedanken über die Freunde, die zwar nicht durch eigene Schuld arbeits-
los waren, sich aber bestimmt an den Müßiggang gewöhnten, es
sich darin wohl sein ließen: und das dachte er nur, weil die
Genossen an dem Tag nicht gekommen waren, ihm Gesellschaft
zu leisten.

Vor dem Parteibüro hing die Fahne mit Trauerflor, Calogero
meinte, irgendein Genosse sei gestorben. Drinnen hockten die
Genossen, die sonst jeden Morgen zu ihm in den Laden kamen,
schweigsam um den Tisch herum, und wie Calogero ihre Hände
auf der Tischplatte sah, kam ihm das vor wie eine spiritistische
Sitzung, er wollte gerade eine scherzhafte Bemerkung darüber
machen, hielt sich aber zurück, wegen der Trauerfahne draußen;
er fragte: »Wer ist denn gestorben?« und die anderen sahen ihn
verblüfft an.

»Wo kommst du denn her?« sagte einer, »Stalin ist tot.«
Calogero fühlte, wie die Knie unter ihm nachgaben, in seinem
Kopf blitzte die Verwünschung des Erzpriesters auf, schon fragte
er: »Ist er in seinem Bett gestorben? Wie ist er gestorben?«

»Er hat einen Herzschlag gehabt«, sagte ein Genosse, »daran
ist er gestorben.«

Einmal hatte ihm der Erzpriester alle Tyrannen aufgezählt, die
eines gewaltsamen Todes gestorben waren, und seiner Meinung
nach würde Stalin dem nicht entrinnen; Stalin war jedoch wie ein

braver Familienvater gestorben, der Feierabend macht, Calogero sah die Gemütsruhe dieses Todes vor sich, einen Kranz stillen Leides rings um den großen Sterbenden. Aber dann packte ihn ein Zweifel, es könnte sich um eine Falschmeldung handeln, man weiß ja, wozu gewisse Zeitungen imstande sind, darum fragte er: »Stimmt die Nachricht auch? Woher habt ihr sie?«

»Das Radio«, sagten sie, »die Zeitungen.«

Calogero sagte nichts mehr. Stalin war also tot; aber die Idee lebte, unwiderstehlich verbreitete sie sich in der Welt, keine Macht konnte sie aufhalten; Stalin freilich, der sie zwanzig Jahre lang vorangetragen hatte, war tot. Jetzt: das Urteil der Geschichte. Aber Stalin war selbst die Geschichte. Das Urteil Gottes. Nehmen wir einmal an, daß es Gott gibt, daß er ein weißes Buch und ein schwarzes Buch hat, daß er die Waage des Gerichtes in Händen hält: Was hat Stalin der Welt geschenkt, wenn nicht Gerechtigkeit? Und den Menschen, zu denen er nicht gelangen konnte, um ihnen Gerechtigkeit zu schenken, schenkte er ihnen etwa nicht Hoffnung? Glauben-Hoffnung-Mitleid. Nein, kein Mitleid: Glauben und Hoffnung. Und Gerechtigkeit. Er, Stalin, hatte Schmerzen aus den Menschen herausgepreßt; er war mit dem Schritt der Revolution vorangeschritten, und das bedeutete Gewalt und Blut; aber eine Revolution muß eine Revolution sein, Christus, der doch Christus war, brachte ein neues Wort, das von Blut triefte, Calogero hatte *Quo vadis?* gelesen, jene Leute hatten niemanden umgebracht, aber sich umbringen lassen, und das lief auf dasselbe hinaus. »Da denke ich doch tatsächlich an die Religion, ich brauche nur einen Toten vor mir zu haben, schon kommen mir diese Gedanken. Wenn ich an meinen Tod denke, sehe ich nichts: Gott, das Jenseits, nichts davon seh' ich, ich sehe die schwarze Kiste, die Grube, jemanden, der mich als guten Freund und Genossen in Erinnerung behält, ich werde nur ein Gerippe in einer Kiste sein, wenn erst die ganze Welt sozialistisch geworden ist; aber das Sterben der anderen bringt mich auf religiöse Gedanken. Der Tod meiner Mutter: aber meine Mutter glaubte an Gott. Oder wenn ich höre, wie die Glocken Gloria läuten, beim Tod von einem Kind. Und damals, bei dem Zugunglück, als ich die vielen Toten sah. Aber Stalin hat mit all dem nichts zu tun, bei einem solchen Mann ist es lächerlich, an das Seelchen zu denken, das die Flügel ausbreitet, Stalins Unsterblichkeit tragen wir in uns, wir alle, die heute auf Erden leben, die ganze zukünftige Menschheit.«

Diese Gedanken gingen ihm durch den Kopf, aber verschwommen, wie wenn das Fieber steigt; das Malariafieber, bei dem man unter sämtliche Decken kriecht und trotzdem friert, und allmählich spürt man, wie Gedanken und Erinnerungen zu weißglühendem Dilirium werden, man möchte ihnen widerstehen, sich an etwas Bestimmtes halten, an irgendeinen Gegenstand, das Bett-das-Fenster-den-Baum: und schon schmilzt dieser Gegenstand im Feuer des Deliriums.

So kehrte Calogero denn ohne ein weiteres Wort nach Hause zurück. Als ihn seine Frau in Kummer aufgelöst sah, sagte sie: »Ich wette, du hast wieder Schmerzen an der Seite.«

»Stimmt«, sagte Calogero bitter, »du hast die Wette gewonnen, mir tut die Seite weh; mach mir einen Kamillentee.«

Ein paar Tage lang verließ Calogero sein Haus nicht, gewisse Gesichter wollte er nicht sehen, nicht einmal mit den Genossen wollte er über Stalins Tod sprechen; mit Stalin verbanden ihn Erinnerungen und Hoffnungen, wie in einer dauerhaften und ausschließlichen Beziehung, wie in der Freundschaft: er glaubte, sein Gefühl sei etwas verschieden von dem der anderen Genossen, doch der Rede, die Togliatti;[1] im Abgeordnetenhaus hielt, entnahm er, daß alle Genossen dieses Gefühl teilten, Togliatti sprach für alle, er fand Worte für den Schmerz aller Genossen. Calogero wiederholte die Worte für sich und dabei stieg ihm ein Schluchzen in die Kehle: »Heute Nacht ist Joseph Stalin gestorben. Es fällt mir schwer zu sprechen, Herr Präsident. Auf der Seele lastet beklemmend der Kummer um das Dahingehen des verehrtesten und geliebtesten aller Menschen, um den Verlust des Lehrers, des Genossen, des Freundes... Joseph Stalin ist ein Gigant des Geistes, er ist ein Gigant der Tat... Der militärische Sieg über den Faschismus wird in der Geschichte vor allen anderen den Namen Stalins tragen...« – und das waren Worte, die

1 Palmiro Togliatti, Mitbegründer und bekanntester Führer der KPI, bemühte sich seit 1944 um eine Zusammenarbeit mit allen antifaschistischen Parteien und war in den ersten zwei Nachkriegsjahren mehrfach Minister.

83

aus dem Herzen kamen, Calogero hörte, als Togliatti sie aussprach, erstickte Tränen in seiner Stimme. Nicht nur ein ganz großer Führer war tot, sondern ein Freund. Über diejenigen, die Stalin einen Tyrannen nannten, konnte man nur lachen: jede Tat Stalins, jeder seiner Gedanken, seiner Pläne, waren durchdacht und in sich ausgereift, es gab keinen Kommunisten, der das nicht empfand; wenn Stalin eine Entscheidung traf, so war es, als ob jeder Genosse mit ihm gemeinsam entschieden hätte, unter vier Augen, im Gespräch unter alten Freunden, mit der Flasche Wein und dem Päckchen Tabak auf dem Tisch; die Reaktionäre in aller Welt wanden sich, um die heimtückischen Absichten Stalins herauszubekommen, die dunklen Netze, die Stalin knüpfte (so nannten sie es in ihren Zeitungen): die Genossen hingegen wußten Bescheid, Stalin war wie ein Spieler, der vor dem Gegner sitzt, und die Freunde stehen hinter ihm, und ehe er eine Karte ins Spiel bringt, zeigt er sie hoch erhoben den Freunden, so, daß der Gegner sie nicht sehen kann, und jedesmal ist es die Karte, die sticht.

Jetzt lag Stalin einbalsamiert neben Lenin im großen Mausoleum am Roten Platz; drei Tage lang hallte der große Platz von einer Symphonie des Triumphs und des Ruhms wider. Welch großer Mann war dahin! Aber auch Lenin war ein großer Mann gewesen, und nach Lenin war Stalin gekommen. Das Problem der Nachfolge beunruhigte Calogero ein wenig, gewisse Zeitungen genossen im voraus den künftigen Machtkampf; aber auch wenn es zu solch einem Kampf kommen sollte, würden selbstverständlich die besten siegreich daraus hervorgehen: hatte Stalin etwa nicht gegen Trotzki die Oberhand gewonnen? Doch ein Mann wie Stalin stirbt nicht, ohne derartige Dinge aufs strengste abgesichert zu haben. Beria oder Molotow; Calogero tippte auf Molotow.

Statt dessen erschien Malenkow, zweifellos hatte Stalin ihn dazu ausersehen, Calogero begriff genau, aus welchem Grund. Indem er einem noch jungen Mann den Weg für die Nachfolge ebnete, schlug Stalin zwei Fliegen mit einer Klappe: einmal sicherte Malenkows Jugendlichkeit der neuen Macht eine längere Dauer, zum anderen lag sie damit in den Händen eines Mannes, der ganz und gar aus Stalins Schule hervorgegangen war. Malenkows Fotografie betrachtend, sagte Calogero zu den Genossen: »Das ist bestimmt ein prächtiger Welpe, ein braves Hundchen aus Stalins Stall, ein junger Rassehund.«

Doch dann begannen Dinge zu geschehen, die Calogero sich nicht erklären konnte: die Ärzte, die sich verschworen hatten, Stalin zu vergiften, wurden freigelassen; Beria, Stalins rechte Hand, wurde verhaftet und als Verräter verurteilt; dann wurde Malenkow durch Bulganin ersetzt. Ein General, und er trug einen Spitzbart. Calogero sagte vertraulich zu einem Freund: »Mein Herz fühlt sich schwarz wie Pech an: die Sache mit Beria geht mir nicht runter, wenn Stalin so viele Jahre lang einen Verräter hat machen lassen, dann will das doch heißen, daß manches auf verräterische Weise geschehen ist; und nun dieser General...« Aber bald darauf meinte er, man durchquere jetzt eben eine Durststrecke, in der ein Machtkampf ausgetragen würde, wie die Bürgerlichen es nannten. Chruschtschow war ihm sympathisch, nach anfänglichem Schwanken würde der das Ruder mit sicherer Hand steuern.

Calogero war bereits zu einer heiteren und zuversichtlichen Vision der Ereignisse in Rußland gelangt, als der Besuch Bulganins und Chruschtschows bei Tito ihn von neuem in mißtrauische Besorgnis stürzte. Es kam der Zwanzigste Parteitag, er las und hörte von Fehlern reden und von Kritik am *Persönlichkeitskult*. Mit einer Kritik am *Persönlichkeitskult* war er einverstanden, der Verdacht, daß er sich auf Stalin beziehen könnte, kam ihm gar nicht. Dann hörte er in aller Deutlichkeit verkünden, Stalin habe Fehler begangen, die Macht sei ihm zu Kopf gestiegen, er habe furchtbare Dinge angeordnet. Der Wahlkampf für die Gemeindewahlen rückte näher, Calogero wurde aufgefordert, sich aufstellen zu lassen, und lehnte ab, man befahl es ihm im Hinblick auf das Wohl der Partei, und er berief sich ironisch auf die *Abschaffung des Persönlichkeitskultes*: damit zielte er auf die Persönlichkeit, die ihm eine Kandidatur aufzwingen wollte. Da er sich im Parteilokal nicht mehr blicken ließ, hatte er das Gefühl, alles verloren zu haben – als ob man jemandem, der einen Haufen schwerverdientes Geld in der Hand hält, plötzlich sagt, die Münzen seien außer Kurs gesetzt, hätten keinerlei Wert mehr – und er unterzog die Ereignisse der Vergangenheit einer verbisse-

85

nen Prüfung, um herauszufinden, wo die *Fehler* steckten. Was für Fehler denn? Ein unermeßliches Land wie Rußland, so viele Regionen und so viele Rassen, ein Land ohne Industrie, voller Analphabeten: und es war zu einem großen Industriestaat geworden, proppenvoll mit Fabriken und Schulen, zu einem vereinten Volk, einem großen, heroischen Volk. Bis Berlin waren die Russen vorgedrungen, sie hatten dem Faschismus den Todesstoß versetzt. Polen, Rumänien, Ungarn, Bulgarien, Albanien, und halb Deutschland; und China: die Idee war ganz schön vorangekommen. Wo steckten die Fehler? Vielleicht war die Sache mit Jugoslawien ein Fehler gewesen, daß man Jugoslawien aus der Kominform warf, »allerdings gefällt Tito mir nicht, er hat das Gesicht eines Diktators, eines Diktators wie Mussolini und wie Peron«, aber die Zeit konnte Stalin auch da noch recht geben.

Ein Abgeordneter, der zu einer Wahlversammlung gekommen war, wollte mit Calogero reden, nachdem er gehört hatte, wie er sich verhielt; er suchte ihn in seinem Laden auf. Zu anderen Zeiten hätte Calogero sich über solch eine Aufmerksamkeit gefreut, jetzt fühlte er sich gestört und verwirrt. Der Abgeordnete erklärte den Genossen, er wolle mit Calogero von Mann zu Mann reden, Calogero fühlte sich aber nur noch mehr beunruhigt, als er sah, wie die Genossen sich entfernten.

»Hör mal«, sagte der Genosse Abgeordneter, »man hat mir berichtet, diese letzten Sachen hätten dich durcheinandergebracht, tatsächlich sind das auch keine Kleinigkeiten, wir waren alle erschüttert, ich habe Augenblicke durchlebt... Aber man muß sich die Dinge klarmachen, man muß vernünftig darüber reden...«

»Gut, reden wir«, sagte Calogero erleichtert; die Aufforderung zu einem vernünftigen Gespräch versetzte ihn stets in gute Stimmung.

»Also«, sagte der Abgeordnete, »es ist so, wie wenn jemand denkt, es geht ihm gut, er geht herum und sagt, er hat eine eiserne Gesundheit, arbeitet, geht auf die Jagd, vergnügt sich; und dann kommt der Moment, da trifft er einen Arzt, du weißt, wie Ärzte sind, der blickt ihm starr in die Pupille, sagt so ganz nebenbei: ›Hast du dich nie untersuchen lassen?‹ Der andere sagt nein, der Arzt sieht ihn weiter ganz besorgt an, sagt: ›Komm

86

morgen zu mir, ich will dich mal untersuchen‹, und der andere fängt an, sich aufzuregen, sagt: ›Mir geht's gut, was soll denn sein?‹ und der Arzt sagt: ›Nichts soll sein, aber morgen kommst du.‹ Und am nächsten Tag geht der hin, der Arzt stellt ihn vor den Röntgenschirm, beguckt ihn, beklopft ihn; Urin und Blut werden zur Analyse geschickt; dann teilt er ihm mit, er habe einen Tumor, der müsse raus, sonst sei er in einem halben Jahr mausetot. Der Mann wehrt sich, behauptet immer noch, daß es ihm gut geht, daß er eine ausgezeichnete Gesundheit hat; aber man legt ihn auf ein Rollbett, schläfert ihn ein, schneidet ihn auf. ›Jetzt, ja, jetzt geht es dir gut‹, sagt der Arzt, ›du hattest einen Tumor von der Größe eines Kinderkopfes und hast es nicht mal gemerkt.‹ So ging es uns auch: Wir hatten einen Tumor und merkten es nicht, man hat ihn uns rausgeschnitten, ohne daß wir was spürten; und wir wollen immer noch nicht einsehen, daß da ein Tumor gewesen ist.«

»Mit diesem Tumor, das mag ja gut und schön sein«, sagte Calogero, »aber ich gehe nicht zu einem Arzt, ehe ich nicht in mir was spüre; und wenn man mir was rausnimmt, will ich nicht eingeschläfert sein; ich will mit offenen Augen sterben, jawohl.«

»Das ist schon recht für den eigentlichen, richtigen Tumor«, sagte der Abgeordnete, »aber hier geht es um etwas anderes.«

»Um gar nichts anderes geht es«, sagte Calogero, »weil, wer sagt mir denn, daß die mir wirklich einen Tumor herausgeholt haben tief im Schlaf, wie ich war? Ich weiß, daß es mir gut ging.«

»Hör mal, wir haben ernsthaft einen Tumor gehabt; das werden wir auch allmählich schon merken. Denk an bestimmte Prozesse, an das, was mit dem Genossen Tito passiert ist, an die Geschichte mit den Ärzten . . .«

»Wenn ein Tumor da war«, sagte Calogero, »dann weiß ich auch, daß Tumore nachwachsen. Ich habe noch keinen gesehen, den man mir rausgeschnitten hat, aber ich weiß jetzt, daß in mir drin Tumore wachsen können, ich halte die Augen auf und bekomme es mit der Angst: du weißt, wie das geht, mit solchen Kranken; ich habe noch nie einen gesehen, der an einem Tumor leidet und gesund wird.«

»Himmelherrgott«, sagte der Abgeordnete, »wir reden hier von nichts anderem als von Tumoren: das mit dem Tumor war doch nur so ein Gleichnis ...«

»Mir hat's gefallen«, sagte Calogero, »und ich will darüber debattieren.«

»Nein«, sagte der Abgeordnete, »lassen wir das mit den Tumoren. Wenn ich dir sage, daß ich gelitten habe wie du, daß ich meinte, verrückt zu werden, mußt du mir doch glauben. Ich habe Augenblicke durchlebt ... Reden wir nicht davon. Ich will dir nur eins sagen: Stalin ist tot, er hat Fehler begangen; der Kommunismus aber lebt und wird nicht sterben. Und außerdem behaupten wir ja gar nicht, daß Stalin nur Fehler gemacht hat, im Gegenteil: er hat auch Gewaltiges geleistet.«

»Ich denke an Stalingrad«, sagte Calogero, »und dann der Vormarsch bis nach Berlin; ich weinte vor Glück, als die Russen in Berlin ankamen.«

»Es sind Ruhmesblätter der Geschichte: wer könnte diese Blätter auslöschen?« sagte der Abgeordnete. »Aber man muß auch die Fehler in Erwägung ziehen.«

»Ich werde dran denken«, sagte Calogero, und er wiederholte: »Ich will mit offenen Augen sterben.«

»Das ist recht«, bestätigte der andere, »aber vorläufig vernachlässige die Partei nicht, laß dich in der Ortsgruppe sehen: du weißt, was unsere Feinde immer gleich für Schlüsse ziehen.«

»Das weiß ich«, sagte Calogero, »sie ziehen idiotische Schlüsse, aber diesmal servieren wir ihnen die Gelegenheit dazu wie einen Rosoliolikör, und sie schlürfen in vollen Zügen.«

»Das ließ sich nicht vermeiden«, sagte der Genosse.

»Kann sein; aber eines steht für mich fest«, sagte Calogero, »wenn einer stirbt, meinetwegen mag er ein Gauner oder Verbrecher gewesen sein, dann setzt man ihm einen Stein, auf dem nur was von Tugenden und wohlgefälligem Leben steht; ich möchte dir mal gern den Friedhof zeigen, und dir von all denen da erzählen, wie ihr Leben wirklich war. Und was machen wir? Das Gegenteil.«

»Das ist nicht dasselbe«, sagte der Abgeordnete, »wir müssen die Wahrheit berichten, auch wenn wir dafür büßen; je genauer wir die Verkehrtheiten und Irrtümer der Vergangenheit erken-

88

nen, desto besser sichern wir unsere Zukunft; die Geschichte ist die Wahrheit und wir sind die Partei der Geschichte.«

»Das stimmt«, sagte Calogero.

Der Erzpriester kam seit Stalins Tod nicht mehr auf das alte Gerede vom Tyrannen zurück, ein Toter bleibt immer ein Toter, seine Gespräche mit Calogero nahmen jetzt eine andere Richtung; aber nach den Gemeindewahlen, die trotz Stalin verlorengegangen waren, brachte er Calogero eines Tages ein paar Seiten aus einer Zeitung. Erst zeigte er sie ihm, wie man einem Kind eine Tüte Bonbons zeigt, dann sagte er: »Weißt du, was da drin steht? Der ganze Bericht Chruschtschows, der über Stalin, eine Geheimsache. Wenn du willst, kann ich ihn dir leihen.«

Calogero verzog das Gesicht, sagte: »Das werden die üblichen Phantastereien sein, ich kann über eine Geheimsache, die in die Zeitung kommt, nur lachen; wetten, daß es sich um ein kirchliches Blatt handelt?«

»Nein«, sagte der Erzpriester, »das ist der ›Espresso‹, eine von den Zeitungen, die euch Kommunisten schon manchen guten Dienst geleistet haben.«

»Ich habe davon gehört«, sagte Calogero, »etwas für Radikale.«

»Na, lies doch«, sagte der Erzpriester, »du verlierst ja nichts dabei, wenn du's liest, hinterher kannst du mir deine Meinung darüber sagen.«

Calogero stürzte sich auf die Lektüre des Berichtes. Nachdem er ein Stück weit gediehen war, begann er sich zu sagen: »Da sieht man's, wohin es mit diesen Hurensöhnen von Amerikanern kommt, ein einziges Kartenhaus von Lügen«, aber er las gierig weiter, fluchte und las weiter; wenn das stimmte, müßte einem der kalte Schweiß ausbrechen, aber es war alles erstunken und erlogen. Als er fertig war, rief ihn die Frau zum Essen, aber ihm war nicht danach; er ging aus, die »Unità« zu kaufen, um eine Widerlegung jenes Artikels zu finden. Aber da stand kein Wort darüber. Nach Hause zurückgekehrt, steckte er sich viermal die Gabel voll Pasta in den Mund, dann erklärte er seiner Frau, er müsse weg, werde aber mit dem letzten Zug wieder da sein.

Am Bahnhof kaufte er sich den »Giornale di Sicilia«, sofort fiel sein Blick auf die Meldung, Stalin habe die eigene Ehefrau umgebracht. »Na großartig, sie werden noch behaupten, er hätte seine Kinder gefressen, ja wo kommen wir denn da hin?« Und er schäumte innerlich weniger über den »Espresso« oder den »Giornale di Sicilia« als über diejenigen, die diesen Stein ins Rollen gebracht hatten.

Wie im Traum langte er an seinem Bestimmungsort an, begab sich auf die Suche nach dem Abgeordneten, der vor der Wahl bei ihm erschienen war, um ihn zu überzeugen, fand ihn auch, in einem Café, wo er mit Freunden scherzte. Calogero dachte: »Die Sache kann nicht wahr sein, der wäre hier nicht so fröhlich, mit einer Leiche im Haus.« Der Abgeordnete erkannte ihn wieder, zog ihn auf den Stuhl neben sich, fragte nach Neuigkeiten von zu Hause. Calogero lenkte das Gespräch auf den »Espresso«, der den Bericht veröffentlicht hatte, und er sagte deutlich, was er über die Schufte dachte, die sich das aus den Fingern gesogen hatten. Der Abgeordnete wurde ernst: »Vielleicht ist es erfunden«, sagte er, »aber ich persönlich bin überzeugt, daß es stimmt, 99 Prozent Wahrscheinlichkeit sprechen dafür«, und Calogero fühlte, wie ihm der Kopf wirbelte. »Wie kann es stimmen?« sagte er stammelnd, »dann war Stalin ja auch nicht anders als Hitler . . .«

»Es ist bitter«, sagte der Abgeordnete, »aber er war erst in der letzten Zeit so geworden; man darf sich das nicht so vorstellen, als hätte Stalin die Natur des sozialistischen Staates aus den Fugen bringen können . . .«

»Ja«, sagte Calogero, »das behauptet Chruschtschow auch; aber ich begreife überhaupt nichts mehr.«

Der Abgeordnete beeilte sich, Erklärungen abzugeben; er redete mit großer Klarheit, Calogero wurde überzeugt; aber jener Stachel blieb: Stalin war also ein Tyrann, genau wie der Erzpriester sagte, ein irrer und gewalttätiger Tyrann, schlimmer als Mussolini, ebenso wie Hitler. Und wenn nun nicht die Amerikaner, wenn Chruschtschow sich das alles ausgedacht hatte; Chruschtschow und dieser General mit dem Spitzbart, und die anderen um diese beiden herum? Nein, das war unmöglich. Es mußte alles wahr sein.

Calogero zeigte dem Abgeordneten den »Giornale di Sicilia«. »Und diese andere Meldung hier?« fragte er.

»Genosse«, sagte der Abgeordnete, indem er ihm eine Hand auf die Schulter legte, »wundere dich über nichts; natürlich wird man alles mögliche sagen, aber vielleicht sagt man tatsächlich die Wahrheit.«

Da war ein runder Saal, der von triumphaler Musik erklang, er fühlte diese Musik bis in die Eingeweide, er kam sich vor wie in einem ungeheuren Geigenkörper; und da war die Kälte verödeter Kirchen, ein unterirdisches und fernes Licht. Stalin lag im gläsernen Sarg, Calogero sah seine Hände, die aus Holz zu sein schienen, trocken und hart. Er drückte sein Gesicht an die Scheibe, um besser zu sehen, was für ein schwarzer Faden Stalins Pulse umgab, richtete sich auf und dachte dabei: »Da sieht man's wieder, wie die Frauen sind – ohne daß ich es gemerkt habe, hat ihm meine Frau den Rosenkranz beigegeben«, denn genau wußte er es zwar nicht, hatte aber doch den Eindruck, daß Stalin bei ihm im Haus gestorben sei. Dann sah er, wie sich eine große Hand auf den gläsernen Sargdeckel legte, es war Stalins Hand, er lebte und sagte: »Besser als so konnte man mich nicht umbringen; gleich zweimal...«, doch die Stimme war zu einem Murmeln geworden, denn Calogero floh, rückwärts gehend wie ein Krebs, zur Tür; er schlug mit dem Ellbogen gegen die Tür, und von diesem Schmerz erwachte er, keuchend und schweißüberströmt. Ein klarer Gedanke durchzuckte ihn: »Sie haben ihn umgebracht, morgen trete ich aus der Partei aus.« Aber schon fiel er wieder in Schlaf.

Sein Erwachen war schwer, der Kopf schmerzte ihn, der eben geträumte Traum schimmerte nur noch ganz schwach, er versuchte, ihn zu packen, sich zu erinnern, aber es gelang ihm nicht. Nachdem er den Kopf in die Schüssel mit kaltem Wasser gesteckt hatte, fühlte er sich besser; er schluckte ein Veramon und trank zwei Tassen Kaffee. In seinem Gedächtnis spulte sich noch einmal die Rede des Genossen Abgeordneten ab. So standen die Dinge. Stalin ist tot, aber der Kommunismus lebt. Und bis zum Ende des siegreichen Krieges war er ein großer Mann gewesen.

Er war kaum fünf Minuten im Laden, als der Erzpriester eintrat. Calogero sah ihn haßerfüllt an.

»Hast du's gelesen?« fragte der Erzpriester. »Leg die Hand aufs Herz und sag mir, was du darüber denkst.«

»Ich hab's gelesen«, sagte Calogero, »aber ich habe keine Lust, darüber zu reden: ich hab's gelesen und basta.«

»So nicht!« sagte der Erzpriester. »Falls du den Mut dazu hast, mußt du mir schon sagen, wie du die Sache ansiehst.«

»Bitte«, sagte Calogero, »ich sehe das folgendermaßen . . . Ich sage mir: nehmen wir einmal an, das alles stimmt. Ich sage: es war das Alter, er fing an, sich merkwürdig aufzuführen, dumme Streiche zu machen. Ich weiß noch, wie Don Pepé Milisenda, da war er achtzig Jahre alt, eines Tages nackt auf die Straße lief. Und der Notar Caruso, sicherlich erinnern Sie sich an den Notar Caruso, der schnitt seinem Dienstmädchen die Zöpfe ab, weil es nicht mit ihm ins Bett gehen wollte; und auch auf seine Kinder wurde er wütend, so, daß er sie am liebsten erwürgt oder erstochen hätte. Und dabei wissen Sie, was für ein guter Mann der Notar Caruso gewesen ist. So was kommt vor. Und nun denken Sie mal, Stalin, der sich immer sein Gehirn für das Wohl der Menschheit zermartert hatte, da kam eben ein Moment, da wurde er komisch.«

»Aha, so erklärst du dir's«, sagte der Erzpriester ironisch.

»Genau so erkläre ich's mir«, sagte Calogero, »und dann bin ich noch der Meinung: man muß ein bißchen Nächstenliebe haben, er bleibt immer ein Mitmensch.«

Der Erzpriester drehte sich, als würde ihm schwindlig, und zerrte mit einem Finger an seinem Kragen, weil ihm das Blut zu Kopf stieg. »Mitmensch!« rief er. »Jetzt kommst du mir mit der Geschichte vom Nächsten, den man lieben soll wie sich selbst; wann hättest du daran je gedacht?«

Er entfernte sich mit heftigen Handbewegungen, als wolle er auch noch die Erinnerung an das Entsetzliche, das er soeben gehört hatte, abschütteln.

Das Jahr
achtundvierzig

Mein Vater pflegte den Garten des Barons Garziano, zwei Joch
Land, die sich fächerähnlich rings um den Platz ausbreiteten, auf
dem das Schloß stand. Es war guter, schwarzer Boden, der Wasser gab, sobald man nur einen Pfahl hineinschlug, und er war
dicht mit Bäumen bewachsen. War man in dem Dunkel der
Baumkronen und des Erdbodens, so glaubte man, es sei zwei Uhr
in der Nacht, selbst wenn draußen die Sonne brannte, daß sich
die Haut nur so schälte. Erfrischend war es dort wie in den Grot-
ten. Ein Rauschen wie von Wasser tönte sanft, das einschläferte
und manchmal Bangigkeit einflößte, und festliches Vogelgezwit-
scher erklang, dem jäh Augenblicke der Stille folgten, die der
Schrei des Hähers zerriß. Der Baron bezeichnete das als Park,
weil es dort auch Magnolien gab und Rotangpalmen, deren Stämme Haufen von Seilen glichen und deren Äste wie Stricke herab-
hingen und in der Erde wurzelten. Auch eine Rosenhecke, die im
Mai in flammender Blüte stand, faßte in einem Halbkreis das
Haus ein. Der Baron nannte seine Behausung Schloß. Auf der
Parkseite war es groß und häßlich wie eine Meierei. Von der
anderen Seite, die der Straße zugekehrt war, wirkte es zwar
ebenso häßlich, aber dort standen zwei in Sandstein gehauene,
nackte Frauenfiguren links und rechts vom Eingang, und die
Balkone hatten große Katzenköpfe als Stützen.

Mein Vater war der beste Baumbeschneider im Ort; auch in
den Nachbardörfern wurde seine Hilfe in den Weinbergen und
Olivenhainen geschätzt. Aber der Baron zahlte ihm das ganze
Jahr hindurch drei Tarí pro Tag, und so durfte mein Vater ohne
Erlaubnis des Barons nicht anderswo arbeiten. Außer den drei
Tarí täglich gab ihm der Baron das Haus neben dem Palast, das
wir bewohnten, und ein Stück Land zur freien Nutzung. Mein

93

Vater baute dort Tomaten an. Meine Mutter machte daraus Extrakt, den sie den Leuten verkaufte, die jedes Jahr im Spätsommer aus Palermo kamen. Es war ein guter Posten, wir konnten uns über unser Leben nicht beklagen. Mein Vater klagte nur wegen der Karosse, denn sonntags hatte er den Kutscher zu spielen. Im Vertrag war vereinbart: den Garten pflegen, die Speicher verwalten und am Sonntag kutschieren. An der Karosse hatte mein Vater nichts auszusetzen, und Pferde liebte er leidenschaftlich. Aber die lange Joppe, die bis an den Hals zugeknöpft wurde, anziehen und dazu einen Hut aufsetzen zu müssen, der rundlich war wie ein kleiner Käse, das widerstrebte ihm. Sonntags pflegte der Baron auszufahren, am Mittag zur Messe, am Abend zu Besuch oder den Strandweg entlang. Sonntags gebärdete sich mein Vater wie ein Pferd, das von Fliegen befallen ist. Aus jeder Mücke machte er einen Elefanten, jede Kleinigkeit versetzte ihn in Wut, und er gab den Heiligen im Paradies keine Ruhe, vor allem denen nicht, die uns am nächsten standen, dem heiligen Rocco in unserer Pfarrkirche und der heiligen Venera, der Schutzpatronin unseres Dorfes. Er haderte auch mit dem Baron, sagte »dieser Lump« oder »jener Lump«, je nachdem, ob er sich ihn in seinem Groll nahe oder fern vorstellte. Doch wenn der Baron die Treppe herunterkam, stand mein Vater am offenen Kutschenschlag, den Käsehut in der Hand, dessen schwarze Farbe allmählich in ein häßliches Grün übergegangen war. Dem Baron folgte Donna Concettina in rauschendem Kleid. In der Hand hatte sie die schwarzgoldene Bibel und einen Rosenkranz mit Perlmutterkugeln. Nach ihr kam Vincenzino, dürr und verängstigt, in einem Anzug, den der Baron beim Schneider auf Zuwachs hatte anfertigen lassen, obwohl Vincenzino gar nicht so rasch wachsen wollte. Wenn die drei in der Karosse saßen, mein Vater aber noch neben dem offenen Schlag stand, rief Donna Concettina: »Cristina!«, und noch einmal: »Cristina!« Und dann stürzte Cristina herbei mit dem weißen Meßbuch und einem Rosenkranz aus grünen Kugeln. Und immer war an ihren Kleidern etwas auszusetzen, oder sie hatte etwas vergessen. Donna Concettina geriet jedesmal außer sich und rief theatralisch den Herrgott an, weshalb er ausgerechnet ihr, die doch so ordnungsliebend sei, eine Tochter geschenkt habe, die mit ihren Gedanken weder im

Himmel noch auf Erden sei. Mein Vater knallte den Schlag zu, stieg auf den Kutschbock, die Karosse setzte sich auf dem Kies des Vorplatzes knarrend in Bewegung, weckte im Flur des Schlosses ein Echo und fuhr in forschem Trab hinaus auf die Straße. In dem Augenblick, in dem sie durch das Tor rollte, sprang ich mit einem Satz auf die Hinterradachse – mein Vater durfte es indessen nicht merken – und gelangte so zur Kirche, wo ich absprang, kurz bevor die Karosse anhielt.

Für mich war der Sonntag ein schöner Tag, eben wegen jener Fahrten zur Kirche, am Strand entlang oder auf der Besuchstour des Barons, die ich hinten kauernd miterlebte. Nur Cristina wußte, daß ich an der Rückwand der Karosse hing. Mein Vater mochte es ahnen. Wenn ihm nämlich jemand, an dem wir vorbeifuhren, zurief: »Mastro Carme', schlag doch mal mit der Peitsche nach hinten«, dann tat er es nicht, vielleicht weil er meinte, ich säße dort. Gewöhnlich lassen die Kutscher hin und wieder die Peitsche hinter den Wagenkasten sausen, um die Jungen zu vertreiben, die sich dort anklammern. Cristina also wußte es, verriet es aber nicht. Wir spielten im Park miteinander, und sonntags setzten wir unser Spiel durch dieses stille Einvernehmen fort, ich, indem ich wie ein Krebs an der Karosse klebte, und sie dadurch, daß sie von meiner Anwesenheit wußte und mich mit den Augen suchte, wenn sie ausstieg.

Donna Concettina hielt meine Gesellschaft für Cristina für gefährlich. Cristina kam vom Spiel im Park immer erhitzt nach Hause, und ihre Mutter fürchtete, daß das Mädchen Lungenstiche bekam – an Lungenentzündung war ja ihr Ältester gestorben. Cristina kehrte auch arg beschmutzt heim, mit Schlammspritzern im Haar, Rissen im Kleid und Kratzern an den Händen. Und sie war immer ungezogener, von Mal zu Mal unartiger, wenn sie vom Spielen kam. Man merkte es an ihren Antworten oder an ihrem trotzigen Schweigen. Donna Concettina sagte jedesmal: »Wenn du dich mit dem da abgibst, kommst du wie ein Teufel nach Hause. Aber ich werde dir die Unarten schon austreiben, ich bringe dich zu den Nonnen ins Stift.« Doch sie konnte sich nicht entschließen, die Kleine den Nonnen zur Erziehung anzuvertrauen, und so kannte Cristina mit acht Jahren noch nicht einmal die Vokale, auch wenn sie mit dem Gesangbuch zur Messe ging.

Ich hingegen konnte bereits die Druckschrift lesen, denn mein Vater unterrichtete mich abends. Mein Vater konnte besser lesen und schreiben als der Baron. Er hatte es als Erwachsener bei einem Priester gelernt.

Einmal brachte Cristina eine lebende Eidechse nach Hause, die sich in einer Grasschlinge wand, mit der wir sie gefangen hatten. Donna Concettina stieß einen Schrei aus und fiel in Ohnmacht. Sie wurde aufs Bett gelegt, die Beine erhöht, und die Schläfen wurden ihr mit Essig eingerieben. Donna Concettina traten stets vor Angst die Augen heraus, wenn sie nur eine Eidechse oder einen Gecko an der Wand sah, und nun hatte plötzlich unmittelbar vor ihr eine Eidechse gezappelt! Es wurde beschlossen, Cristina jetzt ohne Nachsicht ins Stift zu geben. Sie wurde mit der Karosse hingebracht, ich hockte natürlich wie immer auf der Hinterachse. Sie wurde in der Vesperstunde abgeliefert, doch vor Einbruch der Nacht holte der Baron sie wieder ab. Kaum heimgekehrt, bekam Donna Concettina nämlich Zustände, das Haus komme ihr ohne Cristina leer vor, und wer könne bürgen, daß die Nonnen das Ei für das Mädchen richtig weich kochten. So ließ der Baron schließlich unter Verwünschungen von neuem anspannen, um die Tochter zurückzuholen. Meinem Vater klagte er: »Wie soll ich den Nonnen in die Augen sehen? Ich kann ihnen höchstens sagen, daß meine Frau verrückt ist. Ja, das kann ich wohl sagen.« Donna Concettina war wirklich ein bißchen verrückt, und zwar in allem, was den Haushalt anbetraf, und auch in religiösen Fragen. Vielleicht glaubte sie mehr an den Teufel als an Gott, denn den Teufel meinte sie überall zu sehen, in den unterschiedlichsten Formen. Sie nannte ihn nicht Teufel, sondern Versuchung, und Versuchung war jedes häßliche und scheue Tier, das auf der Erde kroch, jeder Grashalm, der kitzelte oder kratzte, jeder nackte Körperteil außer den Händen und dem Gesicht. Wenn eine Versuchung auftauchte, dann bekreuzigte sich Donna Concettina mehrmals und murmelte rasch ein Stoßgebet, um sie zu vertreiben oder zu bannen. Das tat sie auch, wenn die Versuchung als Fluch oder Zote aus dem Munde des Barons kam. Ein Mittel freilich, das, um die Wahrheit zu sagen, bei dem Baron dahingehend wirkte, daß die Flüche und Zoten nur noch zahlreicher von seinen Lippen sprudelten und noch köstlicher wurden.

Wegen der Versuchung, die den Baron so häufig befiel, sah sich Donna Concettina gezwungen, mehr zu beten und Almosen zu spenden. Die Almosen gab sie jedoch der Mensa episcopalis, niemals unmittelbar den Armen, die, verschwitzt und zerlumpt, die Versuchung nährten. Gebete sprach sie zu jeder Tageszeit, auch nachts, wenn sie den Ergüssen des Barons ausgesetzt war. Jeden Abend zur Stunde des Ave-Maria versammelte sie alle Frauen des Hauses in einem großen, leeren Raum – auch meine Mutter ging hin –, um den Rosenkranz zu beten. Das war damals in allen Adelshäusern üblich, aber Donna Concettina verwandte besondere Sorgfalt darauf. Sie saß in einem Lehnstuhl auf einem Kissen, die anderen Frauen hockten auf Stühlen mit Rückenlehnen aus geflochtenem Stroh, die im Halbkreis aufgestellt waren. Sie nahm den Rosenkranz in Angriff, und die Frauen antworteten murmelnd im Chor. Im Winter fanden auch wir Kinder uns dort ein. Aus Scheu vor der Herrin standen wir stumm in einer Ecke. Vor Kälte und Müdigkeit döste ich allmählich ein. Das Murmeln der Frauen legte sich wie ein Schleier über mich. Bei den Worten: »Gelobt sei Gott der Herr, sein Sohn und der Heilige Geist jetzt und in alle Ewigkeit« schrak ich auf, da die Stimmen deutlicher wurden. Damit endete ein Abschnitt des Paternosters, und fünfzehn waren es im ganzen. Die Frauen schienen bei jedem Gebet, das sie beendeten, erleichtert aufzuatmen. An manchen Abenden kam Don Vico, der Pfarrer von San Rocco, um den Rosenkranz anzuleiten. Dann standen zwei Stühle mit hoher Lehne da. Don Vico leierte die Gebete mit belegter Stimme herunter. Am Ende eines jeden Absatzes gab er einen Kehllaut von sich wie ein Ziegenbock und schnupfte Tabak. Dieser Laut löste in unserer Ecke unterdrücktes Kichern aus. Donna Concettina blickte uns strafend an und sagte: »Euch hat die Versuchung gepackt, sagt euer Ave-Maria auf, oder ich lasse euch eine Tracht Prügel verabreichen.« Wir begannen darauf, etwas zu murmeln, was die Herrin für Beten hielt.

Zur Zeit des Paternosters verließ der Baron das Haus, um ins Kasino zu gehen. Mein Vater begleitete ihn bis vor die Tür des Kasinos und erschien dort um zwei Uhr nachts mit brennender Laterne wieder, um ihn abzuholen. Dieser Dienst war im Vertrag nicht vereinbart, aber mein Vater leistete ihn, vielleicht weil er sich in der Rolle des Beschützers gefiel, denn um zwei Uhr nachts glich der Baron einem Hasen. Schatten und Geräusche veranlaßten ihn zu plötzlichen Luftsprüngen, und bei jedem solchen Hüpfer fragte mein Vater ihn mit fester Stimme: »Was ist los, Herr Baron?« Der Baron gewann dann die Fassung wieder und antwortete: »Nichts, Mastro Carme', ich glaubte nur, dort drüben hätte sich was bewegt.« Mein Vater hob die Laterne, und ihr Schein streifte einen Hund oder eine Katze oder gar einen Mann, der seines Weges ging. »Die Sache ist nämlich die«, sagte der Baron, um sich zu rechtfertigen, »daß die Nacht häßlich ist. Alles Unheil geschieht nachts.«

Mein Vater sagte immer, wenn er meiner Mutter von den Ängsten erzählte, die der Baron jeden Abend ausstand: »Er hat recht, wenn er behauptet, alles Unheil geschehe nachts, denn die Briefe, die er an den Präfekten schickt, schreibt er in der Nacht.« Niemand konnte ihm ausreden, daß gewisse Verhaftungen, die die Polizei vornahm, durch die Briefe ausgelöst wurden, die der Baron durch eine Vertrauensperson dem Präfekten von Trapani zukommen ließ.

Es war das Jahr 1847 – weiter zurück reichen meine Erinnerungen nicht; vielleicht vermag ich über Empfindungen wie einen Geruch, einen bestimmten Geschmack oder eine Melodie noch fernere Erinnerungen zu erhaschen, sie festzuhalten, gelingt mir jedoch nicht –, das Jahr, in dem Cristina für wenige Stunden in das Collegio di Maria gebracht wurde. Aber Ende dieses Jahres geschah einiges, was mir im Gedächtnis haftengeblieben ist. An einem klaren, sonnigen Sommertag verbreitete sich die Nachricht, daß im Hafen ein Dampfboot mit Bütteln und Soldaten an Bord festgemacht habe. Ich rannte zum Hafen und sah, daß die Soldaten an Land gingen. Es waren so viele, daß das Schiff einem Ameisenhaufen glich. Am Strand standen Frauen aus dem Dorf und schauten stumm zu, einige weinten. An Land legten die Soldaten Tornister und Gewehre ab und scherzten, winkten den Frauen und lachten, und die Jungen redeten sie in neapolitanischem Dialekt an.

Die Soldaten gefielen mir nicht. Ich kehrte nach Hause zurück, um meiner Mutter zu erzählen, was ich beobachtet hatte. Meine

Mutter schien nicht sonderlich beeindruckt, sie meinte, es sei lange her, daß sie dagewesen seien. Ich wollte wissen, weshalb sie auftauchten. »Sie kommen, um böse Männer zu verhaften und wegzubringen«, antwortete meine Mutter.

»Und wer sind die bösen Männer?«

»Räuber und Mörder«, erklärte meine Mutter, »und die Feinde des Königs – die sind noch schlimmer.«

»Gibt es bei uns Feinde des Königs?« fragte ich, denn daß es hier Leute gab, die stahlen und mordeten, wußte ich.

»Ja, auch in unserem Dorf«, bestätigte meine Mutter.

»Und wer ist das? Wie können sie Feinde des Königs sein, wenn der König in Neapel lebt?«

»Ich will dir mal was sagen«, entgegnete meine Mutter.

»Geh und stiehl deinem Vater die Zeit, er hat vielleicht Lust dazu, ich aber habe so viel zu tun, daß mir deine Fragerei gerade noch gefehlt hat.«

Mein Vater pfropfte in der Nähe der Straßenkreuzung; der Baron sah ihm dabei zu, gestützt auf seinen Rohrstock mit goldenem Knauf. Ich trat näher. Vor dem Baron empfand ich nicht solche Scheu wie vor seiner Frau. »Soldaten sind angekommen«, erzählte ich, »sie gehen an Land.«

»O weh!« rief mein Vater aus und richtete sich auf.

»Was heißt hier, ›o weh‹?« versetzte der Baron. »Laßt doch die jammern, die es verdienen. Merkt Euch: Ein Dorn, der nicht sticht, ist weich wie Seide.«

»Ich habe o weh gerufen, weil mir die Nieren schmerzten, als ich mich aufrichtete«, erwiderte mein Vater.

»Ach so«, meinte der Baron. »Ich habe schon geglaubt, Ihr sagt es wegen der Soldaten.«

»Die Soldaten sind der Arm des Königs«, antwortete mein Vater, »und der Arm des Königs weiß, welches Unkraut er herausreißen soll.«

»Richtig«, bestätigte der Baron, »richtig. Heute abend wird es in ganz Castro keinen Halm Unkraut mehr geben, Ihr werdet sehen ... Ich gehe inzwischen ins Dorf hinunter, will mir den Offizier mal anschauen, vielleicht ist er einer meiner Freunde.«

Als der Baron mit einem letzten Blinken des Goldknaufs zwischen den Bäumen verschwunden war, rief mein Vater noch einmal: »O weh!« und lächelte mich an. Dann murmelte er: »Dieser Lump!«

Ich fragte nichts.

Gegen Mittag kehrte der Baron mit dem Mann zurück, der die Soldaten befehligte. Er war ein blonder Hüne und trug eine schöne bunte Uniform. Sogleich entstand ein großes Durcheinander im Hühnerstall und in der Küche, auch meine Mutter wurde zur Aushilfe geholt. Der Baron ließ kleine Tische mit Marmorplatten und Stühle unter dem Caccamobaum aufstellen. Der Kammerdiener Pepé, im gestreiften Frack, den er immer anhatte, wenn Gäste kamen, brachte Kanne und Tassen, um Kaffee zu servieren. Der Kaffee dampfte in den Tassen, der Tag war schön, und der Baron bewegte sich so selig in seinem Sessel, daß man meinen konnte, er werde abgekitzelt. Zusammen mit Cristina betrachtete ich von einem Olivenbaum aus die Szene.

»Wer ist der Mann?« fragte ich flüsternd.

»Ein Freund des Königs«, antwortete Cristina. Das schien mir treffend, denn wenn er hier war, um die Feinde des Königs zu verhaften, mußte er ja sein Freund sein. Aber ich sah nicht ein, weshalb der König Freunde und Feinde haben sollte. Der König saß doch allein in einem Schloß voll glitzernden Goldes und voller Bilder. Die Königin und der Prinz lebten mit ihm zusammen. Ich vermutete auch, der König habe nicht nötig zu essen wie wir, denn äße er, dann müßte er wie wir auf den Abtritt, und daß ein König dies tat, war das letzte, was ich glauben mochte. Errötend erklärte ich es Cristina. Sie lachte, meinte aber, der König suche sicherlich diesen Ort nicht auf, er sei nicht so beschaffen wie wir.

Der Baron indessen sprach, er hob dabei den Rohrstock und wies auf ein Fenster. »In diesem Zimmer werden Sie heute schlafen. Ich lasse es für Sie herrichten. Wissen Sie, wer in dem Zimmer schon geschlafen hat? Raten Sie mal . . . Der Minister Del Carretto. Im Jahre achtunddreißig, als er Seine Majestät auf der Reise begleitete . . . Ja, er ist mein Gast gewesen.«

»Oh!« Der Offizier heuchelte Verwunderung.

»Jawohl, mein Gast . . . Und hernach der Minister Santangelo. Durch dieses Zimmer sind viele berühmte Persönlichkeiten gegangen.«

Donna Concettina erschien, der Offizier erhob sich, ergriff ihre Hand, drehte sanft das Handgelenk herum und küßte es. Ich war hingerissen und sagte zu Cristina: »Lauf hin, damit er dir die Hand küßt. Ich möchte sehen, was für ein Gesicht du machst, wenn er dir die Hand küßt.« Aber Cristina meinte, das gehe nicht, sie und Vincenzino müßten sich an diesem Tage abseits halten. Wenn Gäste da seien, wolle der Baron sie nicht einmal bei Tisch sehen. Bei Tisch trieben sie nämlich ein Spiel: Sie schauten einander in die Augen, um festzustellen, wer sich das Lachen länger verbeißen könne. Vincenzino wirkte bei dieser Anstrengung sehr komisch, und Cristina verlor immer die Wette. Das Spiel machte den Baron nervös. Wenn er Gäste hatte, dann wurde es ganz schlimm. Der Bischof zeigte sich einmal bestürzt darüber. Der Baron sagte später, er hätte sich vor Scham am liebsten in ein Mauseloch verkrochen.

Der Offizier sprach gerade über ein Theater in Neapel, als Pepé hereintrat und meldete, das Essen sei fertig. Sie erhoben sich. Der Offizier winkelte den rechten Arm an, und Donna Concettina steckte ihre Hand hinein, die wie die Schnauze einer Maus aus dem langen Ärmel ihres Kleides herausragte. So brachen sie auf, den Baron hinter sich, der weiterschwatzte.

Bis Sonnenuntergang saßen die Soldaten vor dem San-Michele-Kloster, dann zerstreuten sie sich im Dorf. Sie taten es nach einem bestimmten System, in Gruppen zu fünft oder sechst, angeführt von einem Gendarmen oder einem »Waffenbruder«. In jeder Straße und in jeder Gasse sah man Büttel und Soldaten Posten stehen, andere wieder trommelten gegen die Türen. Ich machte mich auf den Heimweg, eine Streife folgte mir. Ich beschleunigte meine Schritte, doch das schwere Stampfen der Soldaten rückte immer näher. Angst befiel mich. Ich schlüpfte durch die Haustür und bemühte mich, nicht nach hinten zu schauen, überquerte den Flur und wandte mich dann um. Da sah ich sie auf der Schwelle, sie verfolgten mich mit ihrem schweren, festen Schritt. »Mutter«, schrie ich, »sie fassen mich ... Die Soldaten fassen mich!« Meine Mutter stürzte in heller Aufregung herbei. Ihre Hände waren weiß von Mehl. Weinend warf ich mich ihr an die Brust. Die Soldaten waren schon im Flur, und einer von ihnen redete meine Mutter an: »Warum hat der Junge denn solche Angst?« Meine Mutter antwortete nicht, und der Soldat fuhr in anderem Ton fort: »Wir suchen den Ehrenmann Giuseppe Guastella, den Sohn des verstorbenen Bartolomeo.«

»Wer soll das sein?« fragte meine Mutter, aber gleich darauf sagte sie: »Ach, jetzt verstehe ich, den Pepé wollt ihr. Ich vergaß, daß er Guastella heißt. Wir nennen ihn Pepé Rohrfeger, es ist ein Spitzname.« Und sie rief laut: »Pepé, Pepé . . . man verlangt nach dir.«

Meine Angst war gewichen. Ich sah Pepé in seinem gestreiften Frack heraustreten. Er hielt einen Lappen in der Hand. Meine Mutter fragte inzwischen weiter: »Und was wollt ihr von Pepé?« Aber der Soldat beachtete sie nicht mehr, er blickte auf einen Zettel, schaute dann Pepé an und fragte: »Guastella, Giuseppe, Sohn des verstorbenen Bartolomeo?« Pepé bejahte. »Gut«, sagte der Soldat, »gehen wir.«

Pepé erbleichte, seine Augen waren plötzlich glasig, wie bei einem Toten. Der Soldat wiederholte: »Gehen wir.«

»Wohin?« stammelte Pepé. Die Soldaten umringten ihn, einer legte das Gewehr auf ihn an.

»Wohin?« fragte der Soldat. »Was weiß ich. Vielleicht nach Favignana. Sicherlich an einen gemütlichen Ort.« Er lachte.

»Nach Favignana?« rief Pepé entsetzt aus. »Was habe ich denn verbrochen, daß ich nach Favignana gebracht werde? Ich diene bei Baron Garziano, ich arbeite, ich komme kaum dazu, den Kopf aus der Tür zu stecken, den lieben langen Tag schufte ich wie ein Hund.«

»Dann ist es ein Irrtum, sicherlich hat man sich geirrt«, entgegnete der Soldat mit einer Miene, die deutlich zu erkennen gab, daß er nicht an einen Irrtum glaubte.

»Natürlich ist es ein Irrtum«, bestätigte Pepé. »Es muß ein Irrtum sein, und ich gehe mit euch, um die Sache richtigzustellen.« Und zu meiner Mutter sagte er: »Hört, Nachbarin, ruft bitte meine Frau, damit sie mir das Jackett und die Mütze bringt.«

Meine Mutter lief fort und kam mit Pepés Frau zurück, die die Hände rang und jammerte: »Es brennt in meinem Haus! Das Unglück mußte kommen, ich wußte es. Heut nacht habe ich von

102

Süßigkeiten geträumt, von so viel Süßigkeiten, daß ich mich übergeben mußte... Ich habe es geahnt, Süßigkeiten bedeuten Unglück!« Doch Pepé unterbrach sie unwirsch: »Hör auf, gib mir die Jacke. Ich bin bald wieder da, es handelt sich um einen Irrtum. Benachrichtige den Baron, wenn ich länger als eine halbe Stunde wegbleibe.«

Die halbe Stunde verging, die kühle Nacht sank auf uns herab. Mein Vater kam nach Hause. Pepés Frau erzählte weinend, was vorgefallen war, und flehte ihn an, den Baron zu holen, der weder im Schloß noch im Kasino sei. »Wenn wir ihn finden, bringen sie Pepé nicht ins Zuchthaus«, behauptete sie. Mein Vater hatte offenbar schon eine genaue Vorstellung von der Sache, er glaubte nicht, daß Pepé gerettet werden könnte, ich verstand, in seinem Gesicht zu lesen. Doch er machte sich auf, den Baron zu suchen. Nach einer guten Weile kehrte er mit ihm zurück. Der Baron fuchtelte mit seinem Rohrstock und wetterte: »Das geht nicht mit rechten Dingen zu, ein so anständiger Mann wie Pepé. Ganz zu schweigen, daß man mir damit einen Schimpf antut, eine Beleidigung, jawohl, meine Herren! Das würde nämlich bedeuten, daß ich einen Dieb, einen Mörder oder was weiß ich in Diensten halte. Jetzt gehe ich hin. Die werden von mir was zu hören bekommen!« Zu Pepés Frau sagte er: »Sei unbesorgt, ich bin bald mit Pepé zurück, so wahr mir Gott helfe.«

Heftig mit dem Stock fuchtelnd, entfernte er sich. Mein Vater folgte ihm.

Etwa eine Stunde später kamen sie wieder. Der Baron hielt den Stock still, stellte sich vor Pepés Frau hin und sprach: »Meine Tochter, die Sache ist nicht so einfach, wie sie schien... O ja, eine verworrene Angelegenheit... Ein feiner Herr, dein Mann... Aber lassen wir das. Man kann sich eben täuschen... Wie gut ist doch der Pepé, und was für ein tüchtiger Arbeiter! Gewissenhaft, genau... Und dann muß man erfahren, daß Pepé nachts, wenn andere schlafen... Genug, ich möchte nicht weiterreden... Jetzt bringen sie ihn nach Trapani. Was zu klären ist, das wird geklärt werden, denke ich. Schließlich ist er ja nicht den Türken in die Hände gefallen. Zurückkehren wird er schon, das ist gewiß. Aber eins muß ich dir sagen, meine Tochter, und du mußt dir das heute nacht durch den Kopf gehen lassen: Es ist nicht alles Gold, was glänzt. Pepé war nicht der, für den wir ihn gehalten haben. Schlechte Gesellschaft, Ausschweifungen . . «

»Wieso denn das?« warf meine Mutter ein. »Er ist doch nie ausgegangen.«

»Sei still«, sagte mein Vater, »der Herr Baron weiß Dinge, die er uns nicht mitteilen kann, er hat sie jetzt erfahren.«

»Jawohl«, bestätigte der Baron, »so ist es. Ich habe Dinge erfahren, die ich euch nicht mitteilen darf. Genug. Gute Nacht.«

Pepés Frau weinte.

Wir gingen ins Haus, nachdem wir Pepés Frau überredet hatten, sich schlafen zu legen. Das Entsetzen über das Geschehene hielt mich wach. Mich schauderte. Meine Mutter jammerte: »O die arme Rosalia, welch Unglück!« Und mein Vater versetzte barsch: »O du arme Törin, welch ein Unglück!«

»Wir sind doch keine Unmenschen!« rief meine Mutter empört aus. »Ich für mein Teil leide unter dem Unglück anderer, ich bin nicht wie du. Heute abend werde ich keinen Bissen hinunterkriegen und auch kein Auge zutun können, so bin ich nun mal.«

»Pepé dauert mich sehr«, bemerkte mein Vater, »aber ich weiß, was ich mit Rosalia täte. Ich würde sie bis aufs Blut prügeln und sie dann wie eine Sardine einsalzen.«

»Was hat die Arme denn getan?«

»Höre«, sagte mein Vater, »ich halte die Augen offen und bekomme manches zu sehen, aber ich rede nicht darüber. Heute abend, als du zu dem Baron sagtest, Pepé sei ein ehrenwerter Mann, da habe ich dir befohlen zu schweigen. Und mit gutem Grund. Ich habe keine Lust, in die Favignana gebracht zu werden. Wenn ich schon ins Zuchthaus soll, dann jedenfalls nicht für nichts und wieder nichts wie Pepé. Falls überhaupt, dann gehe ich erst, wenn ich diesen Schurken umgebracht habe. Denn ich wußte es, und nun sollst auch du es wissen: Pepé mußte so enden, weil der Baron seine Liebschaft mit Rosalia ungestört fortsetzen will. Jetzt weißt du es, aber wenn du ein Wort darüber fallenläßt, reiße ich dich in Stücke. Ich möchte nicht ein solches Ende nehmen wie Pepé.«

Sie sprachen noch länger miteinander, aber mich hatte bereits der Schlaf überwältigt, und im Traum hörte ich den Schritt der

Soldaten und sah Pepés Gesicht. Heftiges Klopfen an der Haustür und Hundebellen rissen mich aus dem Schlaf. Mein Vater öffnete. Ein Offizier stand draußen, er wollte hier schlafen. Pepé hatte ein Zimmer für ihn hergerichtet, bevor er abgeholt wurde. Laternenträger und Häscher begleiteten den Offizier. Der Baron kam mit einer Leuchte in der Hand die Treppe herunter, um ihn ehrenvoll zu empfangen.

Am nächsten Morgen wurden die Namen aller Personen bekannt, die verhaftet worden waren, im ganzen vierunddreißig. Natürlich hatten die Soldaten nicht Vito Lacruna ergriffen, der sich in den Bergen herumtrieb und dann und wann im Dorf auftauchte, um Geld von denen zu erpressen, die es besaßen, oder um einen anständigen Menschen umzubringen. Aber sie hatten zwei Feinde des Königs – und des Barons, wie mein Vater behauptete – festgenommen: den Apotheker Napoli und den Arzt Alagna. Sie hatten in den Wohnungen der beiden Material gefunden, das aus Malta stammte, Druckschriften und Briefe. Als ich mich einmal durch einen Gitterstab am Oberschenkel verletzt hatte, nähte Dr. Alagna die Wunde und sagte: »Das ist ein tapferer Bursche, er weint nicht, er hat Mut.« Und ich hatte tatsächlich nicht geweint. Alagna war ein freundlicher Mann. Auch den Apotheker kannte ich. Wenn ich mit den Rezepten für Donna Concettina zu ihm kam, schenkte er mir immer eine süße Pastille.

Ich ging zum Hafen, um das Dampfboot abfahren zu sehen. Auf dem Landungssteg standen Frauen, die Bündel mit Wäsche und Lebensmitteln für die Verhafteten gebracht hatten. Auch Rosalia war mit ihrem Bündel unter ihnen. Die Festgenommenen standen an Deck, aneinandergekettet, bewacht von den Soldaten, die mit dem Gewehrkolben nach denen stießen, die lauter schimpften als die anderen. Auch auf dem Landungssteg waren Soldaten. Sie nahmen den Frauen die Bündel ab, ließen sich den Namen sagen, schrien ihn ihren Kameraden auf dem Schiff zu, und so langte das Paket, von Hand zu Hand weitergereicht, bei dem Empfänger an. Sobald der Häftling sein Bündel erhalten hatte, schwenkte er es in den gefesselten Händen, um seinen Angehörigen zu zeigen, daß er es bekommen hatte. Schließlich wurde von unten »Guastella« gerufen, und Rosalias Paket begab sich auf die kurze Reise. Die Soldaten reichten es weiter und wiederholten dabei den Namen: »Guastella.« So konnte ich Pepé erspähen, der von den anderen Verhafteten halb verdeckt wurde. Das Bündel in der Hand, trat Pepé einen Schritt vor. Rosalia rief: »Das ist Wäsche zum Wechseln, ich habe dir alle neuen Sachen gebracht, auch Zigarren von dem Herrn Baron sind dabei und feinstes Weizenbrot, das du so gern ißt.« Doch Pepé hob das Bündel hoch und ließ es ins Meer fallen. Alle stießen Rufe des Erstaunens aus, dann war es still, und Pepé schrie: »Gift hättest du mir bringen sollen. Wenn ich nicht umkomme, dann reiße ich dir das Herz aus der Brust, dir und diesem Sohn einer . . .« Ein Soldat versetzte ihm mit dem Gewehrkolben einen Stoß in die Seite, Pepé verstummte und starrte, an die Reling gelehnt, mit tränennassen Augen vor sich hin.

So sehe ich ihn noch jetzt, nach vielen Jahren.

Ich schreibe diese Erinnerung in aller Zurückgezogenheit nieder, ich habe in einem Landhaus in der Umgebung von Campobello Zuflucht gefunden. Treue Freunde haben mich vor der drohenden Verhaftung gerettet, denn in Castro werde ich von Carabinieri und Soldaten gesucht. Wie seinerzeit die Soldaten und Gendarmen des Bourbonenkönigs, so verhaften heute die Carabinieri und die Soldaten des Königreichs Italien in Castro und in allen anderen Orten Siziliens Männer, die für eine menschenwürdigere Zukunft kämpfen. Ich habe Gewissensbisse, daß ich mich der Festnahme entzogen habe. Aber das Zuchthaus hat eben seine Schrecken für mich, ich bin alt und müde. Und das Schreiben scheint mir ein Mittel zu sein, Trost und Ruhe zu finden, ein Mittel, mich außerhalb der Mißhelligkeiten des Lebens endlich in der Wahrhaftigkeit wiederzufinden.

Rosalia blieb zwei oder drei Tage zu Hause und empfing Besuche wie bei einem Sterbefall. Auch die Baronin kam, sie zu trösten. Sie erzählte ihr viel von Gott und meinte, gewiß habe sich die Versuchung im Herzen Pepés eingenistet, deshalb habe am Ende der Arm der Gerechtigkeit zupacken müssen. Rosalia nickte und gestand, daß ihr Mann seit einigen Monaten wie verwandelt gewesen sei. Und was er dann vom Schiff aus gerufen habe, das beweise ja eindeutig, daß er den Verstand verloren habe. Die Baronin mahnte: »Bleib anständig und laß Frieden in dein Herz einziehen. Wenn Gott ihm verzeihen und ihn beschützen will, dann kehrt er zurück. Wenn aber seine Sünden wirklich schwarz sind, dann wird ihn das Schicksal ereilen, das ihm zukommt.« So vertraute sie Pepé der göttlichen Gerechtigkeit an und empfahl Rosalia, doch wenigstens ein paar Eier zu trinken, denn es sei auch eine Frucht der Versuchung, das Essen zu verweigern.

Um Nahrung zu sich zu nehmen, brauchte Rosalia sicherlich nicht die Ermahnungen Donna Concettinas. Als sie ihr Haus verließ und ihr gewohntes Leben wieder begann – Hühnerstall, Backofen, Waschküche, abends der Rosenkranz und das Plauderstündchen mit den anderen Frauen im Hause –, da war sie rosig wie ein Pfirsich und bewegte sich überschäumend vor Lebenslust wie ein Stieglitz. Sie hatte blaue Augen und schwarzes Haar, einen vollen Körper, und sie lachte unablässig mit einer hohen, trillernden Stimme. Donna Concettina hätte aus diesem Lachen den sieghaften Klang der Versuchung heraushören müssen. Diesem Lachen ging der Baron auf den Grund. Heimlich, zu der Tageszeit, da die Baronin glaubte, er halte sich in seinem Kabinett auf, um Buch zu führen oder Briefe zu schreiben, stahl er sich in Rosalias Haus und blieb dort bis zur Stunde des Rosenkranzes. Als erste verließ Rosalia die Wohnung und ging hinauf zur Baronin, dann schlich der Baron heraus wie eine Katze, die in der Küche genascht hat, verschwand zwischen den Bäumen im Park, tauchte auf der entgegengesetzten Seite auf und rief meinen Vater, damit er ihn zum Kasino begleite. Das geschah nun jeden Tag, aber einmal mußte es schiefgehen. Rosalia begann, sich schön zu kleiden, viel zu schön in den Augen der Baronin. An manchen Tagen hängte sie sich mehr Goldschmuck an, als die Madonna von Itria besaß, und sie hatte ein taubengraues Seidenkleid, in dem sie wunderhübsch aussah. Donna Concettina schöpfte Verdacht, allerdings nicht im Zusammenhang mit ihrem Mann, sie wurde lediglich von der sündhaften Vorstellung geplagt, wie sie sagte, daß Rosalia vielleicht Häßliches trieb, um in den Besitz von Schmuck und schönen Kleidern zu gelangen. Sie begann daher, Druck auf ihren Mann auszuüben, daß er Rosalia vor die Tür setzte, da Pepé nicht mehr da sei und die Wohnung ja als Entgelt für den Dienst gewährt wurde. Doch der Baron leistete Widerstand. Er behauptete, er bringe es nicht übers Herz, die Unglückliche auf die Straße zu werfen, und er appellierte an die christliche Barmherzigkeit Donna Concettinas. Und eben diese christliche Barmherzigkeit, die der Baron in den achtzehn Jahren seiner Ehe nie gezeigt hatte, führte Donna Concettina auf die richtige Spur. Eines Tages beobachtete Cristina von dem Wipfel eines Nußbaums aus, auf dem wir beide saßen – wegen der Drohungen meines Vaters hatte ich ihr nie erzählt, was ich den Baron tun sah –, daß ihr Vater in Rosalias Zimmer ging, so vorsichtig und ängstlich, daß sie glaubte, es sei ein Scherz. Verwundert und belustigt erzählte sie es später ihrer Mutter. Donna Concettina zog daraus selbstverständlich den richtigen Schluß. Sie ließ ihren Gefühlen nicht sofort freien Lauf, doch am nächsten Tag lag sie auf der Lauer, und wenige Minuten, nachdem der Baron sich hineingeschlichen hatte, lief sie hinunter und klopfte an Rosalias Tür. Kein Laut war zu hören, man konnte meinen, Rosalia sei nicht zu Hause. Die Baronin wußte aber, daß das nicht stimmte, und begann, wütend zu trommeln. Dann ergriff sie einen Stein und schlug damit gegen die Tür. Mein Vater stürzte aus dem Park herbei, dann erschienen der Stallknecht, die Zofe, Vincenzino, der Priester, der um diese Zeit Vincenzino unterrichtete, und auch wir Kinder. Mit Cristina waren wir fünf oder sechs. Die Baronin befahl meinem Vater und dem Stallknecht: »Brecht die Tür auf!« Die beiden aber wußten, wer sich hinter der Tür verbarg, und rührten sich nicht. Der Stallknecht sagte ganz dumm: »Rosalia ist nicht da, sie ist weggegangen, auch der Herr Baron ist weggegangen.« Donna Concettina schrie auf: »Ach, beide sind weggegangen! Jetzt weiß ich, was ihr seid. Kuppler seid ihr alle!« Sie geriet dermaßen außer sich, daß sie Worte aussprach, bei denen sie sich bekreuzigen würde, wenn sie sie aus dem Munde anderer vernähme. Und sie pochte weiter mit dem Stein und schluchzte. Auch Cristina begann zu weinen, und nach ihr Vincenzino. Der Geistliche trat vor, entwand Donna Concettina den Stein und verwies auf Cristinas und Vincenzinos Unschuld, die nicht befleckt werden dürfe, hatte aber damit offensichtlich eine falsche Taste angeschlagen, denn nun öffnete die Frau ihrem Groll die Schleusen, ihrem Mitleid mit sich selbst und mit den

Kindern, und es war ein wütendes Mitleid. Der Priester überlegte es sich also anders. »Bei solchen Anlässen«, erklärte er, »erheischt es die Würde, daß man sie auf andere Weise löst. Sind wir etwa auf einem Hinterhof? Es sind Dinge, die erleuchteten Ratschlusses bedürfen, eines frommen Sinnes, der lenkt und hilft. Gehen wir zum Bischof, ich werde Sie begleiten. Nur der Bischof kann sagen, wie Sie sich zu verhalten haben.«

Diese Worte beruhigten Donna Concettina, aber auf den Baron dort drinnen wirkten sie wie ein Frettchen, das in einen Bau eindringt: Das Kaninchen schnellt hervor, um im Netz oder durch die Schrotladung eines Jägers zu enden. Rot vor Scham und Wut, kam der Baron, die Jacke überstreifend, heraus und stürzte sich schimpfend auf den Priester. »Einen feinen Rat gebt Ihr da, einen Rat, der ausgezeichnet zu solch einem schweinischen Priester wie Euch paßt. Durchprügeln werde ich Euch, und zum Bischof wird man Euch auf der Bahre tragen müssen, jawohl. Ihr seid entlassen. Euer Latein könnt Ihr hinfort der Mariantonia beibringen und den Töchtern des Gärtners und all den Vetteln, die Ihr in Eurer Pfarrwohnung haltet, Ihr Schwein . . .«

»Ja!« rief Donna Concettina aus, die durch das Erscheinen ihres Mannes wie vor den Kopf geschlagen war. »Selbstverständlich gehe ich zum Bischof, sofort gehe ich zu ihm. Du Schwein, du Gottloser, du Ehebrecher. Jawohl, ein Ehebrecher bist du, ein Ehebrecher . . . !« schrie sie immer wieder, vielleicht weil sie darin das Gleichgewicht fand zwischen den Schmähungen, in die sie sich hineingesteigert hatte, und der Würde, die sie wahren mußte.

»Wenn du zum Bischof gehst, bringe ich dich um«, sagte der Baron.

»Bring mich doch um! Dann heiratest du diese . . . O Gott, gib mir die Kraft, zu schweigen . . . Na, los, bring mich um!«

Der Baron stürzte mit erhobener Hand auf sie zu, alle drängten sich zwischen die beiden, um ihn zurückzuhalten. Donna Concettina nutzte diesen Augenblick und flüchtete, so wie sie war, zum Bischof. Der Baron bemerkte es und versuchte, sich gewaltsam aus den Händen zu befreien, die ihn umklammerten, aber die Hände packten ihn um so fester. Schließlich gab er nach, und sie ließen ihn los. Doch nun war es zu spät, die Baronin einzuholen, denn der Bischofspalast lag in der Nähe. »Einen schönen Dienst habt ihr mir erwiesen«, schimpfte der Baron. »Ich entlasse euch, ich entlasse euch alle!« Er blickte den Stallknecht an. »Und du, dummes Aas . . . ›Der Baron ist weggegangen, Rosalia ist weggegangen . . .‹ Zweifellos hat einer von euch spioniert. Wenn ich herausbekomme, wer es war, schlage ich ihn mit meinen Händen tot.« Von Rosalia war nichts zu hören. Sie hatte still die Tür zugemacht.

Donna Concettina kehrte von ihrem Gespräch mit dem Bischof zerknirscht und demütig zurück wie eine verwirrte Madonna. Sie lief mit himmelwärts gewandten Blicken umher und gab zu verstehen, daß sie aus ihrem Schweigen und von Gott die Kraft nahm, ihr Kreuz zu tragen. Niemand durfte sich ihr also nähern, schon gar nicht der Baron. Er verharrte noch bei seinen Gegenbeschuldigungen, aber er tat es bereits weniger überzeugt. Und daraus, wie er meinem Vater und dem Stallknecht begegnete, war zu schließen, daß er ihre Entlassung für widerrufen erachtete. Als seine Frau erschien, erstarrte der Baron. Donna Concettina ging an ihm vorbei, ohne ihn eines Blickes zu würdigen, und verschwand mit dem Priester, der hinter ihr hertrottete, in einer Allee des Parkes. Der Baron befahl dem Stallknecht: »Ruf mir mal den Dingsda her . . . wie heißt er nur, zum Teufel! Na, diesen schweinischen Priester. Wenn er nicht kommen will, sag ihm, daß ich ihn selbst holen und wie einen Ziegenbock abschlachten werde.« Der Stallknecht rannte los und kehrte mit dem Priester zurück, der am ganzen Leibe zitterte.

»Bravo!« rief der Baron zu seinem Empfang aus. »Ich muß Euch zu Euren Ratschlägen beglückwünschen! Ihr habt meiner Frau einen Rat gegeben, der Euer Gewicht in Gold aufwiegt. Ein schöner Rat . . . der beste, den Ihr Euch ausdenken konntet. Doch jetzt will auch ich einen von Euch haben, nämlich, ob ich mich selbst oder ob ich Euch umbringen soll.«

»Herr Baron«, stammelte der Priester, »ich konnte doch nicht wissen . . . Ich hielt ihn für einen Rat, der dem Augenblick am besten entsprach. Ich wollte die Frau Baronin von der Tür weglocken, Sie saßen doch in der Falle, ich wollte Sie befreien . . .«

»Und Ihr habt mich befreit«, sagte der Baron. »Ihr habt mich wirklich befreit, großer Gott . . . Jetzt muß ich nicht nur mit meiner Frau ins reine kommen, sondern auch mit dem Bischof. Wer weiß, wie der Bischof die Sache aufgenommen hat.«

»Wenn es das ist, dann kann ich Sie beruhigen. Der Bischof war belustigt. Er wollte, daß wir ihm alles erzählten. Als wir an der Stelle waren, wo Sie bei der Erwähnung des Bischofs herausstürzten, da lachte er, ich schwöre es Ihnen, ihm kamen die Tränen vor Lachen.«

»Ach so«, sagte der Baron mit wutverzerrtem Gesicht, »gelacht hat er also.«

»Ich schwöre es Ihnen«, versicherte der Priester.

»Und Ihr« – der Baron schob den Kopf so dicht an das Gesicht des anderen, daß ihre Nasen sich fast berührten –, »Ihr glaubt wohl, daß mir bei dieser Geschichte zum Lachen zumute ist?«

»Ich? Ich würde mir nie erlauben, zu lachen, für mich ist es eine Geschichte zum Weinen.«

»So, zum Weinen? Und warum weint Ihr nicht? Wer hindert Euch zu weinen?« fragte der Baron und schüttelte den unseligen Priester. »Dann weint doch, verschafft mir wenigstens diese Genugtuung für den Schaden, den Ihr angerichtet habt.«

»Welchen Schaden? Den Schaden haben Sie sich doch selbst angerichtet«, entgegnete der Priester mutig. »Sie haben sich doch der Versuchung in die Arme geworfen . . .«

»Gott im Himmel!« rief der Baron aus, beeindruckt durch diese unvorhergesehene Reaktion des Priesters. »Ihr sprecht ja wie meine Frau! Die Versuchung . . . Achtzehn Jahre redet sie schon von der Versuchung, und schließlich bin ich ihr wirklich erlegen . . . Versuchung!«

»Jetzt sprechen Sie schon wie ein vernünftiger Mensch«, sagte der Priester. »Sie sind auf die Versuchung hereingefallen und müssen sich jetzt herausziehen. Der Bischof wird Ihnen dabei behilflich sein, darauf können Sie sich verlassen.«

»Das ist ja gerade das Unglück, daß er mir helfen will. Ich weiß, wie er mir helfen wird.«

»Und was wollen Sie?« fragte der Priester nun unverblümt. »Daß der Bischof, Gott verzeihe es mir, den Kuppler für Sie spielt?«

»Lassen wir das«, entgegnete der Baron. »Erzählt mir lieber,

111

was der Bischof alles gesagt hat.«

»Er will sich der Sache annehmen und sie bestmöglich in Ordnung bringen. Seien Sie unbesorgt.«

»Ihr scherzt wohl! Unbesorgt sein? Etwas Besseres als das könnte mir sicherlich nicht zustoßen. Soll ich etwa noch ein Fest der Dankbarkeit veranstalten? Der Bischof hat über meine Angelegenheit gelacht, er hat versprochen, sie in Ordnung zu bringen . . . Ich bin bedient!«

Am Abend ließ der Bischof den Baron holen und erteilte ihm offenbar eine gehörige Lektion, denn der Baron kam schwarz wie ein Tintenfisch vor Wut nach Hause und ließ seinen Ärger von neuem an den Bediensteten aus. Die Folgen des Gesprächs mit dem Bischof wurden ein paar Tage später sichtbar. Der Baron zog sich in das Kloster San Michele zurück, um dort zehn Tage lang zu beten und andere fromme Übungen zu verrichten. Vincenzino trat in ein Seminar ein, und Cristina wurde in das Marienstift gegeben. Rosalia aber blieb und war noch herausfordernder und verlockender als früher. Bevor der Baron ins Kloster ging, ließ er meinen Vater rufen und hielt ihm eine schöne, mit Anbiederungen gewürzte Rede. »Wir sind doch Männer, Ihr versteht mich, ich verlasse mich allein auf Euch.« Dann trug er ihm auf, für Rosalia zu sorgen. »Denn«, sagte er, »dieses Geschöpf kann zur Verzweiflung getrieben werden, wenn es auf sich allein gestellt ist.«

Zwischen dem Baron Garziano und dem Bischof der Diözese von Castro, Monsignor Antonio Calabrò, bestanden die engsten und festesten Beziehungen. Der Bischof, der Baron, der königliche Richter und der Unterpräfekt bildeten ein glänzend eingespieltes Quartett, das in seinen geheimen Entscheidungen, die von der Polizei dann in schmerzliche Tatsachen umgemünzt wurden, so einhellig war, daß es die natürlichste Reaktion eines Castroers – oder Castrensers, wie der Lokalhistoriker Signor Gaetano Peruzzo schreibt – war, jedem der vier und allen vieren den sofortigen Tod, den Krebs und die Schwindsucht zu wünschen, wenn ihm ein Unglück zustieß. Durch das Kloster San Michele und die bischöflichen Güter hatte der Bischof mehr als ein Drittel des Grundeigentums von Castro in der Hand. Ebensoviel besaß der Baron. Der Rest verteilte sich auf kleine Höfe und auf Domanialländereien. Und die Domanialländereien brachte der Baron langsam, aber sicher an sich, ohne übrigens im Städtischen Dekurionat, das diese Ländereien vor privater Aneignung zu schützen hatte, Besorgnis zu erwecken. Das Städtische Dekurionat hatte die Befugnisse, die heute den Gemeinderäten zustehen, aber die Dekurionen wurden vom Subintendanten ernannt, der die Funktionen innehatte, die heute der Unterpräfekt hat – der Unterpräfekt, der gegenwärtig in Castro sitzt, weckt in uns die Sehnsucht nach den Zeiten unter den Subintendanten der Bourbonen. Der königliche Richter hatte das zu erledigen, was heute dem Amtsrichter obliegt. Der Bischof jedoch machte das, was heutzutage die Bischöfe nicht mehr tun dürfen. Zu den Praktiken in der Justiz möchte ich noch bemerken, daß der Bürger, den der Arm der Polizei traf, nur geringe Aussicht hatte, seine Unschuld zu beweisen. Und wenn es ihm vor dem Richter gelang, wenn der Richter, der über den Angeklagten mehr nach seinem Gewissen als nach dem Gesetz zu urteilen hatte, ihn für unschuldig befand, dann mußte er noch immer seine Rechnung mit der Polizei machen, die ihn nach Belieben in Gewahrsam halten konnte, sogar viele Jahre lang. Deshalb war eine Verhaftung fast mehr gefürchtet als der Tod; davon singt ja auch das Bauernvolk in seinen Klageliedern.

Der Unterpräfekt und der königliche Richter handelten in Castro nach dem Willen des Bischofs. Mit dem Baron beriet der Bischof häufig, oder, um es offen auszusprechen, der Baron spionierte und unterrichtete den Bischof eifrig über gewisse Unterhaltungen, die im Kasino und bei den abendlichen Zusammenkünften in der Apotheke geführt wurden. Manchmal waren es völlig unschuldige Äußerungen über Preise, das schlechte Wetter oder über das Fest der heiligen Venera, aber dabei wurden Urteile angedeutet, halbe Sätze hingeworfen und verständnisinnige Blikke getauscht, die der Baron auffing und sich merkte. Und wenn es wirklich gar nichts zu berichten gab, dann nahm er eben seine böswillige Phantasie zu Hilfe.

Aber wenn der Bischof und der Baron sich sehr viel vornahmen, wenn sie Personen verfolgten, die nicht ohne Beziehungen waren, dann übergingen sie den Unterpräfekten und den königlichen Richter und wandten sich an den Präfekten von Trapani oder an noch höhere Persönlichkeiten in Palermo und Neapel. Unter meinen Papieren besitze ich Briefe des Barons und des Bischofs, die an den Generalstatthalter adressiert sind. Sie sind mir im Juni 1860 in Palermo durch einen Zufall in die Hände geraten. Die Briefe des Barons – es sind fünf oder sechs – beginnen und enden alle gleich: »Exzellenz, es ist ein öffentlicher Skandal, die Feinde des Königs schalten und walten zu lassen, so daß sie die Royalisten mit Füßen treten ... Geruhen Sie, darüber zu wachen, daß eine solche Bündelei zerschmettert wird.« Die Schreiben des Bischofs hingegen sind stilgewandt, geschickt und einschmeichelnd, zuweilen triefen sie von betrübtem Wohlwollen gegenüber den denunzierten Opfern: »Mit tiefem Schmerz und Kummer und in dem Bestreben, die Seelen vor gefährlichen, wirren Ideen zu schützen, appellieren wir wie gewohnt an die Umsicht der Regierung und teilen mit ... Wir wenden uns in dieser Frage gleichermaßen an die übergeordneten kirchlichen und weltlichen Instanzen.«

Am meisten auf dieser Welt fürchtete der Baron, die Gunst des Bischofs zu verlieren. So ging er denn die frommen Übungen leisten, die er gewöhnlich jedes Jahr verrichtete, diesmal aber gewissermaßen außerhalb der Saison und zu seinem ausschließlichen Vergnügen. Die Übungen wurden alljährlich zur Fastenzeit abgehalten, und zwar für alle Herren im Orte. Er begab sich also ins Kloster, und jeden Tag mußte mein Vater ihm berichten über das, was zu Hause und in der Wirtschaft geschah. Was den Baron jedoch am heftigsten bewegte, das trat am Ende des Gesprächs zutage, in einer Frage, die er mit zerstreuter Miene einwarf: »Äh ... wartet mal ... ich wollte Euch noch etwas fragen, aber es ist mir entfallen ... Ach so, ja ... Was sagt jenes Geschöpf? Ist sie beunruhigt? Läßt meine Frau sie in Frieden?«

Donna Concettina ließ sie in Frieden, so daß Rosalia Mut schöpfte und sogar wie zum Hohn sang:

>»Ammàtula ti spicci e fai cannola
>ca lu cantu è di màrmaru e nun suda.«

Sie wollte damit zum Ausdruck bringen, daß der Baron ihr gehörte und Donna Concettina vergebens Zeit darauf verwandte, sich das Haar zu kämmen und zu kräuseln. Der Baron würde wie das Standbild eines Heiligen in marmorner Gleichgültigkeit gegenüber den künstlichen Reizen seiner Frau verharren. Donna Concettina kräuselte sich tatsächlich ein wenig das Haar, aber gewiß nicht, um den Baron vor Begierde schwitzen zu lassen. Sie tat es aus Gewohnheit, seit Jahren schon, so daß sie in der Brennschere nicht einmal die Versuchung sah.

Der Baron verließ das Kloster, als Weihnachten bereits vor der Tür stand. Der Park bot ein einziges Gewirr von entlaubten Ästen, nur die Olivenblätter zitterten im Wind. Das Dorf schien entvölkert. Es vibrierte in dem beängstigenden Tosen des Meeres wie der Resonanzboden einer Gitarre. Nachts wurde ich von diesem Geräusch wach, es weckte bange Gedanken in mir.

Donna Concettina stellte den Baron vor eine klare Entscheidung: Rosalia hatte zu gehen. »Entweder sie oder ich.« Der Baron brachte Rosalia in einem neuerbauten kleinen Haus unweit des Schlosses unter. Jeden Tag besuchte er sie, aber das verursachte keinen Skandal mehr. Seine Frau kümmerte sich nicht darum. Der Baron schien aus ihrem Leben gestrichen. Sie sprach kein Wort mehr mit ihm, sie sah ihn nicht einmal mehr an. Wenn sie ihm etwas mitzuteilen hatte – das geschah sehr selten –, sagte sie es Don Vico, meinem Vater oder einem der Dienstboten. Als der Baron aus dem Kloster zurückkehrte, fand er seine Frau im Salon vor. Sie saß mitten auf einem Diwan, Don Vico und mein Vater standen vor ihr. Am Eingang hatte der Stallknecht ihm ausgerichtet, er möge sich gleich in den Salon begeben. Der Baron betrat also den Raum, munter seinen Stock schwenkend, als wäre nie etwas geschehen. Beim Anblick der stummen Szene war er wie versteinert. Ohne ihn auch nur eines Blickes zu würdigen, sagte Donna Concettina zu Don Vico: »Teilt dem Herrn Baron mit, daß jene Frau dieses Haus verlassen soll. Entweder sie zieht weg, oder ich gehe.« Don Vico übermittelte die Botschaft. Belustigt, als fasse er das als einen Scherz auf, fragte der Baron: »Was denn, du denkst noch daran? Schwamm drüber, Concetti', vergessen wir es. Die Versuchung war's. Du weißt doch, wie die Versuchung wirkt, sie dringt wie ein Holzwurm in die Poren ein, man ist schwach und gibt nach. Aber dann kommt die Reue, du verstehst . . . Vergessen wir es.« Aber Donna Concettina sah noch immer Don Vico an und wiederholte: »Entweder sie oder ich. Richtet das dem Baron aus. Er soll mich auch nicht mehr anreden.«

»Hör mal«, entgegnete der Baron, wechselte die Farbe und trat einen Schritt vor, »ich bin ein guter Mensch. Um zu beweisen, wie gut ich bin, brauche ich nur zu sagen, daß ich dich achtzehn Jahre lang ertragen habe. Aber zum Narren darfst du mich nicht halten, sonst gehe ich noch der Gnade Gottes verlustig und werde eine Bestie, bei Gott, das werde ich.«

Ungerührt fragte Donna Concettina Don Vico: »Was hat er gesagt?« Don Vico übermittelte: »Der Herr Baron sagt, daß seine Geduld nicht auf eine zu harte Probe gestellt werden dürfe.«

»Ihr wollt die Sache beschönigen«, wies die Baronin Don Vico mit leichtem Widerwillen zurecht und wandte sich an meinen Vater: »Mastro Carme', sagt dem Baron klipp und klar, daß ich nicht wie er eine Bestie zu werden gedenke, aber ich werde zum Bischof zurückkehren. Und ich schreibe sofort an meinen Bruder, damit er in Neapel alles unternimmt, was erforderlich ist, und mit den Leuten spricht, mit denen er sprechen muß, um meine Angelegenheit zu ordnen. Diese Frau muß weg, und er darf mich, solange mir noch zu leben beschieden ist, mit keinem Wort anreden. Was er mir zu sagen hat, das mag er Euch, Don Vico, oder wem er will sagen, mich darf er jedenfalls nicht mehr ansprechen.«

»Eine Operettenszene!« rief der Baron und stürzte hinaus. Aber er sorgte sofort dafür, daß Rosalia umzog, und wandte sich auch nie mehr unmittelbar an seine Frau. Er kannte sie zu gut, als daß er sich der Illusion hingab, sie könnte ihre Meinung noch einmal ändern.

»Sie stammt«, pflegte er zu äußern, »aus einer Familie von Dickschädeln, die Gott erlösen möge. Es sind Köpfe, die man drei Tage lang kochen müßte, um eine Brühe daraus zu gewinnen.« Aber einen dieser Köpfe, der dem Ferdinandos sehr nahe stand und dem König Gutes wie Böses zuflüstern konnte, schätzte und fürchtete der Baron.

Am 16. Januar 1848 verließ der Baron wie üblich das Haus, um ins Kasino zu gehen. Bald darauf kehrte er bleich und erregt zurück, rief meinen Vater und befahl ihm, das Haustor mit Querbalken und Pfählen zu verrammeln und niemandem zu öffnen. »Wer drin ist, ist drin.« Mein Vater solle vielmehr auf »gewisse Fratzen« schießen, falls sie sich sehen ließen. »Was für Fratzen?« fragte mein Vater verwundert.

»Die Fratzen der Leute, versteht Ihr, die mir Böses antun wollen. Der Leute, die in der Apotheke verkehren, die Verwirrung in der Welt stiften wollen... Versteht Ihr?«

»Was geht denn vor?« fragte mein Vater.

»Das geht vor, lieber Mastro Carmelo: Die Welt ist im Begriff, sich auf den Kopf zu stellen. Man versteht nichts mehr, wir sind verloren.«

»Und warum?«

»Was heißt warum? Die Revolution ist ausgebrochen, versteht Ihr? Die Revolution in Palermo, in ganz Sizilien, auch hier in Castro. Auf dem Platz regen sie sich schon. Leute sind darunter, die wie Blasebälge das Feuer schüren, um es zu voller Glut zu entfachen, Leute, die wir längst auf die Galeeren hätten schicken sollen... Aber das Wetter wird ja nicht immer so schlecht bleiben, der König ist sicherlich dabei, Vorsorge zu treffen. Ihr werdet sehen... Kommt, wir wollen inzwischen die Baronin in Kenntnis setzen.«

Als Donna Concettina ihren Mann so aufgewühlt sah, fragte sie meinen Vater: »Was ist los?« Und der Baron sagte zu meinem Vater: »Teilt der Frau Baronin mit, daß am Zwölften dieses Monats in Palermo und danach in ganz Sizilien die Revolution ausgebrochen ist. Jetzt ist die Kunde davon nach Castro gelangt, und der Pöbel ist in Aufruhr.«

»Die Revolution!« schrie Donna Concettina und wandte sich, wie sie es gewohnt war, an meinen Vater. »Es ist Revolution, und Ihr kommt so munter daher, um diese Nachricht zu bringen, als handelte es sich um eine Taufe. Und meine Kinder, die nicht zu Hause sind? An sie denkt Ihr gar nicht, Ihr kommt ins Haus und teilt mir nebenbei mit: ›Die Revolution ist ausgebrochen!‹ Oh, meine armen Kinder!«

»Frau Baronin«, erwiderte mein Vater bestürzt, »ich habe

wirklich nichts damit zu tun. Der Herr Baron ist überraschend nach Hause gekommen und hat befohlen, das Tor wegen der revolutionären Umtriebe zu verrammeln. Danach sollte ich ihm hierher folgen – und hier bin ich.«

»Ich habe doch an Euch nichts auszusetzen«, beschwichtigte ihn die Baronin. »Was ich Euch sage, das sollt Ihr wortwörtlich dem Baron wiederholen.«

»Wie konntet Ihr das vergessen?« warf der Baron ironisch ein. »Ob Revolution oder nicht, in diesem Haus müssen wir immer die Posse spielen, lieber Mastro Carmelo. Also wiederholt, was die Baronin gesagt hat, ich gebe Euch dann die Antwort, und die übermittelt Ihr ihr. Eine Posse, wie üblich . . .«

Plötzlich wurde heftig an das Tor geklopft. Das Gesicht des Barons veränderte sich mit einem Schlage; es war blutrot gewesen vor Wut, nun hatte es die Farbe eines Trommelfells. Donna Concettina erschauerte vor Angst und fiel in Ohnmacht. Weder der Baron noch mein Vater kümmerten sich um sie. Das Pochen am Tor dröhnte unheimlich in der Stille des Hauses. Der Baron verließ das Zimmer und kehrte mit zwei Pistolen zurück. Eine reichte er meinem Vater und sagte: »Seht nach, wer es ist. Aber öffnet nicht. Selbst wenn meine Mutter aus dem Grab steigen sollte, dürft Ihr das Tor nicht aufmachen. Wenn es jenes Gesindel ist, dann schickt ihnen einfach eine Kugel entgegen. Oder zwei.« Er drückte meinem Vater auch die andere Pistole in die Hand.

»Wenn der Herr Baron erlaubt«, erwiderte mein Vater, »zu schießen scheint mir eine große Dummheit zu sein. Es ist, als wollte man mit einem Strohhalm in einem Wespennest herumstochern. Wenn die nicht schießen, dann schieße ich auch nicht.«

»Tut, was Ihr wollt«, entgegnete der Baron und warf sich in einen Sessel, »aber seht endlich nach, wer da ist.«

Mein Vater kam bald darauf zurück und meldete, es sei der Unterpräfekt. Der Baron sprang auf, wie von der Tarantel gestochen, und rief aus: »Und was will er? Ausgerechnet in diesem Augenblick kommt er in mein Haus? Und wenn diese Räuber ihn suchen? Wenn sie ihn bis hierher verfolgen, schlagen sie zwei Fliegen mit einer Klappe. Sie fangen ihn und mich und werden uns umbringen. Aber ich lasse ihn nicht herein. Jeder muß selbst sehen, wie er fertig wird.«

Das Klopfen an der Tür wollte nicht aufhören. Mein Vater sagte: »Mit Verlaub, ich meine, daß es schlimmer ist, ihn draußen zu lassen. Da kann einer vorbeikommen, den Unterpräfekten sehen und die anderen benachrichtigen. Besser wäre es, ihm Einlaß zu gewähren.«

»Ja«, entgegnete der Baron, »Ihr habt recht, es ist schon besser, man läßt ihn herein.«

Kaum hatte mein Vater die Haustür einen Spalt breit geöffnet, da schlüpfte der Unterpräfekt herein, wie eine Maus, die die Katze im Genick spürt. »Ihr habt Euch mit dem Aufschließen wirklich Zeit gelassen!« klagte er. »Und es ist tatsächlich nicht der Augenblick, so zu säumen.« Er lief die Treppe hinauf und wischte sich den Schweiß ab, dabei war der Abend so kühl, daß man fror.

Der Baron erwartete ihn oben auf der Treppe. »Sie sind hinter mir her«, verkündete der Unterpräfekt atemlos.

»Ach, so, sie sind hinter Ihnen her!« wiederholte der Baron. »Das ist ja eine tröstliche Nachricht für mich. Sie sind hinter Ihnen her ... Sie werden also gesucht, und da kommen Sie in mein Haus. Wer sucht, der wird finden, und man wird Sie und mich zusammen finden.«

»Aber ich bin doch gekommen, weil Sie mein Freund sind«, erwiderte der Unterpräfekt, der auf einen solchen Empfang nicht vorbereitet war. »Sie haben mich doch immer Ihrer Freundschaft versichert. Ihr Haus sei auch das meine, und viele schöne Dinge mehr.«

»Wer behauptet denn das Gegenteil?« fragte der Baron ein wenig sanfter. »Aber es ist nun einmal so, daß Sie allein sind, daß Sie keine Familie haben. Ich dagegen habe eine Frau, die – Gott behüte – sterben würde, bekäme sie eine von diesen Fratzen zu Gesicht ... Und ich habe Kinder, verstehen Sie?«

»Ich verstehe«, antwortete der Unterpräfekt.

»Also«, fuhr der Baron fort, »Sie können zum Bischof gehen. Dort sind Sie ganz sicher. Beim Bischof wird Sie niemand suchen. Ich aber muß mich bemühen, meine Angelegenheiten zu regeln, so gut es geht.«

»Ein vortrefflicher Rat«, sagte der andere anerkennend. »Sie sprechen wirklich wie ein Engel. Aber beim Bischof bin ich schon

119

gewesen. Er hat mich noch schlechter empfangen. Wissen Sie, wie er mich abgewiesen hat? Das sind seine Worte: ›Gehen Sie, mein Sohn. Bleiben Sie ruhig zu Hause, denn Flucht bedeutet Schuld. Niemand wird Ihnen etwas antun, denn Sie haben nichts getan. Wer nichts Böses tut, der hat nichts zu fürchten.‹ Nun bin ich hier, wie Sie sehen.« Der Unterpräfekt machte ein Gesicht wie ein Kind, das gerade anfangen will zu weinen.

»Auch ein Heiliger!« rief der Baron unwirsch aus. »Er wirft uns also den Bestien zum Fraß vor. Das habe ich wirklich nicht von ihm erwartet.«

»Das ist noch nicht alles. Als ich sein Haus verließ, begleitete mich Padre Giammuso bis an die Tür. Er flüsterte mir zu, der Bischof sei so erpicht, mich loszuwerden, weil er das Komitee empfangen sollte – das Revolutionskomitee, verstehen Sie?«

»Was, ein Bischof, der Revolution macht?« fragte der Baron erstaunt. »Gott im Himmel mir platzt der Kopf. Ich begreife nichts mehr ... Da kann man wirklich den Glauben an Gott und die Heiligen verlieren.«

Donna Concettina, die wieder zu sich gekommen war, forderte meinen Vater auf: »Richtet dem Baron aus, er möge wie ein anständiger Christ reden. Statt zu jammern und Gott zu lästern, soll er sich lieber ein wenig um die Kinder kümmern, diese armen Geschöpfe, die fern von zu Hause sind.« Sie brach in Tränen aus.

Der Baron verlor die Beherrschung. »Sagt dieser alten Mumie«, schrie er, »daß ihre Kinder dort sicher sind, wo sie sich befinden, da der Bischof ja den Revolutionär spielt. Und ich werde reden, wie es mir gefällt, und ich werde bis morgen fluchen, alle Heiligen des Kalenders werde ich lästern, einen nach dem anderen ... Und ich tue es, um sie zu kränken. Jawohl, ich tue es ...« Er ergriff einen Almanach, der auf dem Tisch lag, und begann, die Namen der Heiligen vorzulesen, und jedem fügte er eine Lästerung hinzu. Der Unterpräfekt entriß ihm das Buch. Donna Concettina fiel von neuem in Ohnmacht.

Als sie sich später ein wenig beruhigt hatten, meinten der Baron und der Unterpräfekt, es sei gut zu wissen, was auf dem Marktplatz vorging. Sie beauftragten den Stallknecht, es auszukundschaften. Der Stallknecht kehrte erst einige Stunden später zurück, als der Baron bereits fürchtete, daß man ihn umgebracht hatte, eben weil er bei dem Baron Garziano diente. Statt dessen kam er angeheitert, mit einer Weinfahne, zurück und erzählte, im Ort herrsche Feststimmung. Einige seiner Freunde hätten ihn zu einem Glas Wein eingeladen. Seinem verworrenen Bericht war zu entnehmen, daß auf dem Markt ein Bildnis des Papstes aufgestellt war, umgeben von so viel Kerzenschein, daß man meinen konnte, der Tag sei angebrochen. Alle hätten geschrien: »Es lebe die Freiheit, hoch lebe Pius der Neunte!« Das königliche Wappen sei heruntergerissen worden, und viele Herren mit geschultertem Gewehr seien da und zahlreiche betrunkene Männer aus dem Volke, aber alle seien voll Freude. Die Gendarmen und die »Waffenbrüder« seien verschwunden.

Der Baron faßte ein wenig Mut, war höflicher zu dem Unterpräfekten und ordnete an, das Essen aufzutragen. »Morgen früh gehe ich zum Bischof«, verkündete er. »Ich will Klarheit gewinnen über das, was geschieht. Wenn wir schon eine Revolution machen müssen, dann machen wir sie alle. Meinen Sie nicht auch?«

»Ich bin ein Vertreter des Königs«, erwiderte der Unterpräfekt. »Eine Revolution mache ich nicht mit. Morgen versuche ich, Palermo zu erreichen. Meine Vorgesetzten werden mir sagen, was ich zu tun habe.«

»Gewiß«, sagte der Baron, »das ist Ihre Pflicht. Auch ich bin nicht geneigt, nur eine Handbreit nachzugeben, wenn es um den König geht. Gut, machen wir Revolution, aber der König bleibt der König. Reißen wir das Lilienwappen herunter, wenn der Pöbel das so will, aber im Herzen werde ich immer dieses Wappen tragen. Wenn Sie in Palermo sind, werden Sie, hoffe ich, nicht versäumen, Ihre Vorgesetzten auf meine Treue zum König und zu seinen Beamten hinzuweisen. Und auf die Gastfreundschaft, die ich Ihnen in diesem Augenblick gewähre. Sie kommt wirklich von ganzem Herzen, glauben Sie mir.«

Der Unterpräfekt erwiderte kühl: »Vielen Dank.«

Aber es stand geschrieben, daß in dieser Nacht im Hause Garziano keiner schlafen sollte. Mein Vater wollte gerade zu Bett gehen und erzählte von den Geschehnissen des Tages, als das Tor von neuem unter Schlägen erdröhnte. »O weh«, rief mein Vater aus,

»diesmal wird es ernst! Und ich habe das verdammte Pech, in die Sache verwickelt zu sein.« Er kleidete sich an und öffnete die Tür, um hinauszugehen. Draußen standen wie zwei Gespenster der Baron und der Unterpräfekt. Sie warteten stumm, daß mein Vater herauskam. Sie hatten nicht gewagt, ihn·zu rufen, aus Angst, jene vor dem Tor könnten sie hören.

»Bravo, Mastro Carmelo«, flüsterte der Baron. »Ihr habt begriffen, daß wir Euch brauchen, bravo... Ihr sollt nachschauen, wer da ist, aber ohne das Tor aufzumachen. Und wenn es jene sind... Ihr wißt schon... dann sagt ihnen, der Baron sei nicht zu Hause, er sei am Abend abgereist. Ja, tut so, als sagt Ihr es ihnen im Vertrauen, als verrietet Ihr mich. Und sagt, ich sei nach Fondachello gefahren, eingeladen vom Gutsverwalter. Kurz, mir ist es gleich, sagt ihnen, was Euch passend dünkt. Aber öffnet um Himmels willen nicht das Tor.«

Mein Vater kehrte zurück und meldete, am Tor sei Padre Giammuso und ein anderer, den er nicht erkennen könne. Padre Giammuso behaupte, der Bischof habe ihn geschickt.

»Öffnet sofort«, befahl der Baron und atmete erleichtert auf. Doch dann kam ihm ein schrecklicher Verdacht. »Nein, halt, wartet einen Augenblick. Wissen wir denn, ob nicht etwas dahintersteckt? Der Bischof und die Revolutionäre sind doch jetzt wie eine Familie. Wir machen das anders: Ihr nehmt die Pistole mit, wenn Ihr öffnet, vergewissert Euch aber erst, daß wirklich nur zwei Personen da sind. Und wir beide stellen uns so, daß wir, wenn sie in böser Absicht eindringen, sie wie Hunde niederknallen können. Und nun geht.«

Pater Giammuso und Don Cecé Melisenda brachten jedoch eine tröstliche Nachricht: Das Bürgerkomitee, das sich konstituiert hatte und dessen Vorsitzender der Bischof war, forderte den Baron auf, ihm beizutreten. Natürlich habe es bei der Nennung des Barons heftigen Widerspruch gegeben, aber der Bischof habe an die Großherzigkeit gegenüber den heimischen Edelleuten appelliert und an das bewährte Gefühl der Verantwortung bei seinen Opponenten, und er habe die Partie gewonnen.

»Unser Bischof ist ein großer Mann«, sagte der Baron und wandte sich an den Unterpräfekten: »Was habe ich Ihnen gesagt? Das Wohlwollen des Bischofs konnte mir nicht verlorengehen, und was er tut, beachten Sie es wohl, ist immer richtig.«

»Tatsächlich . . .«, begann der Unterpräfekt.

»Ich weiß, was Sie sagen wollen, ich verstehe Sie und billige es«, unterbrach ihn der Baron. »Aber sehen Sie, man darf das Schicksal der Stadt nicht in den Händen von vier Halunken lassen, man muß eingreifen, teilnehmen. Man muß den Ehrenmann vor Bubenstreichen, vor Übergriffen schützen. Und schließlich, seien wir ehrlich, die Dinge begannen doch, sich schlecht anzulassen. Den König, den Ärmsten, haben so ziemlich alle betrogen, sie haben ihm etwas vorgegaukelt, und jeder hat versucht, das Wasser auf seine Mühle zu leiten.«

»Ich gehe«, sagte der Unterpräfekt.

»Wohin denn?« fragte der Baron erstaunt.

»Ich will mich dem Revolutionskomitee stellen, damit man mich ins Zuchthaus steckt oder an einem Laternenpfahl auf dem Markt aufhängt. Jawohl, ich gehe.«

»Wenn Sie so denken«, meinte der Baron, »dann habe ich Ihnen nichts mehr zu sagen. Tun Sie, was Sie nicht lassen können.«

Der Unterpräfekt starrte ihn eine Minute lang an, dann sagte er brüsk: »Leben Sie wohl.«

Am nächsten Morgen wurde das Bild des Papstes von neuem umhergetragen. Vor dem Bischofssitz bildete sich eine Prozession. In der ersten Reihe schritt segnend der Bischof und hob den Blick lächelnd zu den Balkonen, auf denen die Menschen so dicht standen, daß man fürchten mußte, einige würden herunterfallen. Zur Rechten hatte der Bischof den Baron, im schwarzen Anzug, geschmückt mit zwei oder drei päpstlichen Auszeichnungen. Zu seiner Linken schritt der Cavaliere Melisenda, ein wegen seiner barmherzigen Taten, die ihn ein Vermögen kosteten, hochgeschätzter Mann; er war so liebenswürdig, daß er allen recht gab, deshalb hielten ihn die Liberalen für liberal und die Königstreuen für bourbonisch. Ihnen folgten die anderen Mitglieder des Komitees, an die zwanzig Personen, und dahinter kamen die Zünfte mit den Standarten. Die Prozession hielt auf dem Marktplatz an. Der Bischof erschien auf dem Balkon des Rathauses, um zu segnen und zu lächeln. Dann sprach Dr. Amato; er griff in seiner

Rede den Bourbonenkönig und die Polizei scharf an, erinnerte an die Bürger von Castro, die noch im Kerker schmachteten, und äußerte den Wunsch, daß sie bald befreit würden. Er sprach von der Freiheit, zitierte Strophen großer Dichter und schloß damit, daß er seine Liebe zu seiner Heimatstadt Castro und zu ganz Sizilien beteuerte. Nach ihm ergriff der Kanonikus Liotta das Wort. Die Bevölkerung von Castro, sagte er, verdiene Lob wegen ihrer Mäßigung, ihres nüchternen Sinnes und der Eintracht, die sie so beispielhaft bewiesen habe: das untrügliche Zeichen einer besseren Zukunft, vielleicht gar in dem Maße, daß sie dem Schicksal ganz Siziliens wegweisend voranschreiten sollte. Und am Ende versicherte er, daß allein die Gottesfurcht und die Achtung vor dem Nächsten den Sizilianern echtes Glück geben könnten.

Die Schenken erfreuten sich bis in die tiefe Nacht großen Zuspruchs. Im Kasino fand ein Fest mit Musik statt.

Einige Tage später lief durch die Stadt die Nachricht, der Apotheker Napoli und der Arzt Alagna seien wieder da. Unzählige Besucher wallfahrteten zu den Häusern der Heimgekehrten. Abgemagert und mit fiebrigen Augen mußten die beiden fast alle Castroer, einen nach dem anderen, umarmen und küssen. Jedem mußten sie von ihrem Mißgeschick, von den Gefängnissen, den Wärtern, den Verhören, von dem Essen und von ihrer Schlaflosigkeit erzählen. Auch der Baron erschien, wurde jedoch, wie es hieß, mit spürbarer Kälte empfangen. Der Baron war darüber beunruhigt. Er blieb mehrere Tage der Stadt fern, um abzuwarten, wie sich die Dinge entwickelten, nachdem die beiden dem Komitee beigetreten waren. Er kam zurück, da nichts Neues geschah, und nahm gelassen an den Sitzungen des Komitees teil. Aber bei einem Disput über die »Waffenbrüder«, bei dem es darum ging, ob es gerechtfertigt sei, sie in die neue städtische Polizei aufzunehmen – der Baron vertrat diese Meinung –, bemerkte Dr. Alagna ironisch: »Warum nicht? Das ist nur recht und billig, auch wir haben ja Spione des Bourbonen im Komitee.« Don Cecè Melisenda begehrte in seiner Aufrichtigkeit, als ein Mann, der Bosheiten und Betrügereien nicht fassen konnte und zudem von Natur ängstlich war, heftig auf: Um die Ehre jedes einzelnen und aller zu retten, sollten Namen genannt werden. Nur so könne geklärt werden, ob es Spione im Komitee gebe oder nur Lügner. Da der Bischof fürchtete, daß tatsächlich Namen fielen, erhob er sich, breitete wie ein Gekreuzigter die Arme aus, flehte in lateinischer Sprache um Frieden und erklärte vor Gott, er nehme alle Sünden der Mitglieder dieses Komitees und auch aller Bürger Castros auf sich. Dann griff er Don Cecé an, war aber tunlichst darauf bedacht, nicht bei Dr. Alagna anzuecken. »Ich hätte nicht erwartet«, sagte er, »daß ausgerechnet der Cavaliere Melisenda, ein Auserwählter unter den Lieblingskindern der Diözese, in dieser ehrwürdigen Versammlung Zwietracht säen würde. Gerade wir müssen doch bemüht sein, das Unkraut der Zwietracht auszureißen, auf daß eine gute Ernte zur Speisung des geliebten Volkes von Castro und zum Lohn für unsere Bemühungen gedeihe.« Don Cecé traten Tränen in die Augen. Bestürzt über seine Schuld, beeilte er sich, dem Bischof die Hand zu küssen und ihn um Vergebung zu bitten. Dr. Alagna lächelte belustigt.

Das Komitee beschloß, eine Nationalgarde zu schaffen, eine Abteilung junger Herren in schönen Uniformen aus schwarzem Samt, bewaffnet mit damaszierten Karabinern, deren Kolben mit silbernen Arabesken verziert waren. Es war eine Augenweide, sie bei Prozessionen und feierlichen Anlässen anzuschauen. Was die Gewährleistung der öffentlichen Ordnung betraf, so überließ die Nationalgarde bereitwillig Ehre und Pflichten dieser Obliegenheiten dem alten, aus Dieben und Mördern zusammengesetzten Trupp der »Waffenbrüder«, die es für vorteilhaft erachteten, auf seiten des Gesetzes zu stehen, aber im besten Einvernehmen mit den Briganten, die in der Umgebung ihr Unwesen trieben. Gendarmen gab es nicht mehr, die hatten bei den ersten Anzeichen der Revolution das Weite gesucht. Mit ihnen war auch der königliche Richter verschwunden. Daher waren die Gesetzesübertreter aus ihren Schlupfwinkeln auf dem flachen Lande, wo sie sich zu Banden zusammengerottet hatten, einzeln in die Stadt eingesickert. Auch Vito Lacruna war zurückgekehrt. Von ihm wurde erzählt, daß er einen geflochtenen Ledergurt besaß, an den er für jeden Mann, den er tötete, einen kupfernen Knopf nähte; der

Gurt wog angeblich schon mehr als drei Rotoli[1]. Lacruna ließ sich zwar kaum im Orte blicken, und wenn, dann vermummt und argwöhnisch, als trüge er die Nacht mit sich herum, so daß man ihn nur an dem gierigen, wilden Leuchten seiner Augen erkannte. Seine Anwesenheit war aber im ganzen Ort und in jedem Haus zu spüren. Man erzählte sich von seinen Racheakten und Überfällen an den Abenden, an denen das Heulen des Windes und das Tosen des Meeres im Knarren eines Fensterladens, im Zuschlagen einer Tür, im Knacken eines Astes alles Übel der Welt und mit ihnen die Angst brachte.

Eines Abends begannen die Hunde, wütend zu kläffen und zu knurren. Mein Vater kannte dieses Knurren, er wußte, wenn die Hunde dies taten, dann war jemand im Park, den sie gestellt hatten, und sie waren auf dem Sprung, sich auf ihn zu stürzen, wenn er sich auch nur im geringsten bewegte. Mein Vater löschte das Licht, öffnete die Tür und hielt das Gewehr schußbereit. Eine Stimme sagte: »Ruf die Hunde, oder ich jage ihnen eine Ladung Blei zwischen die Rippen, so wahr mir Gott helfe. Ich bin Vito.« Mein Vater beruhigte die Hunde und machte die Tür auf. Er kannte Vito Lacruna gut. Vito hatte ihm immer Achtung entgegengebracht. Er sagte daher scherzend: »Die Hunde sind nun einmal wie Hunde, aber du, ein anständiger Mann, müßtest doch durch den Hauseingang kommen.«

Vito erwiderte ebenso: »Wann habe ich jemals den geraden Weg gewählt? Ich hätte durch den Hauseingang kommen können, der Baron hat mich ja eingeladen; außerdem gibt es im Ort keinen hündischen Gendarmen oder Spion mehr, der sich um meine Angelegenheiten kümmerte. Aber mir macht es eben Spaß, krumme Wege zu gehen.«

»Ich bin froh, dich wiederzusehen«, bemerkte mein Vater, um etwas zu sagen. »Und ich wäre noch froher, wenn ich sähe, daß du den rechten Weg wählst. Ich spreche als Bruder zu dir. Wenn sich das Gesetz deiner nicht mehr erinnert, dann vergiß doch auch du das Leben, das du geführt hast, begib dich wieder auf den richtigen Lebenspfad und arbeite wie früher . . .«

»Carme'«, unterbrach ihn Vito, »glaubst du denn, ich denke

1 Etwa 2400 Gramm.

nicht manchmal auch so? Ja, ganze Tage bringe ich damit zu, an mein verlorenes Leben zu denken. Dann habe ich solche Sehnsucht nach meinem Haus, daß ich nur die Katze am Herd zu sein wünschte. Aber gewisse Dinge im Leben sind wie ein Rosenkranz: Man sagt den ersten Satz auf, und wenn man nicht bis zum Ende fortfährt, gilt das ganze Gebet nichts. Ich habe die Perlen der Schnur zu zählen begonnen, und ich möchte bei der letzten anlangen. Das verflixte Schicksal hat es so gewollt.« Seine Stimme bebte. Schließlich fuhr er mit gezwungener Heiterkeit fort: »Gehen wir jetzt zum Baron. Wenn er nämlich das von mir will, was ich vermute, dann quetsche ich ihn aus wie eine Zitrone.«

»Und was vermutest du?« fragte mein Vater.

»Durch meinen Beruf, mein Lieber, bin ich eine Art Beichtvater geworden. Ich nehme die Beichte ab und erteile die Absolution. Und ich behalte alles im Magen, der mir infolge all des Schlechten, das er enthält, schon zu faulen anfängt.«

Eines Abends fand zwischen den »Waffenbrüdern« und den Banditen mitten im Ort ein höllisches Feuergefecht statt. Es war wie beim Feuerwerk zu Ehren der heiligen Venera. Bis zum Morgengrauen pfiffen die Geschosse und irrten gegen Fenster und Balkone, da sie zu hoch gezielt waren. Soweit man erfahren konnte, bekamen weder die »Waffenbrüder« noch die Banditen einen Kratzer ab. Ein »Waffenbruder« wurde ohnmächtig und blieb vierundzwanzig Stunden lang steif wie ein Balken liegen. Im Komitee schlugen mehrere vor, ihm eine Belohnung zu geben.

Jede Nacht waren jedoch vereinzelte Schüsse zu hören, geheimnisvoll, gleichsam dem tückischen Wesen der Nacht entsprungen. Und es waren Schüsse, die ihr Ziel trafen. Die Nachtwache, das heißt die beiden Rundengänger und der Laternenträger, die, statt durch den Ort zu laufen, in dem Schilderhäuschen an der Porta Trapani hockten und dem Nachtwächter Gesellschaft leisteten, indem sie zu viert Scopa spielten, machten sich, wenn Schüsse knallten, auf den Weg, um zu sehen, was geschehen war. Sie schritten dann mit brennender Laterne dahin und redeten laut, vielleicht um sich zu ermutigen oder um den, der geschos-

127

sen hatte, zu warnen, damit er sich mühelos verstecken konnte. Fiel der Laternenschein dann auf einen Toten, so beugten sich die Rundengänger neugierig hinunter, um ihn zu identifizieren, und ergingen sich in mitleidvollen Bemerkungen oder billigten uneingeschränkt den Mord wie bei einer gerichtlichen Exekution. Sie blieben bis zum Morgen und bewachten den Leichnam.

In der Nacht zum zweiten Februar, es hatte längst zwei Uhr geschlagen, fiel Dr. Alagna einem Mordanschlag zum Opfer. Er war in Begleitung eines Burschen, der ihm mit der Laterne voranleuchtete, auf dem Heimweg vom Kasino, ohne etwas zu argwöhnen. Da wurde aus einer Gasse heraus ein Schuß abgefeuert, der ihn mitten ins Herz traf. Der Bursche blieb wie angewurzelt stehen und hielt die Laterne hoch, damit sie einen breiteren Lichtschein warf, doch ein zweiter Schuß schlug sie ihm aus der Hand. Er erzählte später, er habe es nicht einmal gespürt, als sie weggerissen wurde. Schreiend rannte er fort, um die Herren zu holen, die noch im Kasino waren, und sie stellten mit einhelligem Bedauern Don Nicolò Alagnas Tod fest. Am nächsten Tage fand ein feierliches Begräbnis statt. An der Geschicklichkeit, die der Verbrecher bewiesen hatte – ein Treffer ins Herz und einer in die Laterne –, erkannte man im ganzen Ort Vito Lacruna. Über die Gründe jedoch, die Vito veranlaßt hatten, einen Mann wie Dr. Alagna zu töten, wurden unterschiedliche Vermutungen geäußert. Die Ansicht meines Vaters kam der Wahrheit gewiß am nächsten. Vielleicht vermochten auch der Apotheker Napoli, der Bischof und wenige andere hier klarzusehen, aber sie hüteten sich wohl, darüber zu sprechen.

Vito war Herrscher über die Stadt. Eines schönen Tages forderte er von dem Komitee fünfhundert Dukaten. Wenn es sie nicht bewilligte, dann würde er die ganze Stadt in Brand stecken. In der Sitzung, in der über dieses Verlangen beschlossen werden sollte, schwiegen jene, die dagegen waren, bedeutete doch Reden soviel, wie den Wunsch nach einer feierlichen Beerdigung äußern. Don Cecé Melisenda ergriff das Wort. Er nannte Gründe der Würde und der Moral, die in diesem Augenblick keinen Heller wert waren, und Don Cecé galt seinerseits so wenig, daß Vito Lacruna, wüßte er ihn gegen sich, nicht eine einzige Patrone auf ihn verschwendet hätte. Die Ausführungen des Barons – er trat dafür ein zu zahlen – hinterließen bei der Mehrheit einen lebhaften Eindruck. Der Bischof sagte, durch den Mund des Barons spreche der gesunde Menschenverstand, und er selbst, obwohl er sich im Prinzip mit dem Cavaliere Melisenda einig wisse, könne nicht umhin, in seiner väterlichen Besorgtheit und Angst die Zahlung anzuraten. Es sei rühmlich, den Grundsätzen der Moral und der Würde die Treue zu wahren, bisweilen jedoch erwerbe man sich himmlische Verdienste dadurch, daß man solche Grundsätze dem Allgemeinwohl und der Nächstenliebe opfere. So erhielt Vito die fünfhundert Dukaten, blieb reichlich einen Monat der Stadt fern und erfreute die Nachbardörfer mit seiner Anwesenheit. Dann kam er wieder und verlangte, diesmal bescheidener, nur zweihundert Dukaten, die ihm das Komitee ebenfalls bewilligte. Später wurde er umgebracht, vielleicht sogar von einem der Seinen. Man fand seinen Leichnam in einem Strohhaufen; die Hälfte des Gesichts war von einer Patrone zerfetzt, wie man sie zur Wolfsjagd benutzt. Doch die Stadt lebte weiter unter der Drohung der Banditen, etwa bis April 1849, als jene, die zu schwere Schuld auf sich geladen hatten, von neuem aufs Land flüchteten und solche, die heimlich die Fäden in der Hand hielten, im Ort blieben, um ihre Aufgabe der Vertretung und Vermittlung fortzuführen und den Respekt zu wahren, den man den »Ehrenmännern« schuldete.

Ich nahm bei dem Priester Unterricht, der schon meinem Vater das Lesen und das Schreiben beigebracht hatte. Er war sehr alt, aber rüstig genug, mir Schläge mit seiner pfeifenden Rute aus Olivenholz zu verabreichen, die ihre Spuren hinterließen. Diese Hiebe trafen mich bei jedem Fehler, den ich machte, am Kopf oder an den Händen. Nach einigen Monaten Unterricht sah ich aus wie der dornengekrönte Heiland. Meine Mutter bepinselte mich jeden Abend mit heißem Öl. Als das nicht mehr half, da meine Hände von Schwären bedeckt waren, legte ich mir einen Verband um den Kopf und um die Hände und glich so einem Veteranen aus dem Türkenkrieg. Meine Gefährten gaben mir einen Spitznamen und verspotteten mich. Don Paolo Vitale – so hieß der Priester – begnügte sich dafür nunmehr, die Rute dicht an meinen Ohren vorbeisausen zu lassen. Manchmal traf er,

129

vielleicht unabsichtlich, gerade die Ohren, und das schmerzte so entsetzlich, daß ich allein bei dem Gedanken daran noch heute stöhne. Trotz allem behalte ich Don Paolo in guter Erinnerung. Das wenige, was er mich lehrte, war eine gute Grundlage für alles, was ich später gelernt und geleistet habe. Er hat mich ja nicht nur an Hand einer Fibel lesen gelehrt und mir gezeigt, wie man einen Brief schreibt und sich in den Rechnungen zurechtfindet – er hat mich auch gelehrt, in der Natur, in Büchern und in meinen eigenen Gedanken Gesellschaft und Halt zu suchen.

Er bewohnte zwei kahle Räume, klein wie Klosterzellen, neben seiner Pfarrkirche, der ärmsten und abgelegensten im ganzen Ort. Man hatte sie ihm zur Strafe für seine Vorurteilslosigkeit und Freiheitsliebe zugewiesen. Unbeliebt bei seinen Vorgesetzten und Kollegen, stand er im Rufe eines Liberalen, und zwar aufgrund seiner Beziehungen, die er zu den Verbannten und den Engländern in Marsala unterhielt. Er empfing von ihnen Zeitungen, die über das Geschehen in der Welt und über unsere Angelegenheiten berichteten. Diese Nachrichten übersetzte er für seine Freunde in Castro. In Wirklichkeit war er jedoch kein Liberaler. Die Freiheitsliebe erwuchs bei ihm aus den Leiden des Volkes, die Freiheit des Volkes war das Brot. Kämpfen, damit man Bücher lesen und Schulen eröffnen konnte, schien ihm ungereimt. Denen, die sich in der Apotheke zu treffen pflegten, hielt er vor: »Ihr wollt dem Volk bedrucktes Papier zu essen geben, das Volk aber will Brot.« Die Liberalen hörten ihm nachsichtig zu. Er selbst konnte auch ohne die Nachrichten auskommen, die ihm die englischen Zeitungen lieferten. Er gab sich mit Virgil und dem Abt Meli zufrieden, mit den Erinnerungen und Maximen Guicciardinis, Lotinis und Sansovinos, die er mir oft aus einem alten Buch vorlas und erläuterte. Aber ihm genügte vor allem, wie er sagte, das »Evangelium Unseres Herrn«. Und wie er bei Guicciardini lernte, die Menschen zu kennen, so lernte er aus dem Evangelium, sie zu lieben. »Dabei ist es gar nicht so leicht, sie zu lieben, wenn man sie kennengelernt hat«, sagte er.

Er war klapperdürr, sein Gesicht war bleich und hager, der Blick unter den schweren Augenlidern stets wach und scharf. Er hatte mich gern, ungeachtet der Rutenhiebe, die er mir verabfolgte. Denn er hielt den Stock für ein unerläßliches Erziehungsmittel, und damit hatte er vielleicht nicht unrecht. War die Lektion beendet, dann behandelte er mich wie einen Erwachsenen. Er behielt mich bei sich im Garten, der kaum zwanzig Quadratruten groß war, und erzählte mir von Blumen und Kräutern, von Jahres- und Tageszeiten, von den Krankheiten, die die Pflanzen, den Körper und die Gefühle der Menschen befallen. Und er sprach zu mir auch von der wahren Revolution, denn die derzeitige schien ihm eine Art Ablösung des Organisten zu sein, ohne daß dabei das Instrument oder die Musik verändert wurde, während die Armen weiter den Blasebalg zu treten hatten. Da er das Haus selten verließ – nach den Januarereignissen erst recht nicht –, fragte er mich ironisch: »Was machen die Revolutionäre? Haben sie schon begonnen, die Bücher zu verteilen?« Allerdings erwartete er von mir nicht, daß ich ihm wirklich Neuigkeiten berichtete. Diese Fragen dienten dazu, seine Auslassungen über das Geschehen und die handelnden Personen zu eröffnen. »Wenn es wirklich eine Revolution gäbe, eine Revolution, wie ich sie meine, dann würden alle Mitglieder des Komitees um ihr Leben rennen und sich auf dem Dachboden verkriechen – der Bischof, der Baron und auch der Apotheker. Auch der Beste unter diesen Herren hat zu Hause zwei Sorten Brot: für die Familie aus feinstem Weizenmehl, und aus Kleie für den Knecht. Sie behandeln Hunde wie Menschen, aber anständige Menschen, die arbeiten, behandeln sie schlechter als Hunde. Und sie haben die Stirn zu rufen: ›Nieder mit der Tyrannei, Freiheit!‹«

Im Komitee wirkten fünf oder sechs Mitglieder im Sinne der Erneuerung. Die anderen verfolgten skeptisch und beinahe mitleidig die Versuche der Neuerer, die Ordnung und die Finanzen zu reorganisieren, und sprachen unerbittlich ihr Nein. In jedem neuen Vorschlag fanden sie eine Schlinge, an der sie ziehen und mit der sie ihn kläglich zu Fall bringen konnten. So schrumpften die Einkünfte auf ein lächerliches Maß zusammen, die Besteuerung funktionierte nicht mehr, Stadt und Land wurden von Verbrechern unsicher gemacht.

Einhelliger und unverzüglicher Unterstützung dagegen erfreute sich beim Komitee das Ressort der öffentlichen Vergnügungen: Eine Musikkapelle nach allen Regeln konnte endlich aufgestellt werden, das Gehalt für den Kapellmeister wurde festgesetzt, Instrumente und Uniformen wurden gekauft. Stukkateure und Maler wurden aufgeboten, um bei einem Kostenaufwand von ungefähr einhundertfünfzig Unzen das kommunale Theater zu renovieren, das rund zwanzig Jahre zuvor nach dem Vorbild des Theaters von Trapani errichtet worden, bislang aber untätig geblieben war. Von Januar bis Juli hielt das Komitee mehr als hundert Sitzungen ab, vermochte aber kaum zehn Beschlüsse zustande zu bringen, deren Verwirklichung gesichert war: die Nationalgarde und die Musikkapelle zu gründen, die Dekorationsarbeiten am Theater vorzunehmen und an der Strandstraße Bäume anzupflanzen, vier neue Beamte anzustellen, einen hölzernen Mörser von einer abgelegenen Villa vor das Rathaus zu versetzen, in Verbindung mit einem feierlichen Umzug durch die Stadt und mit Ansprachen, die gespickt waren mit hochtönenden Worten wie Blut, Vaterland, Opfer und Feuer. Eine andere Festlichkeit fand statt, als sich der Bischof offiziell zur Nationalgarde begab, um sie zu segnen. Und schließlich kam, wie jedes Jahr, das Fest der heiligen Venera. Im Juni, der eine funkelnde Feuerdecke über die Stadt und das Meer breitete. Der Ort siedete in Feiertagsstimmung. Teilen der Sonne glichen die weißen Stände der Mandelkuchenhändler und der Sorbetverkäufer, ebenso das rote Fruchtfleisch der Wassermelonen, die, in Halbmondscheiben aufgeteilt, feilgeboten wurden, und die emaillierten Töpferwaren, in denen sich das Licht spiegelte; dazu das Rühren der Trommeln, das Gewirr der Stimmen, die Böllerschüsse.

Aus Anlaß des Feiertages hatten die Nonnen die Sommerferien für Cristina vorverlegt. Sie war abgemagert und traurig, als sie zurückkehrte. Vorherrschend an ihr waren die Augen; an ihrem Blick beeindruckte mich zuweilen, daß darin der Wahnsinn Donna Concettinas wie der Flügelschlag eines mit der Leimrute gefangenen Vogels aufflackerte. Jetzt wußte sie so viel von der Religion und redete immerzu von der Hölle. Ich glaubte nicht an die Hölle. Meine Mutter pflegte zu sagen, wenn ich etwas ausgefressen hatte: »Du wirst mit Schuhen an den Füßen in die Hölle kommen«, und ich ängstigte mich ein wenig, vor allem wegen der Schuhe, denn wer weiß, welche Leiden sie mir zufügen konnten. Einmal fragte ich Don Paolo danach, und er antwortete lächelnd: »Entweder du tust deine Schuldigkeit, oder aber du entschließt dich, barfuß zu laufen.« Und ich machte mir meinen Vers darauf, nämlich, daß von der Geschichte mit der Hölle und den Schuhen niemand auf der Welt wirklich etwas Genaues wußte und es darum besser war, nicht daran zu denken. Cristina wollte indes, daß ich darüber nachdachte und mit ihr überlegte, ob es, wenn man schon in die Hölle mußte, vorzuziehen sei, in den Flammen zu sein oder im Schnee. Da die Sonne die Haut sengte, war ich für Schnee. Man brauchte zwei Grani[1], um zwei Pfund Schnee zu kaufen, und ich hätte so viel haben mögen, daß ich mich darin wälzen konnte. Doch ob es nun Schnee oder Feuer in der Hölle gab, reden darüber mochte ich. Deshalb stand ich mich mit Cristina nicht ganz so gut wie früher. Spaß machte mir nur noch, mit ihr Blindekuh zu spielen, sie hatte es im Stift gelernt.

Nach dem Fest der heiligen Venera bereitete das Komitee eifrig die Wahlen für den Gemeinderat vor. Zur Wahl waren alle des Lesens und Schreibens kundigen Bürger zugelassen, die sich darum bewarben. Mein Vater wollte auf sein Recht verzichten, doch der Baron behauptete, wenn er nicht zur Wahl gehe, dann werde er, der Baron, es als Beleidigung auffassen. So entschloß sich mein Vater dazu. Insgesamt waren dreihundert Bürger in die Liste der Stimmberechtigten eingetragen, sechzig Räte sollten gewählt werden.

Die Wahlen fanden in den ersten Julitagen in völliger Ruhe statt. Von den gewählten Räten waren fünfzehn Priester, zwanzig Personen, die mit dem Bischof eng liiert waren oder offen zu den Bourbonen hielten, zehn Handwerksmeister, notorisch fromm oder aber wirtschaftlich abhängig von den Leuten, die zu den bischöflichen Kreisen gehörten. Nicht mehr als fünfzehn Räte waren als vorgebliche oder erprobte Liberale bekannt. Genauer und sinnfälliger dargestellt, präsentierte sich der neue Gemeinderat in folgender Zusammensetzung: dreißig feine Herren oder Bürgersleute, fünf Adlige, fünfzehn Priester, zehn Männer aus dem niederen Stand. In der ersten Sitzung, in der sie über die Besetzung der Ämter berieten, wurde Baron Garziano mit neun-

1 Etwa fünf Pfennig.

undvierzig Stimmen gegen elf Stimmenthaltungen zum Vorsitzenden gewählt. Für die anderen Funktionen wurden der Kanonikus Mantia mit siebenunddreißig, der Apotheker Napoli mit sechsunddreißig und der Barbier Vitanza mit vierundvierzig Stimmen gewählt. Neunundfünfzig Stimmen erhielt Don Cecé Melisenda. Diese Ergebnisse scheinen völlig undurchsichtig, wenn man sie unter dem Blickpunkt der Politik oder der Interessen betrachtet. Da ich die Stadt kenne, möchte ich schwören, daß der Baron nicht die Stimmen der Edelleute bekommen hat und der Kanonikus nicht die der Priester, ebenso wie der Barbier nicht die der Handwerksmeister erhielt, und so weiter. Die Einmütigkeit, die Don Cecé erreichte, läßt sich dadurch erklären, daß er, um es unverblümt zu sagen, als eine Null galt: ganz Güte und frommes Gehabe.

Die Tätigkeit der Ratsversammlung begann mit der Debatte über die Ernennung eines provisorischen Leiters der Jesuskirche, »damit es dort an Gottesdienst und anderem, was vorher von der aufgelösten Gemeinschaft Jesu geleistet wurde, nicht gebricht«, und zugleich wurde ein dreitägiges Fest beschlossen, damit die Dürre gebannt würde, ferner die Gewährung eines unverzinslichen Darlehens von tausendzweihundert Unzen an die Mensa episcopalis, »da besagte Mensa angesichts der unglücklichen Zeiten ihre Einkünfte nicht eintreiben und auf ihre Kasse nicht zurückgreifen kann, die von der Regierung für unantastbar erklärt worden ist«. Alle drei Vorschläge kamen von der liberalen Gruppe und wurden vom Gemeinderat einstimmig angenommen. Frohlockend übermittelten der Baron, Don Cecé Melisenda und der Barbier Vitanza dem Bischof das Ergebnis der Beratungen. Der Bischof jedoch erwiderte kühl, daß er, gewiß, dem Gemeinderat dafür dankbar sei. »Aber mit meiner gewohnten Freimütigkeit sage ich euch: Wißt ihr denn, was das bedeutet? Es bedeutet, entschuldigt den Ausdruck, dem Schwein Bohnen vorwerfen, um es zu fangen.«

»Was für Bohnen?« fragte Don Cecé verdutzt. »Und mit Verlaub, was für ein Schwein? Ich bitte Euer Exzellenz um Vergebung, aber ich kann darin weder die Bohnen noch das Schwein erblicken.«

»Mein lieber Don Cecé«, entgegnete der Bischof, »Sie sehen

die Welt eben und glatt wie eine Marmorbalustrade, Sie begreifen ihre Bosheiten nicht, Sie sind immer unberührt wie eine Rose.« Dann sagte er etwas in Latein von Würmern und Schlangen, die sich in Dingen, die gut scheinen, verbergen.

»Wenn mich das bißchen Latein, das ich im Seminar gelernt habe, nicht trügt«, erwiderte Don Cecé, »so sprechen Euer Exzellenz nun von Schlangen und Würmern. Mir läge viel daran, zunächst einmal dem Sinn des Schweins und der Bohnen nachzugehen.«

»Was fangen wir bloß mit diesem Don Cecé an?« sagte der Bischof zu dem Baron und zu Vitanza, in einem Ton, der zugleich scherzhaft und mitleidig war. »Was fangen wir nur mit diesem sonderbaren Manne an? Am besten, wir teilen ihm klipp und klar unseren Gedanken mit, damit er künftig Bescheid weiß. Also: das Schwein, das bin ich . . .«

»Aber Exzellenz!« protestierte Don Cecé.

»Lassen Sie mich ausreden! Das Schwein bin ich, und der Rat tut mit seinen heutigen Beschlüssen nichts weiter, als mir ein Häuflein Bohnen vorzuwerfen. Frißt das Schwein unsere Bohnen, denken einige unter Ihren Freunden im Rat, dann ist das Schwein unser. Ich aber sage euch: Das Schwein wird zwar eure Bohnen fressen, aber fangen läßt es sich von euch nie. Dies, mein lieber Don Cecé, ist die Auslegung des Gleichnisses, angewandt auf unseren Fall.«

»Exzellenz«, rief Don Cecé aus, »wenn ich eine Sache erst einmal begriffen habe, dann ist sie mir klar. Wenn das Ihre Überzeugung ist, so ziehe ich, als gehorsamer Sohn der Kirche, den für mich einzig richtigen Schluß: Ich trete zurück, ich verlasse den Gemeinderat, ich will nicht, mit Verlaub zu sagen, jenen den Kerzenstummel halten, die den Boden unter Ihren Füßen aushöhlen.«

»Sie reden wie ein Engel«, entgegnete der Bischof. »Aber es ist doch so: Wenn Sie den Gemeinderat verlassen und der Baron ihn verläßt, wenn unser Vitanza und mit ihm alle guten Christen ihn verlassen – sagen Sie mir, in wessen Händen bleiben dann die Angelegenheiten der Gemeinde? Nun, sagen Sie es!«

»Das ist ja der wunde Punkt«, warf der Baron ein.

»Aber ich«, erwiderte Don Cecé, »möchte in allem klarsehen,

das ist nun mal meine Art. Euer Exzellenz haben meine Teilnahme im Rat gewünscht, ich lebe also in der Gewißheit, daß es unserem Glauben und den Belangen der Kirche nicht widerspricht, die Interessen der Stadt und Siziliens zu vertreten. Wenn aber Euer Exzellenz nun sagen, es gebe da doch einen Widerspruch, dann ist es klar, ich muß zurücktreten.«

»Seid klug wie die Schlangen‹«, zitierte der Bischof. »Verstehen Sie? Klug. Und das sagt kein Geringerer als Christus, mein lieber Don Cecé. Sie gebärden sich statt dessen wie . . . wie . . .«

». . . wie ein Stier«, ergänzte Don Cecé und errötete.

»Ich hätte es nicht auszusprechen gewagt«, meinte der Bischof.

»Und warum?« fragte Don Cecé erstaunt. »Stimmt, der Stier hat Hörner, doch in dieser Beziehung bin ich friedlich wie eine Taube. Und schließlich, Hörner oder nicht, er ist ein gutes Tier. Die Schlange jedoch, und daran kann auch das Evangelium nichts ändern, ist ein Tier, das, verzeihen Sie, mich anekelt.«

»Wir reden hier von allen möglichen Tieren der Arche Noah«, entgegnete der Bischof, »ohne daß es uns gelänge, auch nur eine Spinne aus ihrem Schlupfwinkel zu locken . . . Nun ist mir wieder ein Tier über die Lippen gekommen. Fangen Sie jetzt um Himmels willen bloß nicht an, über Spinnen zu philosophieren! Wenden wir uns den Tatsachen zu. Also: Sie als Katholik – bisher haben Sie mir keinen Anlaß gegeben, an Ihrer Frömmigkeit zu zweifeln – sind im Gemeinderat, um das gute Recht der Kirche im Gegensatz – eben im Gegensatz – zu den Interessen, sagen wir, des Staates zu verteidigen . . . Ich möchte Ihnen ein Beispiel nennen: Wenn die Regierung, wie es den Anschein hat, die Konfiskation des Goldes und des Silbers verfügt, das in den Kirchen und den Klöstern ist, wenn die Regierung eine so ungerechte Anordnung erläßt, was werden Sie als ergebener Diener der Kirche dann tun?«

»Ich habe davon gehört«, antwortete Don Cecé, »und ich war ziemlich bestürzt. Dann aber habe ich mir überlegt – ich kann mich irren, aber mir scheint es richtig zu sein: Das ganze Volk, arm und reich, hat in Treue und Dankbarkeit das Gold und Silber gespendet, das auf den Altären glänzt. Nun gibt die Mutter Kirche aus Liebe und Mildtätigkeit die erhaltenen Geschenke zurück, um das Leben und die Freiheit ihrer Kinder zu retten.«

»Bravo!« rief der Bischof aus. »Sie stellen Überlegungen an, daß es ein wahres Vergnügen ist! Sie spinnen sie, rückwärts schreitend wie ein Seilermeister, und sehen die höllischen Abgründe nicht, die sich hinter Ihnen auftun. Seit Revolution ist« – er betonte das Wort ironisch –, »höre ich Sie gewisse Reden führen, die, würde ich Sie nicht so genau kennen... gewisse Reden...«

»Ich kann mich auch geirrt haben«, wiederholte Don Cecé keineswegs demütig.

Der Baron und Vitanza grinsten mitleidig, und der Bischof, der nach so vielen Jahren Umgang Don Cecé zu kennen und der zu wissen glaubte, wie leicht es war, ihn zur Reue und zu Tränen zu bewegen, fuhr fort, ihn zu bedrängen; dabei ließ er Ironie und Verachtung mit väterlichem Zureden und Güte abwechseln. Doch alle drei waren auf dem Holzwege, denn an diesem Tage hatte Don Cecé, wie alle Schüchternen und Fügsamen, seinen häßlichen Augenblick der Unduldsamkeit und Auflehnung.

»Aber das, mein lieber Cavaliere Melisenda«, sagte der Bischof, »ist eine Sünde, die Sie beichten müssen. Zu glauben, daß sich die Kirche damit befaßt, Revolution zu machen, und zwar gegen die ehrwürdigsten und legitimsten Grundsätze, und zu glauben, daß all das, was zur Zier und zum Schmuck des Gotteshauses gereicht, einfach weggeworfen werden kann für eine Sache, die, abgesehen von der Ungesetzlichkeit, von der sie ausgeht, eine sehr miserable Sache ist, wie alle menschlichen Belange angesichts des Ruhmes Gottes. Die Regierungen kommen und gehen, lieber Freund, aber die Kirche bleibt...«

»Euer Exzellenz«, unterbrach ihn Don Cecé brüsk, »sind dabei, mich zu erleuchten. Sie halten den Finger auf der Wunde: Das ist eben das Schlimme, daß die Kirche bleibt.« Er verneigte sich leicht und entfernte sich. Drei verblüffte Masken starrten die vergoldete Tür an, die Don Cecé hinter sich zugeschlagen hatte. Dank dem Barbier Vitanza, der einen großen Kundenkreis hatte, wußte tags darauf ganz Castro genau über das Geschehene Bescheid. Die neugierigsten Freunde, die Don Cecé aufsuchten, erfuhren, daß er nach Marsala abgereist war.

Bald darauf wurde die Konfiskation der Schätze in den Kirchen angeordnet. Der Bischof ließ ein paar Gefäße und Kandelaber aushändigen, verlangte, den Wert zu schätzen, und löste sie sofort ein. Don Cecé erschien nicht wieder im Gemeinderat, er suchte nicht einmal mehr das Kasino auf. Alle, auch die Liberalen, hielten ihn für geistesgestört. Der Bischof erkundigte sich eifrig bei allen und jedem nach seinem Geisteszustand und äußerte sein Bedauern darüber, daß einem so frommen Manne das schreckliche Los zuteil geworden sei, den Verstand zu verlieren. Aber die meisten vertraten die Ansicht, daß Don Cecé, wie fromm er auch gewesen sein mochte, nie Verstand besessen habe.

Aber der Zusammenstoß zwischen dem Bischof und Don Cecé, obschon alle ihn im Lichte eines angeborenen oder plötzlich ausgebrochenen Wahnsinns des alten Herrn sahen, deckte im Rat Risse auf, die, zunächst unbemerkt, im Laufe der Zeit tief und unüberbrückbar wurden. Der Baron erklärte jedem, der es hören wollte, er bleibe unter persönlichen Opfern auf seinem Posten, nur um zu verhindern, daß die Hitzköpfe, die im Gemeinderat säßen, nach Belieben schalteten und walteten. Die Sitzungen wurden lebhafter, waren jedoch ergebnislos, von den Bänken der Liberalen wurden Schmährufe an die Bänke der Kanoniker und der »Mäuse« gerichtet, die das im Saal anwesende Publikum vor Vergnügen aufkreischen ließen.

Alles lief darauf hinaus, daß Kontrolleure ernannt wurden für die öffentlichen Arbeiten, für die Straßenbeleuchtung, für die Steuern, für die Lebensmittelpreise und für die Maklergeschäfte. Die Verwaltung war ein einziger Kontrollapparat, und so kam es, daß sogar die Versteigerung der Steuerpacht und der städtischen Beleuchtung vor leeren Sälen stattfand. Niemand wollte sich die Scherereien auf den Hals laden, die die ausgetüftelten, langen Pachtverträge versprachen. Etwas lag in der Luft, eine Ahnung, daß alles nur provisorisch war, denn eine so verworrene Situation konnte nicht von langer Dauer sein.

Bauern und Hirten, vor allem aber die feinen Herren, die im Gemeinderat saßen, eigneten sich in einem nie zuvor gekannten

Umfang die dominalen und die kommunalen Ländereien an. Eine Prüfungskommission wurde ernannt; aber diese Kommission ließ sich, nachdem sie das riesige Ausmaß der Aneignungen festgestellt hatte, nichts Besseres einfallen als den Vorschlag, sie durch Pachtverträge mit symbolischem Grundzins zu legalisieren. Die gutsituierten Herren schlossen die Verträge sogleich, die Bauern und die Hirten hielten es für günstiger, die Äcker ohne Vertrag zu nutzen.

Die Lebensmittelpreise stiegen mit schwindelerregender Schnelligkeit. Die Sicherheit für Gut und Leben war in der Stadt wie auf dem Lande mangelhaft. Die öffentliche Bildung blieb trotz der fortwährenden Beteuerungen des Gemeinderats, daß sie ihm besonders am Herzen liege, auf dem gleichen Stande wie bisher. Gut hingegen war es, daß die Gruppe der Liberalen sich der Probleme bewußt zu werden begann und sich bemühte, sie zu lösen. Durch die Opposition wurden sie kämpferischer, ihr politisches Ideal, anfangs verschwommen und unbestimmt, gewann in ihnen eine solche Macht, daß es sie sogar von ihren privaten Interessen losriß. Man kann sagen, daß die Idee der Revolution bei der Minderheit des Gemeinderats gerade in dem Augenblick heranreifte, in dem die Ereignisse in den Abgrund der Reaktion stürzten.

Einem traurigen Winter, in dem Hungersnot herrschte und gemordet wurde, folgte ein milder Frühling. Die seit der Aussaat vernachlässigten Äcker versprachen eine Mißernte. Der Rat hielt keine Sitzungen mehr ab. Der Bischof hatte seinen Palast verbarrikadieren lassen, die Fenster waren zum Schutz mit Matratzen und Tischen verstellt. Die Liberalen agitierten jetzt offen gegen den Bischof, brachten Karikaturen und Spottverse. Aber das Volk begann die Liberalen zu hassen. Sonntags drängte es sich in die Kirchen, um die Predigten gegen jene zu hören, die, bar jeder Gottesfurcht, die Urheber der Leiden des Volkes und der Unordnung waren. Fast alle in Castro sehnten sich jetzt nach der alten Ordnung zurück. Und endlich, am 25. April 1849, traf die Nachricht ein, daß sie wiederkehrte. Der Bischof erhielt die Meldung als erster durch einen Boten. Er rief den Baron zu sich, teilte ihm die Neuigkeit mit und erklärte ihm, was er im Rat zu tun habe.

Der Baron lud seine Ratsfreunde zur Versammlung ein. Er schritt vom Kasino zum Rathaus, gefolgt von offenbar glücklichen oder zumindest erleichtert dreinblickenden Männern, von Priestern, Adligen und Bürgersleuten. Die Liberalen verließen das Kasino, um nach Hause zu gehen, aber drei von ihnen schlossen sich, bleich vor Angst, dem Baron an.

Von seinem Vorsitzendenstuhl herab schilderte der Baron dem Rat kurz die neue Entwicklung und sagte abschließend: »So Gott will, ist die Hanswursterei zu Ende.« Alle klatschten Beifall. In diesem Augenblick betrat Don Cecé Melisenda den Saal und nahm auf dem äußersten der leeren Liberalensitze Platz. Der Baron diktierte dem Sekretär: »Am heutigen Tage versammelte sich der Bürgerrat aus eigenem Antrieb, ohne daß eine Einladung des Vorsitzenden ergangen wäre, in diesem Saal des Rathauses, da er aus offiziellem Munde vernommen hat, daß die Hauptstadt eine Kommission zum Fürsten Satriano gesandt habe, um ihre Unterwerfung zu vollziehen. In der Absicht, der gleichen Willensäußerung zu entsprechen, erklärt der Rat, daß er sich der Entscheidung der Hauptstadt anschließt und sich dem hochlöblichen Fürsten Satriano gleicherweise unterwirft.« Er diktierte dies in einem Atemzuge, als hätte er es auswendig gelernt. Die Versammelten zollten ihm lange Beifall, und er erhob sich, um durch Verbeugung zu danken. Dann sagte er noch einmal: »Die Hanswursterei ist zu Ende.« Darauf entgegnete Don Cecé ruhig, ohne aufzustehen: »Wenn das, was zu Ende geht, eine Hanswursterei ist, dann sind alle, die Ihnen applaudieren, Hanswurste, und Sie sind der erste Hanswurst des Königreichs.«

»Was? Wie?« rief der Baron aus, und alle protestierten lärmend gegen Don Cecé. Aber der Greis näherte sich, aufrecht und sicher schreitend, den Stock nach vorn gerichtet, dem Sekretär und sagte: »Ich habe in diesem Rat Rechte, und ich will von ihnen Gebrauch machen, auch wenn sie jetzt nur geeignet sind, mich ins Zuchthaus zu bringen. Schreiben Sie also, was ich Ihnen sage, denn ich will gleich unterzeichnen und gehen.« Er ließ den Blick in die Runde schweifen und diktierte mit fester Stimme: »Der Cavaliere Cesare Melisenda di Villamena erklärt, daß er sich der von der Ratsmehrheit gefaßten Entscheidung, dem Fürsten Satriano die Zeichen der Unterwürfigkeit des Rates und der Stadt

Castro zu präsentieren, nicht anschließt. Er besteht darauf, seine Treue zu den Prinzipien der Freiheit kundzutun, die der Rat einmütig auf seiner ersten Sitzung gepriesen hat.« Dann setzte er seine Unterschrift auf den Rand des Registers neben seine Erklärung und entfernte sich.

»Elender Narr!« schrie der Baron ihm nach.

Wie auf ein Zauberwort tauchten der königliche Richter, der Unterpräfekt, die Gendarmen und die »Waffenbrüder« wieder in Castro auf, als wäre nichts geschehen. Vielleicht hatten sie auch den ausdrücklichen Befehl, so zu tun, als ignorierten sie alles, die Ereignisse und die Personen, die sich kompromittiert hatten. Bis zum Herbst gab es nicht die geringste Spur von Repressalien, im Gegenteil, die Häscher schienen höflicher geworden zu sein, der Unterpräfekt lächelte jeden an, und im Kasino spielte er seine Partie Scopa sogar mit dem Apotheker Napoli. Dann traf eine Abteilung Militär ein, und die Entwaffnung der Nationalgarde wurde verfügt. Es war eine rein symbolische Angelegenheit. Nur die massive Anwesenheit der Truppe wirkte beängstigend. Die Nationalgardisten lieferten ihre Karabiner ab, und einen Augenblick später erhielten sie sie wieder in ihrer neuen Funktion als städtische Miliz. Von der Fassade des Theaters wurde die Trinacria, das Wahrzeichens Siziliens, abgemeißelt und an ihrer Statt die Bourbonenlilie befestigt. Lilien zierten auch von neuem die Eingänge der öffentlichen Gebäude. Der Bischof strengte vor Gericht einen Prozeß gegen die Gemeinde an und bestritt »den einzelnen Bürgern dieser Gemeinde das Recht, auf den zur Mensa episcopalis gehörenden Besitzungen Holz zu schlagen«. Der Gemeinderat verwandelte sich nahezu vollständig wieder in das Bürgerdekurionat; nur Don Cecé Melisenda, dessen Wahnsinn auch der Unterpräfekt und der Richter beklagten, und die beiden Liberalen fehlten, die nach Malta geflüchtet waren.

Alles in allem, es konnte gar nicht besser gehen. Die Soldaten verließen Castro beinahe auf Zehenspitzen. Bei dieser Gelegenheit nahmen sie ein Dutzend Verbrecher mit, die sie in der Umgebung aufgegriffen hatten. Die Stadt atmete erleichtert auf.

Die öffentlichen Angelegenheiten segelten nunmehr nach Ansicht des Barons in einer frisch-fröhlichen Brise, aber was seine Familienangelegenheiten betraf, so wehten noch immer unerbittliche Stürme. Donna Concettina sprach kein Wort mit ihm, Rosalia kostete ihn ansehnliche Summen und betrog ihn vielleicht sogar, Cristina wollte nicht ins Stift zurück, Vincenzino hingegen wollte im Seminar bleiben und Priester werden. Die Baronin schürte Cristinas Widerstand und schien über die Berufung, die sich in Vincenzino offenbarte, beglückt zu sein. Ihrem Gatten zum Trotz lief sie fortwährend zum Bischof und bestürmte ihn, die Berufung ihres Sohnes zu ermutigen und weiter zu nähren. Der Baron äußerte, stets unter Zuhilfenahme eines Mittelsmannes, zu Donna Concettina: »Mit dieser Geschichte von der Berufung Ihres Sohnes werden Sie mich noch genauso verrückt machen wie Don Cecé. An einem der nächsten Tage gehe ich zum Bischof und sage ihm meine Meinung. Den Unsinn mit der Berufung haben nämlich Sie und er ausgeheckt. Der arme Junge ist ein willenloses Geschöpf in Ihren Händen.« Donna Concettina antwortete, daß ihm Hören und Sehen verging, ohne jemals den Mittelsmann zu vergessen. »Richtet dem Baron aus, er möge wirklich zum Bischof gehen und ihm seine Meinung sagen. Das will ich ja gerade, er soll nur gehen.«

»Ich habe so viele Gedanken im Kopf«, pflegte der Baron zu erwidern, »daß ich nachts im Schlaf spüre, daß sie mir wie Grillen im Schädel herumhüpfen. Kaum bin ich eingeschlafen, zack, springt ein Gedanke heraus, und ich liege mit offenen Augen da.«

»Die Grillen der Versuchung sind es«, murmelte Donna Concettina. Cristina hatte den Gesprächen zu dritt über Vincenzinos Berufung zwischen Vater und Mutter über den Mittelsmann ihren Spaß wie im Theater. Sie liebte ihre Mutter und freute sich, wenn sie sah, daß der Baron stets den kürzeren zog. Um so mehr, als sie den Baron auf dem Wege zur höllischen Verdammnis wußte, wegen der Geliebten, die er aushielt, und weil er sich gegen die Berufung sperrte. Ich fragte einmal Don Paolo, ob der Baron wirklich verdammt sei, in die Hölle zu kommen. Don Paolo schüttelte den Kopf. »Der kommt nicht in die Hölle, er wird noch im letzten Augenblick einen Weg finden, mit dem Herrgott Frieden zu schließen.« Tatsächlich starb der Baron später wie ein Heiliger mit allen Sakramenten, und im Testament setzte er Schenkungen für die Pfarrkirchen und fromme Stiftungen aus. In seinen letzten Jahren hatte er auch das Freitagsalmosen eingeführt: Jeder Bettler, der an einem Freitag vor der Tür erschien, erhielt zwei Soldi: manchmal wurden auf diese Weise an einem einzigen Freitag fünf Lire verteilt.

Doch im Jahre neunundvierzig erfreute sich der Baron noch der besten Gesundheit, er hatte einen robusten Körper, war ein starker Esser und ein maßvoller Trinker. Die Jagd betrieb er mit Leidenschaft, hoch zu Pferde ritt er über seine Besitzungen, besonders in der Erntezeit, und fast jeden Tag fand er Muße, einen Abstecher zu Rosalia zu machen. Die Hölle kümmerte ihn wenig. Er behauptete sogar, daß er die Berechtigung des Fegefeuers zur Not einsehe, die Hölle jedoch komme ihm vor wie ein Märchen für das ungebildete Volk, ein schönes Märchen, um das gemeine Volk in Angst zu versetzen. Er glaubte, Dante Alighieri habe das alles erfunden. »Der zitterte vor Wut, weil man ihn aus seiner Heimat vertrieben hatte, und da nahm er sich vor, den Leuten einen Schrecken einzujagen.«

Donna Concettina jedoch war überzeugt, ohne übrigens Dantes Buch je gelesen zu haben, daß es eine göttliche Offenbarung enthalte.

Vincenzino beharrte auf seinem Willen, und seine Mutter bestärkte ihn eifrig darin. Er wollte das Seminar nicht einmal in den Ferien verlassen, aus Angst, der Baron würde ihn einschließen, um ihm so die Berufung auszutreiben. Er war groß geworden und sah wachsbleich aus, der Kopf schwankte auf einem langen Hals, der eine Enthauptung geradezu herauszufordern schien. »Er ist ein Toter!« rief der Baron aus. »Durch die vielen Bußübungen und das viele Beten kriegt er noch die Auszehrung. Man redet ihm ein, daß er ein Heiliger werden soll, und er fastet, um es unverzüglich zu werden. Und er wird es... er wird es...« Donna Concettina vertrat hingegen die Auffassung, daß Vincenzino in der Entwicklung sei. Alle aus ihrer Familie hätten in den Entwicklungsjahren so ausgesehen, Vincenzino sei nicht nach den Garziano geraten, die im jugendlichen Alter eine kräftige Konstitution hätten, er gleiche in allem ihren Brüdern, ihrem Vater und Großvater, Menschen mit zarter Physis und zarten

Gefühlen – alter spanischer Adel, der dem Königreich Männer der Feder und der frommen Andacht geschenkt habe.

»Ich pfeife auf die Zartheiten Ihres Schlages«, entgegnete der Baron, »ich will meinen Sohn weder als Heiligen noch als Philosophen. Ihr Onkel, der Jesuit, hatte sich ja was Schönes eingehandelt, als er sich von den Chinesen oder Indianern oder weiß der Teufel von wem kreuzigen ließ. Und reden Sie mir nicht von jenem anderen unter Ihren Verwandten, der die vielen Bücher lateinisch geschrieben hat, bei deren Anblick mir schon schwindlig wird. Er war weiß Gott ein Verrückter. Hat er nicht auch in einem Buch gefordert, alles zusammenzutun, Häuser, Äcker, Vieh und Frauen? Kann es etwas Verrückteres geben? Aber lassen wir das. Ich will, daß mein Sohn so wird wie ich, daß er auf die Jagd geht, daß er sich um sein Land kümmert, daß er ein starker Esser wird und daß ihm die Frauen gefallen ... Apropos, wie verrückt Ihr Verwandter auch gewesen sein mag, die eine gute Idee, Frauen gemeinschaftlich zu haben, die hat er jedenfalls gehabt ... Es ist das einzige Gute, das jemals einer aus Ihrer Familie hervorgebracht hat.«

Das war zuviel für Donna Concettina. Sie raffte ihr Kleid zusammen, als liefen ihr Mäuse über die Füße, und flüchtete. Einen Augenblick empfand der Baron Befriedigung darüber, dann verfinsterte sich seine Miene, vielleicht weil ihn der Gedanke quälte, daß er zuviel gesagt habe und Donna Concettina aus Verzweiflung ihrem Bruder, der bei Hofe hohes Ansehen genoß, über die Beleidigungen berichten könnte, die ihr Mann ihr zufüge. Vor anderen prahlte der Baron nämlich maßlos mit diesem Schwager. »Mein Schwager schreibt mir, daß der König ... Ich werde meinem Schwager zwei Wörtchen sagen ... Wenn sich mein Schwager der Sache annimmt, geht es in Ordnung ...«

Im Januar 1850 trug sich eine kleine Begebenheit zu, die den Baron von seinen familiären Nöten ablenkte. An einem frostigheiteren Tag defilierte ein großes Geschwader der englischen Kriegsmarine an der Küste entlang und kam auch an Castro vorbei. Alles auf den Schiffen wirkte klar und sauber: die Masten, die Farben, die Bewegungen der Matrosen an Deck. Die Liberalen in Castro hielten das für die entscheidende Machtdemonstration der englischen Regierung, die in den letzten Monaten eine scharfe Haltung gegenüber der Regierung in Neapel eingenommen hatte. In den englischen Zeitungen konnte man Urteile über die Bourbonen und Anschuldigungen lesen, die offensichtlich durch die stürmischen Beziehungen zwischen den beiden Regierungen inspiriert waren. Die Liberalen waren so unvorsichtig, ihre Freude über diese Demonstration zu bekunden. Die Engländer genossen in Castro aufgrund dessen, was sie im benachbarten Marsala getan hatten, einen guten Ruf. Man kannte sie als rechtschaffene, freiheitlich denkende Männer, die wenig redeten und entschlossen handelten. Die Flottille vorbeiziehen sehen und von einer Einschüchterungsoperation, wenn nicht gar von einem Krieg gegen die bourbonische Regierung sprechen, war eins. Man irrt eben oft in der Beurteilung fremder Hilfsabsichten. Die Engländer zogen aus dieser Kreuzfahrt gewiß ihre Vorteile, die Liberalen von Castro aber landeten im Zuchthaus.

Ein paar Monate später kam ein Regiment nach Castro. Mit ihm trafen fünfzig Gendarmen ein unter der Führung eines Mannes, der durch seinen Haß gegen die Liberalen und die Grausamkeiten, die er an ihnen verübte, in ganz Sizilien berüchtigt war. Neben dem Namen Maniscalco verhieß der des Leutnants Desimone Kerker und Tod, denn dieser Mann war Salvatore Maniscalcos rechte Hand, sein brutaler Vollstrecker. Ich erinnere mich genau, wie ich ihn an jenem Tag – es war kurz vor Frühlingsanfang, denn ich glaube noch den leicht bitteren Duft der blühenden Mandelbäume im Park des Barons Garziano zu spüren – erblickte: eine venöse Nase, unstete Schweinsaugen, kurze, schlanke Beine unter einem faßähnlichen Wanst. Und er war lustig, lachte immerzu und klopfte dem Baron herzhaft auf die Schultern. Zum Zeichen schelmischen Einvernehmens kitzelte er ihn mit dem Zeigefinger am Bauch. Auch der Baron lachte, beide tranken Wein und wieherten. Leutnant Desimone trank nur Wein. Als der Baron ihm Kaffee anbot, platzte er lachend heraus: »Sagten Sie Kaffee? Sie wollen mir Kaffee geben? Wissen Sie, wie ich den Kaffee nenne?« Er flüsterte es ihm ins Ohr, und der Baron krümmte sich vor Lachen. »Setzen Sie mir Wein vor, wie es gottgefällig ist, denn der Wein ist ein Getränk der Engel.« Der Baron befahl dem Diener, gleich mehrere Karaffen zu bringen, und zwar vom Jahrgang 1837.

Beim Wein wuchs das Vertrauen zwischen dem Baron und dem Leutnant. Sie unterhielten sich über die Feinde der Ordnung, die es in Castro gebe, und über die Frauen in Palermo und in Trapani. Der Baron pries die Frauen von Trapani, Desimone schwor, in Palermo seien sie zweifellos wegen ihrer Geldgier und ihrer Launenhaftigkeit am feurigsten. Über die Syrakuserinnen waren sie einer Meinung. Der Baron kannte eine, der Leutnant ebenfalls. »Aber eine große Dame, mein lieber Baron, ein Ding, nach dem man sich die Finger leckt ... etwas Griechisches ...« Der Baron stimmte ihm zu: »Sie haben recht, die Syrakuserinnen haben etwas Griechisches. Jene, die ich ... Sie verstehen ... Sie war eine Statue, vollkommen wie eine Statue, und sie machte mir zuliebe Sachen. Sachen, sage ich Ihnen ...«

Am Abend sah ich dann die elf verhafteten Liberalen an der Mauer des San-Michele-Klosters lehnen, umringt von Soldaten und Gendarmen; die Hände waren ihnen gefesselt und aneinandergekettet. Der unstet flackernde gelbe Schein der Laternen ließ das Gesicht des Apothekers Napoli aus dem Dunkel auftauchen, das Gesicht Don Giuseppe Nicastros und der anderen, die ich nicht so gut kannte, Gesichter, die zu fiebern schienen oder wie versteinert waren vor Entsetzen. Hinter dem dichten Ring der Soldaten standen Einwohner der Stadt. Die Nachricht, daß die Verhafteten erschossen würden, hatte sich verbreitet, und das Volk war herbeigeeilt und staute sich stumm vor dem Kloster. Aber Leutnant Desimone wollte sich nur einen Spaß erlauben. Ein paar Stunden später ließ er die Häftlinge auf die Gendarmeriewache bringen und kehrte befriedigt ins Schloß Garziano zurück, um dem Baron von dem Scherz zu erzählen und sich ein gutes Mahl zu gönnen.

Signor Gaetano Peruzzo behauptet auf Seite 187 seiner »Geschichte der Stadt Castro«: »Deutliche Anzeichen sprechen dafür, daß die Verhaftungen des Jahres 1850 auf Betreiben des Monsignor Calabrò erfolgt sind, der in einem Komplott mit dem königlichen Richter und einer angesehenen Persönlichkeit der

Stadt war, deren Name verschwiegen werden sollte, nicht nur mit Rücksicht auf die Interessen der Heimatstadt, sondern vor allem, weil diese Persönlichkeit, in dem Bestreben, ihre traurige Vergangenheit wiedergutzumachen, bei den Ereignissen des Jahres 1860 uneigennützig die Sache Garibaldis gefördert hat.« Und aufgrund deutlicher Anzeichen erkennen alle Bürger der Stadt Castro in der Persönlichkeit, deren Namen Peruzzo verschweigt, den Baron Garziano. Peruzzo fügt hinzu, daß der Bischof »zu diesem Komplott durch die Haltung von uns Jugendlichen veranlaßt wurde, die in Dingen der Religion Gleichgültigkeit und Spott an den Tag legten und jeder seelsorgerischen Zeremonie und Zusammenkunft fernblieben. Die kleine Freudenkundgebung bei der Vorbeifahrt des Geschwaders der königlich britischen Marine diente dazu, uns unter rechtlichem Vorwand zu verhaften«. Diese Behauptungen werden durch die Tatsache erhärtet, daß sich die Angehörigen der Verhafteten zunächst mit einem Gnadengesuch an den Bischof und dann erst an die königlichen Behörden wandten, ebenso dadurch, daß der Bischof, obwohl er versicherte, unbeteiligt zu sein, zu verstehen gab, daß ihm Reueerklärungen der Verhafteten willkommen wären und ihn möglicherweise zur Fürsprache bewegen könnten. Einige ließen sich dann auch von ihren Familienangehörigen überreden, an den Bischof zu schreiben, und ihnen wurde eine Art Prozeßliquidation gewährt, die ihr Schicksal von dem weit schlimmeren Los jener trennte, die sich geweigert hatten, sich an den Bischof zu wenden. Wie es auch sein mag, die elf Festnahmen stürzten ebensoviele Familien Castros in Kummer und Not. Ganze Vermögen flossen in die Hände von Richtern, Anwälten, Häschern, Gefangenenwärtern und Mafiahäuptlingen – die Mafia garantierte den politischen Häftlingen ihren Schutz hinter Kerkermauern. Schöne Mädchen mit reicher Mitgift wurden in Ehen mit alten Richtern und Beamten geopfert. In Castro bewahrt man noch das Andenken an die Hochzeit der Schwester Don Vito Bonsignores, eines der im Jahre 1850 Verhafteten, mit einem greisen Richter am Tribunal von Trapani. Ein Mädchen von fünfzehn oder sechzehn Jahren, das mir wie eine zarte, unberührte Magnolienblüte erschien. So viel vermag weit über das rechte und zulässige Maß hinaus in unseren Gegenden die Liebe der Familienangehörigen.

Jahre vergingen. Für die Liberalen von Castro, die in den Zellen auf Favignana schmachteten, war der Schmerz in den Knochen das Maß der Jahreszeiten, das schmerzende Skelett im ausgemergelten Körper, ein Skelett, das Risse bekam im eisigen Tode. Für andere, die so nachgiebig gewesen waren, um Gnade zu flehen, war das Geläut fremder Glocken das Maß der langen Tage, der Glocken von Castelvetrano oder Girgenti, die die Stunden der erträglicheren Deportation zählten, jedoch Verzweiflung und Schwermut weckten. Und andere wieder maßen die Zeit des Exils auf Malta im Rhythmus der Druckpressen, aus denen die Manifeste und Broschüren hervorgingen, bestimmt, den Meeresarm zu überqueren, der sie unerbittlich von Sizilien trennte, von Sizilien, das so nahe war, daß man es an klaren Tagen fast mit der Hand greifen konnte.

Wesentlich gnädiger meinte es die Zeit mit dem Baron Garziano. Vielleicht trugen gerade die familiären Sorgen dazu bei, seiner Existenz jene Note dramatischer Wandlung zu verleihen, die er benötigte, um daran Geschmack zu finden. So bekam unter anderem Rosalia ein Kind. Und dieses Ereignis, das Donna Concettina das Leben noch mehr vergällte, verlieh dem Baron wieder den jugendlichen Überschwang und ließ ihn die noch immer unerschütterliche Berufung Vincenzinos gleichmütig ertragen. Vielleicht hatte er auch schon den Plan, diesen zweiten Sohn zu legitimieren, der ihm, wie er behauptete, so sehr ähnelte, daß er einer nach seinem Abbild geschaffenen kleinen Preßform entsprungen schien.

Cristina wurde mittlerweile immer schöner und unnahbarer – unnahbarer für mich. Sie spielte nicht mehr, sie kam nicht einmal mehr in den Park. In ihrem Aufblühen spürte Donna Concettina den Geruch der Versuchung, deshalb ließ sie sie nicht einen Schritt allein tun. Fast immer sah ich sie am Fenster des Arbeitszimmers, wie Donna Concettina es nannte, über ein Klöppelkissen gebeugt, das sich unter ihren Fingern mit rankenden Blumen bedeckte. Ein zartes Profil, gleichsam nach hinten gezogen von dem schweren Knoten goldblonden Haars. Ich liebte sie, aber es war ein unklares Gefühl: zart und hohl wie eine Ähre, die sprießt, ohne zu körnen. Täglich gegenwärtig, lebte sie bereits in mir wie in den Gefilden des Rückerinnerns, eine wehmütige

Erinnerung, eine schwache, zarte Ähre, die kein Brot gibt. Es hieß, sie sei bereits mit einem stattlichen Manne aus Castelvetrano verlobt, der sehr reich war und doppelt so alt wie sie. Ich empfand eine gewisse Erleichterung, wenn ich daran dachte, daß sie nach der Hochzeit wegziehen würde. Ich würde sie dann nie wiedersehen und sie mir immer so vorstellen, wie ich sie am Fenster erblickte, ein mädchenhaftes Profil, leicht und ätherisch wie der Neumond.

Ich las viel in jener Zeit. Ich verkroch mich in die entlegensten Winkel des Parks, um zu lesen. Und durch diese Leidenschaft, die mich gepackt hatte, Bücher zu lesen und über sie nachzudenken, wurde ich zerstreut und ein wenig wunderlich. Mein Vater glaubte, die Lektüre vergifte mich, und hielt mir Predigten, die gespickt waren mit Sentenzen und Sprichwörtern: »Lieber ein lebendiger Esel sein als ein toter Doktor«, »Ein lahmer Esel freut sich seines Lebens«, »Die beste Jugend in die Vicaria«. Dieses letzte Sprichwort neuester Prägung spielte auf meine Haßgefühle an, die in mir gegen den Bourbonen keimten. Denn die beste Jugend Siziliens hegte solche Gefühle, und die Kerkerzellen der Vicaria in Palermo verschlangen einen beträchtlichen Teil dieser Jugend.

Um mich dem Gift dieser Lektüre zu entziehen, fand mein Vater, vielleicht mit Unterstützung des Barons, eine Anstellung für mich in einer Filiale der Wodehouse, die in Marsala eine Weinkellerei besaßen und auch in unserem Ort Lagerhäuser und ein Büro hatten. Aber die Arbeit lenkte mich nicht vom Lesen ab, im Gegenteil, sie diente mir, Verbindungen mit liberal gesinnten Männern im Ort selbst und in Marsala und Castelvetrano anzuknüpfen. Dadurch war ich dem Zuchthaus viel näher, als mein Vater ahnen konnte.

Die Zeiten wandelten sich unmerklich. Damals spürte ich es nicht so, denn ich sah die Zeit vor mir wie einen Felsen, den ich mit den Schultern hätte weiterschieben mögen, um mich hinterherzustürzen; aber wenn ich jetzt zurückschaue, dann erkenne ich, wie die Zeit in den zehn Jahren von 1850 bis 1860 in dem Sinne gewirkt hat, die Gefühle der Menschen und gar das Gesicht der Dinge zu verändern. Schon nach den Verhaftungen im Jahr 1850 kam ein Unterpräfekt nach Castro, der sich nur um seine

149

vielköpfige Familie und um die öffentliche Verwaltung kümmerte. Denunzianten schenkte er kein Gehör, und anonyme Briefe
beachtete er nicht. Dafür besuchte er Bürger, die als Liberale
bekannt waren, schützte sie und machte sie auf alles aufmerksam, was ihnen schaden konnte. Später gesellte sich ein königli-
cher Richter von gleicher Gesinnung hinzu, so daß sich die Polizei im Leeren bewegte, wie ein Zahnrad, das plötzlich nicht mehr
in andere Räder greifen kann. Ein weiteres Zeichen der veränder-
ten Lage war es, daß alle Versuche des Bischofs und des Barons,
den Richter und den Unterpräfekten aus Castro abberufen zu
lassen, fehlschlugen. Vielmehr wurde der Bischof im Jahre 1854
in eine Diözese Kalabriens versetzt, mitten im Gebirge, und darüber grämte er sich so sehr, daß er, wie berichtet wurde, daran
starb. Diese Diözese war sehr arm und wurde von Räubern unsicher gemacht, die sich durch unvergleichliche Grausamkeiten
hervortaten. Der neue Bischof mischte sich weniger in die Angelegenheiten der Polizei ein, er widmete sich ganz der Erneuerung
des Seminars und der Gesundung der Finanzen, die Monsignor
Calabrò aus unerfindlichen Gründen in heilloser Unordnung zu-
rückgelassen hatte.

Castro, bislang ein Ort am Meer, der selbst keine Fischer hatte
und Fische stets aus Trapani oder Marsala bezog, begann nun,
sein Glück auf dem Meer zu versuchen. Abends fuhren jetzt
Boote auf Fischfang aus, nicht mehr als ein Dutzend, aber es
genügte, die Stadt mit billigem Fisch zu versorgen. Und es gab
auch schon etliche Frachtkähne, die, von einheimischen Kaufleu-
ten ausgerüstet, in See stachen, um getrocknete Feigen und Wein
sogar nach Malta zu bringen. Aufgrund der starken Nachfrage
der Engländer begannen Weinberge die Landschaft ringsum zu
beleben und lieblicher zu machen. Es gab zwar Mißernten, weil
die Reblaus die Stöcke befiel. Insgesamt aber erneuerte sich das
Leben der Stadt, es wurde erträglicher.

Dem Baron schien es, daß von Tag zu Tag alles schlechter
wurde: ein Richter und ein Unterpräfekt, die im Einvernehmen
mit den Feinden der Ordnung und des Königs standen, und ein
Bischof, der sich nur um die Angelegenheiten der Kirche und des
Seminars kümmerte. Seit dem Besuch des Leutnants Desimone
hatte er bis zu Garibaldis Ankunft nur die eine Genugtuung, daß

Pisacanes Expedition fehlschlug. »Ein schönes Ende haben die genommen, aufgespießt auf die Mistgabeln der Bauern! Das ist die richtige Art, diese Feinde Gottes zu behandeln! Mit Mistgabeln. Und ihr Anführer mit diesem komischen Hundenamen Pisacane ist auch wie ein Hund krepiert.«

Im Frühling desselben Jahres, in dem Pisacane seine Expedition unternahm, ehelichte Cristina Don Saverio Valenti aus Castelvetrano, den der Baron Garziano für einen treuen Anhänger des Bourbonen hielt, zumal da die Familie Valenti dem König Ferdinand einen Minister gegeben hatte, der noch amtierte, und einen Generalstatthalter, der wenige Jahre zuvor gestorben war. Aber der Schwiegersohn entpuppte sich bald als anfällig für aufrührerische Ideen, und später, bei den Unruhen am 4. April 1860, die in Castelvetrano stürmischer verliefen als in Castro, kompromittierte er sich so sehr, daß er verhaftet und mit vielen anderen in das Gefängnis von Trapani gebracht wurde.

Am 4. April 1860 geschah in Castro nichts, abgesehen davon, daß einige Polizisten beschimpft und ein Paar Lilienwappen abgerissen wurden. Der Unterpräfekt und der Richter taten wie gewohnt, als hätten sie die flammenden Reden im Kasino und auf dem Marktplatz nicht gehört. Als man erfuhr, daß die Revolution in Palermo und in anderen Städten mißglückt sei, verließen jene, die sich in Castro mit Worten und durch verächtliche Handlungen gegenüber der Regierung bloßgestellt hatten, für ein paar Tage den Ort. Auch ich enfernte mich unter dem Vorwand, die Arbeit rufe mich nach Marsala. Als ich dann erfuhr, daß in Castro nichts gegen uns unternommen wurde, kehrte ich schleunigst zurück. Der Baron, der nun wußte, welchen Sinnes ich war, sagte, als er mich nach meiner Rückkehr aus Marsala traf: »Wie, ihr wolltet wieder ein Jahr achtundvierzig? Blinde Narren seid ihr, du und alle die anderen, und auch mein unglückseliger Schwiegersohn.« Ich erwiderte nichts, um mir und meinem Vater keine Scherereien zu machen.

Zwei oder drei Tage nach dieser Begegnung mit dem Baron hatte ich in einer Schmiede an der höchsten Stelle der Stadt zu tun. Da vernahm ich in einer Pause des Hämmerns, als sich die Stille plötzlich wie Wasser ausbreitete, einen dumpfen Laut in der Ferne, der sich lange hinzog und mit einer Kadenz endete. Ich glaubte schon, es sei eine der üblichen Schießübungen, die die englischen Schiffe veranstalteten. Aber der Gedanke, daß die Aprilunruhen in den Städten noch nicht völlig beendet waren, versetzte mich in erwartungsvolle Spannung und Erregung. Ich lief in die Stadt hinunter und benachrichtigte meine Freunde. Gemeinsam stiegen wir auf einen Hügel, um die Schüsse besser zu hören. Dann beschlossen wir, einen von uns zu Pferde nach Marsala zu schicken. Das Los traf Vito Costa, einen Jüngling in meinem Alter, der später in der Schlacht bei Milazzo fiel. Aber er brauchte nicht bis nach Marsala zu reiten, denn auf halbem Wege begegnete er Giuseppe Calà, der uns von unseren Freunden aus Marsala die Nachricht von Garibaldis Landung überbrachte. Als uns diese Nachricht erreichte, war es bereits Abend geworden. Wir riefen auf dem Markt: »Es lebe Garibaldi, es lebe die Freiheit!«, trommelten die Leute zusammen und hielten Ansprachen. Ich hätte am liebsten die ganze Welt umarmt. Die Freude trieb mir die Tränen in die Augen.

Als ich zu vorgerückter Stunde nach Hause kam und leise an die Tür klopfte, vernahm ich aus einem Fenster über mir die Stimme des Barons. Ich schaute hinauf und erblickte sein Gesicht wie einen weißen Fleck in der Dunkelheit. »Gelandet ist er, wie? Ihr freut euch alle, aber morgen werdet ihr es zu spüren bekommen, wenn die Truppen des Königs aus ihm und aus all den Verbrechern, die bei ihm sind, Hackfleisch machen ... Er wird noch schlimmer enden als jener – wie hieß er doch? –, der einen Hund in seinem Namen hatte ... Wir werden uns morgen sprechen ...« Krachend schlug er das Fenster zu.

Am nächsten Tage jedoch wand sich der Baron und wetterte: »Lumpen, alles Lumpen, die Admirale und Generale. Verdammte Verräter. Wie konnten sie eine Handvoll Strauchdiebe an Land lassen! Vier gutgezielte Kanonenschüsse hätten genügt, sie auf den Meeresgrund zu schicken. Statt dessen lassen sie sie vorrücken. Es fehlt nicht viel, und wir sehen sie hier in Castro.«

Bis zum Fünfzehnten blieb Garibaldi in Salemi, und der Baron erhielt die Nachricht, daß sich das Königliche Heer darauf vorbereite, jenen Banditen eine Schlacht zu liefern. Viele junge Männer aus Castro waren schon aufgebrochen, um zu Garibaldi zu stoßen. Am Morgen des Sechzehnten machte ich mich auf, konnte aber an der Schlacht von Calatafimi nicht mehr teilnehmen. Von einer Anhöhe aus beobachtete ich die mühevollen Angriffe der Garibaldiner, die wie Wogen gegen eine feste Mauer prallten. Dann begann die Mauer zu bröckeln, aus dem Tal stieg die Woge der Männer empor, wie gestützt durch ununterbrochene Trompetenstöße. In dem Gewirr von blauen Jacken und roten Hemden versank plötzlich eine Trikolore. Ein Augenblick der Verwirrung trat ein in den Reihen der Männer, die aufwärts stürmten. Aber durch einen neuen Sprung nach vorn schienen sie wieder Atem geschöpft zu haben. Schon traten auch die Neapolitaner jenseits der Widerstandslinie, die von genau und sicher zielenden Schützen gehalten wurde – man sah viele Garibaldiner getroffen den Abhang hinunterrollen –, den Rückzug an. Die Mauer wurde schwächer, dann war es, als würde sie mit einemmal überflutet, auch die Schützen wichen zurück und flüchteten. Die Garibaldiner hatten die Höhe erobert, erschöpft sanken sie darauf nieder.

Genau vermag ich nicht zu sagen, wie lange der Kampf gedauert hat. Alles ist so verworren in meiner Erinnerung. Ein Chaos von Farben und Schüssen, die Fahne, die immer wieder verschwand, die Agonie jenes Trompetentons. Und dann die Toten, von weitem konnte man sogar die gefallenen Garibaldiner von den Neapolitanern unterscheiden. Dem Schlachtenlärm folgte eine Stille, die den in der Sonne liegenden Toten gehörte, eine Stille, in der es vor Fäulnis gärte. Doch wir hatten gesiegt, und das zählte. Während die Schlacht tobte, hatte ich geweint, und beim Angriff schaute ich gespannt nach Garibaldi aus, konnte ihn aber nicht entdecken, obwohl alle ringsum riefen: »Da ist Garibaldi, er ist es, dicht neben der Fahne, weiter links, der mit dem gehobenen Säbel.« Ich wußte nicht genau, wie Garibaldi aussah, und ich hatte geglaubt, eine Schlacht würde in der Ordnung geschlagen, in der die Soldaten auf der Straße marschierten, voran der Kommandeur. Und nun war eine Schlacht nichts als ein konfuses Morden; Männer, die sich in wilden Haufen auf andere Männer stürzten, die in gleicher Unordnung Widerstand leisteten und dann zurückwichen.

Der Abend senkte sich eiskalt, mit Sternengefunkel, auf die Toten von Calatafimi herab.

Einige Tage später marschierten wir Castro zu. Oberst Türr ritt, entgegengesetzt zur Marschrichtung, an uns vorbei und rief, er suche einen Mann aus dem Ort, dem wir uns näherten; er müsse aber im Rechnen bewandert sein. Ich folgte ihm, konnte mir jedoch nicht erklären, warum er einen Ortsansässigen haben wollte, der rechnen könne. Er erklärte mir, daß Schafe ausfindig gemacht werden müßten, und fragte, ob es in der Umgebung von Castro Schafe gebe und wie viele wir wohl brauchten. Ich dachte gleich an das Gut von Fontana Grande und glaubte, es wäre ein guter Scherz, die Garibaldiner die Schafe des Barons Garziano aufessen zu lassen. Ich fragte den Oberst, wie viele Schafe denn nötig seien, ich wüßte schon, wo ich sie finden würde. Der Oberst entgegnete: »Deshalb wollte ich ja einen haben, der rechnen kann. Ich sage dir nur, daß etwa tausendfünfhundert Rationen zubereitet werden müssen, jede zu vierhundert Gramm. Nun sieh zu, wie du mit den Rotoli und den halben Rotoli rasch zu Rande kommst, wandle sie in Kilogramm um und dann in Schafe. Ich will nur wissen, wie viele Schafe wir brauchen.« Ich überschlug es im Kopf, hatte aber große Angst, mich zu irren. Schließlich antwortete ich: »Siebenunddreißig Schafe.« Oberst Türr klopfte mir lächelnd auf die Schulter und rief aus: »Bravo, geh nicht fort, du sagst mir dann, woher ich sie nehmen soll.« So war ich denn Garibaldi näher, als ich mir je hätte träumen lassen, und freute mich bei dem Gedanken, was der Baron sagen würde, wenn er von dem Verlust seiner siebenunddreißig Schafe erfuhr.

Wir marschierten in praller Sonne. Der Staub vermengte sich mit Schweiß, unsere Augenbrauen waren weiß vor Staub. Aber aus den Reihen erklangen Lieder, Liebeslieder der Venezianer und Ligurier. Und die Sizilianer sangen eins, das mit obszönen Worten Franceschiello und die Königin verspottete:

> »La palummedda bianca
> ci muzzica lu pedi,
> la p . . . di to' muglieri
> a Palermo 'un ci veni cchiú . . .«

Es war ein Lied aus dem Jahre 1848, auf Ferdinand gemünzt und nun auf Francesco umgedichtet. Wenn die Lieder verstummten, hörte man das Getreide im heißen Landwind rauschen, und man

154

hatte Lust, sich in die Äcker zu schlagen und zwischen den hohen Ähren zu schlafen.

Schließlich tauchte Castro vor unseren Blicken auf, so weiß, daß es im Sonnenglast zu glühen schien, eine Stadt, die ich zum erstenmal zu sehen glaubte, und doch erkannte ich zwischen den Häusern das Grün des Parks, das Schloß Garziano, das Kloster San Michele und den Bischofspalast. Und das Spitzbogentor, in das die Spitze unserer Kolonne gerade einbog, war sehr wohl die Porta Trapani. Vor dem Tor standen Menschen und Wagen am Straßenrand. Ich ritt hinter Garibaldi, Türr und Sirtori und vier oder fünf anderen Offizieren, die ich noch nicht kannte. Dann kam quietschend im müden Schritt der beiden Pferde der Wagen der Intendantur, und Oberst Carinis Einheit schloß den Zug. Die Offiziere hielten die Pferde vor den wartenden Menschen an und saßen ab. Jetzt erkannte ich auch den Baron Garziano wieder, in dunklem Anzug, eine dreifarbige Kokarde an der Brust, groß wie ein Stück Kuchen, das Gesicht verklärt von ungezügelter Freude. Neben sich hatte er seinen Schwiegersohn und Don Cecé Melisenda, und mit ihm waren alle aus dem Kasino; auch meine Freunde waren dabei, die wenigen echten Liberalen in Castro. Da der Baron vor allen anderen stand, reichte Garibaldi ihm die Rechte. Der Baron drückte sie ergeben und schien aus Dankbarkeit und vor Freude in Tränen ausbrechen zu wollen.

Mir kam es vor, als träumte ich. Und wirklich taten Sonne und Müdigkeit das ihre und gaukelten mir das Bild des Barons Garziano mit der Kokarde, Garibaldis Hand bewegt in seinen Händen haltend, wie einen Traum vor. Meinen Vater bemerkte ich erst, als er mit dem Peitschenstiel meine Schulter berührte. Er saß auf dem Kutschbock, den grünlichen Käsehut auf dem Kopf, und wirkte wie ein bejammernswerter Greis. »Setz dich neben mich«, forderte er mich auf, »du fällst sonst um.« Aber ich wollte Oberst Türr nicht aus den Augen verlieren und kletterte erst auf den Sitz neben meinen Vater, als ich sah, daß Garibaldi mit Türr und dem Baron in unsere Kutsche stieg. Türr entdeckte mich und sagte: »Bravo, bleib in meiner Nähe, die Schafe mußt du mir finden.« Der Baron fragte: »Schafe suchen Sie? In Fontana Grande, auf meinem Gutshof ... Sie können nehmen, so viele Sie wollen.« Ich fühlte mich noch müder und enttäuschter.

155

Später erzählte mir mein Vater alles, was sich im Hause des Barons nach meinem Weggang abgespielt hatte. In der Nacht war der Schwiegersohn eingetroffen. Aus dem Gefängnis von Trapani befreit, hatte er sich Garibaldi in Calatafimi angeschlossen und war nach dem Sieg nach Castro geeilt, um den Schwiegervater zu warnen und ihn für die neue Entwicklung zu gewinnen. Der Baron hatte zunächst heftig reagiert, ihn Verräter und Verbrecher genannt, war dann über die Generale des Königs hergezogen, schließlich über den König, der sich wie ein Blöder habe täuschen und verraten lassen. Zu guter Letzt erklärte er, angesichts der neuen Sachlage sei es an der Zeit, daß sich jeder um seine eigenen Angelegenheiten kümmere, und wenn der König nicht imstande sei, sich um seine zu kümmern, dann möge er eben enden, wie er wolle. »Ich pfeife auf sein Schicksal und weiß, was ich für mich zu tun habe.« Und gleich habe er begonnen, im Haus alles um und um zu kehren, die Bilder und Stiche des Königs und der königlichen Familie von den Wänden zu reißen – eine ganze Serie farbiger Stiche, die Szenen von Ferdinandos Besuchsreise in Sizilien darstellte –, ferner ein Porträt Pius' IX. und ein Bild von Donna Concettinas Bruder, der eine sehr hohe Stellung in Neapel bekleidete, mit Zweispitz, die Brust voller Auszeichnungen. Durch den Lärm aus dem Schlaf gerissen, lief Donna Concettina in Nachthemd und Nachthaube die Treppe herunter und wollte die Ursache dieser Betriebsamkeit ergründen. Der Baron antwortete ihr, General Garibaldi werde in Castro einziehen, und man müsse das Haus darauf vorbereiten, um ihn würdig empfangen zu können.

Donna Concettina, in ihrer Schlaftrunkenheit noch begriffsstutziger als sonst, fragte: »General Garibaldi? Wer ist denn das?«

Der Baron geriet in Wut. »Was? Sie wissen nicht, wer General Garibaldi ist? Er ist im Begriff, die Welt auf den Kopf zu stellen; seit einer Woche reden wir von nichts anderem als von ihm, und Sie fragen, wer das ist ... Leben Sie denn auf dem Mond?«

Donna Concettina hatte sich wieder in der Gewalt, wandte sich an den Schwiegersohn und bat: »Wiederholen Sie mir,

was Ihr Schwiegervater gesagt hat.« Der Baron stieß eine Verwünschung aus, der Schwiegersohn sprach: »Er sagte, daß General Garibaldi nach Castro kommt.«

»Ich höre zum erstenmal von einem General Garibaldi«, erwiderte Donna Concettina. »Heute abend, bevor ich zu Bett ging,
ließ mich Ihr Schwiegervater wissen, es sei Gefahr im Anzuge,
ein Räuber namens Garibaldi komme nach Castro. Fragen Sie
ihn, ob es vielleicht so ist, daß Seine Majestät der König Francesco den Räuber zum General ernannt hat. Ich glaube, etwas Ähnliches ist schon einmal geschehen.«

Der Baron explodierte wie ein Faß Schießpulver und fluchte.
Dann flehte er seinen Schwiegersohn an, Donna Concettina wegzubringen. »Wenn nicht«, rief er aus, »dann bringe ich sie um
und bin sie ein für allemal los.« Während sich der Schwiegersohn
bemühte, Donna Concettina zu bewegen, wieder ins Bett zu gehen, nahm mein Vater das Porträt Pius' IX. von der Wand. Da
schrie die Baronin: »Hände weg von dem Porträt!«

Der Baron verlangte: »Holen Sie es herunter!« Und seine Frau
fuhr er an: »Wenn, Gott behüte, General Garibaldi das Bild sieht,
dann gehen wir alle mitsamt diesem Haus in Flammen auf. Wissen Sie denn nicht, wie er zu dem Papst steht? Sie sind wie Hund
und Katze.«

»Richten Sie Ihrem Schwiegervater aus«, sagte Donna Concettina weinend, »daß ich es zufrieden bin, wie er sagt, in Flammen
aufzugehen. Aber das Bild Seiner Heiligkeit muß an seinem Platz
bleiben. Mehr noch: Sagen Sie ihm, wenn dieser Mann, gleich-
viel ob General oder Räuber, dieses Haus betritt, dann werde ich
schreien wie eine Wahnsinnige. Ich lasse mich umbringen, lasse
alles verbrennen, aber ein Feind Gottes wird das Haus nicht be-
treten.«

Der Baron war nahe daran, einen Schlaganfall zu bekommen.
Er flehte und drohte, gräßliche Flüche wechselten ab mit sanften
Ausdrücken der Zuneigung. Er meinte, ginge es nach ihm, so
würde er Garibaldi gern den Giftkloß reichen, den man den Hunden gibt. Aber er habe nun einmal gesiegt, dieser Räuber, da sei
nichts zu machen, und schließlich seien noch die Kinder da, Vincenzino und Cristina. »Denken Sie nicht an die Zukunft, an ihr
Heil?« Zu guter Letzt kam ein Kompromiß zustande: Garibaldi

157

würde im Hause empfangen werden, aber als Sühne für diese Sünde sollte der Baron neben dem Schloß eine Kirche bauen lassen, eine Kirche für Donna Concettina allein, und zwar einem Heiligen geweiht, dem das Amt zufiele, zwischen der Schuld der Garziano und der Barmherzigkeit Gottes zu vermitteln. Besänftigt sagte Donna Concettina, sie werde sich für den heiligen Ignatius entscheiden, dem sie sich besonders verbunden fühle durch ihren Onkel, den Jesuiten, der im Orient als Märtyrer gestorben sei.

So steht denn heute in Castro neben dem Schloß, in dem ein Gedenkstein eingemauert wurde, der an Garibaldis Aufenthalt erinnert, die Kirche des heiligen Ignatius.

Der Baron ließ im Park Tische herrichten. Karaffen mit Wein wurden angeboten, Brezeln und Zuckerbrot. Unter den Bäumen standen in einer Reihe die Eiskübel, an den Ästen hingen die dreifarbigen Fähnchen. Der Baron sagte: »Sie, meine Herren, sind Gäste meines Hauses, und zwar alle, denn mein Haus ist groß, und Sie können bequem darin wohnen. Solange Sie in Castro bleiben, wird es für mich eine Ehre und ein Vergnügen sein, Sie zu bewirten. Verlangen Sie alles, was Sie brauchen, tun Sie sich keinen Zwang an.« Und dem Obersten Türr versprach er: »Die Schafe werden in einer Stunde hiersein, auch die Rinder. Alles, was ich besitze, steht Ihnen zur Verfügung, alles.«

Er entfernte sich, um der Dienerschaft Anweisungen zu geben. Beschwingt wie ein Falter, streifte er die Gruppen, in denen Garibaldis Offiziere und Castros Bürger standen, und jeder Gruppe warf er Komplimente und Scherzworte zu. Garibaldi, der ihm mit einem Blick folgte, sagte: »Diese Sizilianer! Was für ein Herz haben sie, wie leidenschaftlich tun sie alles!«

»Ich möchte eher behaupten, General, dieser Mann bietet den ganzen Enthusiasmus der Angst für uns auf«, warf ein Jüngling ein, den ich auf unserem Marsch im Wagen der Intendantur bemerkt hatte, ein junger Mann mit klarem Profil, hoher Stirn und Augen, deren Ausdruck unablässig von Gespanntheit in Langeweile, von Sanftmut in Kälte wechselte. »Ich habe mir jetzt eine feste Meinung über die Sizilianer gebildet: Der hier scheint mir viel zu verbergen zu haben, viel, was man ihm verzeihen müßte. Und er haßt uns vielleicht.«

»Mein lieber Nievo«, wandte Garibaldi vorwurfsvoll ein.

»Ja, General«, fuhr der Jüngling fort, »Sie sind einer, der ein großes Herz hat, und in Ihrer Großherzigkeit und Ihrer Leidenschaft sehen Sie nicht die Verworfenheit, die Angst und den Haß, die sich festlich kleiden und Fahnen schwingen, um uns zu grüßen. Weil wir gesiegt haben. Wären wir in Calatafimi geblieben, dann hätten viele von diesen Herren, die uns so feiern, die uns ihre Schlösser und ihre Keller öffnen, ihre Bauern gegen uns geworfen.«

»Mein lieber Nievo«, wiederholte Garibaldi.

»Sehen Sie«, fuhr Nievo fort, »dies ist ein Volk, das nur Extreme kennt. Es gibt Sizilianer wie Carini, und es gibt Sizilianer wie . . . wie diesen Baron zum Beispiel.«

»Einverstanden, was Carini betrifft«, entgegnete Garibaldi. »Aber ich begreife nicht, warum Sie diesen Baron zum anderen Extrem zählen. Jawohl, er hat uns Schloß und Keller geöffnet, auch das ist schon viel . . . Aber ich glaube nicht, daß er eine Schuld trägt, die man ihm verzeihen müßte, und daß er uns haßt.«

»Weil ich«, erwiderte Nievo, »an die Sizilianer glaube, die wenig sprechen, die sich nicht viel bewegen, die sich innerlich aufreiben und leiden: die Armen, die uns mit müder Geste grüßen, wie aus einer Entfernung von Jahrhunderten – Oberst Carini, immer schweigsam und zurückhaltend, von Schwermut und Verdruß geplagt, aber jeden Augenblick bereit zu handeln. Ein Mann, der anscheinend nicht viele Hoffnungen hat und doch das Herz selbst der Hoffnung ist, die stumme, schwache Hoffnung der besten Sizilianer, eine Hoffnung, die, ich möchte sagen, sich selbst fürchtet, die Angst vor den Worten hat, dafür aber mit dem Tode vertraut ist. Dieses Volk muß man in dem kennenlernen und lieben, worin es schweigt, in den Worten, die es im Herzen nährt und nicht ausspricht . . .«

»Das ist Poesie«, warf Sirtori ein.

»Oh, gewiß«, bestätigte Nievo. »Aber um in Prosa zu reden, will ich Ihnen sagen, und der General möge es mir verzeihen, daß mir dieser Baron nicht gefällt. Mir gefallen auch solche Sizilianer nicht wie Cri . . .«

Garibaldi unterbrach ihn mit einer Handbewegung. »Kehren wir lieber zur Poesie zurück.«

Doch schon erschien der Baron. Sein Kammerdiener folgte ihm mit einem Gefäß voll Eis. Der Baron nahm den ersten Becher aus dem Gefäß und reichte ihn mit einer Verbeugung dem General, dann bediente er Türr und Sirtori und den jungen Mann, dessen Namen er nicht kannte. »Auch für Sie, Hauptmann«, sagte er zu ihm.

»Ich bin nicht Hauptmann«, widersprach Nievo.

Garibaldi lachte. »Er ist ein Dichter, ein Dichter, der in den Krieg gezogen ist. Er wird über unsere Siege und über das Herz der Sizilianer schreiben.«

»Das freut mich«, entgegnete der Baron, und als wollte er der Poesie eine Reverenz erweisen, deklamierte er:

»Rechts hört man einen Trompetenstoß,
links antwortet der gleiche Ton...«

Das waren zwei Verse, die er von den Feiern im Jahre achtundvierzig behalten hatte. Er wechselte jedoch sofort das Thema. »Ich habe für Sie ein Zimmer herrichten lassen, General. Wenn Sie hinaufgehen wollen, jenes dort ist es...« Er hob den Stock, um das Zimmer zu zeigen.

Ich lehnte abseits an einem Olivenstamm. In jenem Stock, der sich bewegte, in dem Blinken des Knaufs schien sich die Zeit wie ein Windtrichter zu öffnen, um mich in die Vergangenheit zurückzusaugen. Der Baron redete selbstsicher und zufrieden weiter: »Es ist das beste Zimmer, von jeder Seite Sonnenlicht, wie Sie sehen. Ich reserviere es für die berühmtesten Gäste. Viele sind schon durch dieses Zimmer gegangen! Wissen Sie, wer dort geschlafen hat? Versuchen Sie, es zu raten.«

»Wer denn?« fragte Garibaldi kühl.

Als ich den Baron anblickte, bemerkte ich, daß sein Hirn wie eine schadhafte Uhr einen Moment lang aussetzte. Seine Augen suchten verzweifelt nach Hilfe, wie die eines Schiffbrüchigen. Er bekommt einen Schlaganfall, dachte ich, jetzt stirbt er. Doch er gewann die Fassung wieder und antwortete: »Ein Verwandter meiner Frau hat dort geschlafen. Er war ein wenig wunderlich, intelligent, aber wunderlich. Stellen Sie sich vor, er schrieb Bücher, alle in lateinischer Sprache, und darin forderte er, alle Güter der Welt gemeinschaftlich zu nutzen, auch die Frauen.«

Alle lachten. Der Baron wischte sich mit einem Taschentuch das Gesicht.

Am nächsten Tage zog ich mit Garibaldis Truppen weiter, und ich nahm an allen Schlachten teil, von Ponte dell'Ammiraglio bis Capua. Dann wechselte ich als Offizier zur regulären Truppe über, doch ich desertierte, um wieder Garibaldi zu folgen, bis nach Aspromonte. Aber das ist eine andere Geschichte.

Antimon

I

Sie beschossen uns vom Kirchturm aus, mit kurzen Maschinen-
gewehrfeuerstößen oder mit gezielten Karabinerschüssen, je
nachdem, wie wir uns bewegten. Das Dorf war eine einzige Sack-
gasse: niedrige weiße Häuser, im Hintergrund eine Kirche mit
rauher Sandsteinfassade, zwei Treppenaufgängen und einem
Glockenturm, der über drei Arkaden thronte. Sie feuerten vom
Kirchturm. Wir waren vorgerückt, da wir glaubten, sie hätten das
Dorf schon verlassen; das Maschinengewehrfeuer und die Karabinerschüsse aber zwangen uns, bei den ersten Häusern haltzumachen. Unsere Kompanie bekam den Befehl, auf der anderen
Seite des Dorfes, hinter der Kirche, in Stellung zu gehen. Hinter
der Kirche aber ragte ein steiler Fels auf, der so glatt und gerade
war, daß er wie abgesägt schien. Unser Hauptmann entschloß
sich daher, uns auf dem Friedhof, der auf einem benachbarten
Hügel lag, zu postieren, in Höhe des Kirchendachs und des
Turms. Als jene das merkten, nahmen sie die Gräber unter Be-
schuß.

Eine ganze Stunde schon kniete ich hinter einer Grabsäule und
preßte das Gesicht an den Marmor, um mich abzukühlen. Mein
Kopf briet unter dem glühend heißen Stahlhelm, die Luft vibrierte in dem Sonnenglast, als käme sie aus dem Schlund eines Back-
ofens. Rechts von mir, in dem Bogen einer Familienkapelle, standen der Hauptmann und ein Journalist, den ich kannte, starr, wie
festgenagelt, an der Tür; die geringste Bewegung konnte sie zur
Zielscheibe machen. Wenn ich die Augen nach links wandte, sah
ich Venturas Profil hinter einer dicken Marmorplatte – wir blieben bei jeder Aktion zusammen. Die Platte trug eine lange Auf-

schrift, unter der in großen Lettern die Worte »subió al cielo« prangten, und sie begannen mir auf einmal vor den Augen und im Kopf zu tanzen, als entsprängen die Buchstaben einer nach dem anderen flammend einer Schmiede. Für mich, des war ich gewiß, war die Stunde des Aufsteigens in den Himmel noch nicht gekommen, und wenn, dann wäre es schon besser gewesen, in die Erde hinunterzusteigen, die feucht an den Wurzeln der Bäume klebt. Sicherlich war auch der Soldat nicht zum Himmel aufgefahren, der von der Gruft vor mir in den Schatten der Kapelle hatte flüchten wollen. Sein Kopf war zerschmettert, und sein hagerer Leib schwoll jetzt an wie ein Schlauch. Wir hatten vierzig Grad im Schatten, wie der Hauptmann sagte, im Schatten der Kapelle, wo er stand.

»Die Moros kommen«, raunte Ventura mir zu.

Sie liefen geduckt auf uns zu, wie zusammengerollt. Die im Kirchturm lenkten das Feuer auf sie. Der Hauptmann und der Journalist reckten die Hälse wie Giraffen und preßten ihre Körper noch immer an die Kapellentür. Ein Geschoß pfiff dicht über ihre Köpfe hinweg. Das Monokel des Journalisten fiel auf die Stufen und zersplitterte mit silbrigem Ton. »Diese verdammten Roten«, rief er aus. Doch er hatte ein zweites Monokel in der Tasche. Er wickelte es aus dem Seidenpapier und klemmte es sich vors Auge. Ich kannte ihn, er stammte aus meinem Dorf. Ohne Monokel konnte er nicht leben. Ich hatte ihn noch als jungen Mann in Erinnerung. Damals, im Jahre zweiundzwanzig, lief er im schwarzen Hemd herum, einen steifen Strohhut auf dem Kopf, am Handgelenk einen Ochsenziemer und das obligate Monokel im Auge. Seine Freunde nannten ihn spöttisch »Graf«. Er war der Sohn eines alten Wucherers. Im Sommer 1922 hatte er das Gewerkschaftshaus in Brand gesteckt – nicht viel hatte gefehlt, und das ganze Dorf wäre in Flammen aufgegangen. Dann zog er fort. Ich hatte keine Ahnung, daß er Journalist geworden war. Vor zehn Jahren erschien er zum letztenmal im Dorf, um im Gemeindetheater einen Vortrag über D'Annunzio zu halten. Ich höre gern etwas über Bücher, aber nach dem zu urteilen, was er sagte, gefiel mir D'Annunzio nicht. Hier in Spanien traf ich ihn wieder. Ich gab mich ihm zu erkennen, denn in der Fremde ist es eine Freude, jemandem aus der engeren Heimat zu begegnen, obschon

164

ich ihn zu Hause aus Abneigung gemieden hatte. Er sei zufrieden, sagte er, einen Mitbürger zu treffen, der seinem Vaterland auf spanischem Boden diene. »Bravo«, rief er aus, »erweisen wir uns dieser Ehre würdig!« Nichts hatte er begriffen.

Die Moros mußten Federn lassen. Von meinem Standort aus sah ich zwei Gefallene mit ausgebreiteten Armen liegen, das Gesicht der Sonne zugewandt. »Cara al sol«, lautete der Anfang der falangistischen Hymne. Die Gesichter der Toten wurden von der Sonne zerfressen. Die Hymne meinte die Lebenden, die der Sonne entgegenmarschieren. Für mich stand die Sonne im Wappen des Todes. Unsere Maschinengewehre ratterten wütend. Das Eingreifen der Marokkaner flößte immer Mut ein, allein dadurch, daß sie die waghalsigsten Aktionen mit Begeisterung ausführten.

Im Kirchturm konnten nicht mehr als vier Mann mit zwei Maschinengewehren stecken. Auf einmal verstummte das MG im Turm, nur die Karabiner knallten gleichmäßig weiter. Dieses Knallen erinnerte mich an einen längst vergangenen Sommertag: Banditen schossen von den Felsen herab auf Bauern, damit sie ihre Esel auf der Straße zurückließen. Mein Vater erklärte mir, daß die österreichischen Musketen so knallten. Es war in den Jahren nach dem Ersten Weltkrieg, und in der Umgebung meines Heimatdorfes wimmelte es von Banditen. Die Marokkaner hinter den Gräbern wurden lebhafter, sie begannen sich aufzurichten. Von neuem tackten MG-Feuerstöße vom Glockenturm, aber die Marokkaner scherten sich nicht darum.

Die letzte Salve verstummte. Wir wußten, daß es die letzte war, so wie der Bauer auf der Tenne sagt: »Der Wind wird bald wechseln, er läßt schon nach.« Denen im Glockenturm konnten die Maschinengewehre nichts mehr nützen.

Eine Gruppe blieb auf dem Friedhof, wir anderen rannten auf die ersten Häuser des Dorfes zu. Feuernd, an den Häusern beiderseits der Straße entlanghuschend, stießen die Marokkaner bis zur Kirche vor. Vom Turm hallten Karabinerschüsse, einer der Moros stürzte aufs Pflaster.

»Tolle Burschen«, sagte der Journalist.

»Höllenpech haben die gefressen«, rief Ventura aus.

Die Moros langten an den Stufen an. Da erst merkte ich, daß die Kirche genau die gleiche war wie die Marienkirche in meinem

Dorf. Vom Turm fielen keine Schüsse mehr. Ein unterdrückter Schrei ertönte, als begänne ein Knabe vor Angst zu weinen.

»Sie ergeben sich«, meinte der Journalist.

Die Marokkaner setzten sich auf die Stufen und richteten ihre Gewehre auf die Kirchentür. Ringsum breitete sich Stille aus. Wenn sich Gegner ergeben wollten, fing ich jedesmal an zu fiebern. Kälteschauer jagten mir über den Rücken, in der Magengrube empfand ich einen heftigen Schmerz, und im Kopf ging alles wirr durcheinander wie im Traum.

Die Kirchentür öffnete sich kreischend. Zwei Uniformierte kamen heraus. Der eine war verwundet, sein Gesicht war totenblaß. Sie waren von den Internationalen Brigaden, ich wußte es in demselben Augenblick, in dem ich mir vergegenwärtigte, daß sie keine Fluchtmöglichkeit hatten und daß ihnen das bekannt war. Wir rückten alle näher heran. Der Verwundete sank ohnmächtig auf die Treppe. Der andere nahm den Stahlhelm ab. Strohblondes Haar fiel ihm ins Gesicht. Die Handbewegung, mit der er es ordnete, wies ihn als Frau aus. Sie hatte große graue Augen. Der spanische Oberst stellte ihr Fragen. Sie antwortete hastig, und man sah, daß sie zwischen den Antworten den Oberst um Gnade für ihren verwundeten Gefährten bat. Der Journalist erläuterte uns, vier seien es gewesen, zwei lägen tot im Turm. Die Frau sei eine Deutsche . . .

Der Oberst sagte grinsend ein paar Worte zu den Marokkanern, die Frau schrie auf. Grölend vor Freude, schleppten die Moros sie weg. »Er schenkt sie ihnen«, erklärte der Journalist. »Sie werden ihr mehr Vergnügen verschaffen, als sie hier zu finden hoffte.« Sein Auge hinter dem Einglas funkelte boshaft.

Sie trugen auch den Verwundeten fort, der ununterbrochen stöhnte. Ventura setzte sich neben mich auf die Treppe. Wir zogen Tabak und Zigarettenpapier aus den Taschen. Meine Hände zitterten so, daß ich den Tabak auf den Boden verstreute. Haustüren wurden hier und da geöffnet, zwei oder drei Fenster waren mit rotgelben Fahnen geschmückt.

»Wenn mir dieser Journalist im geeigneten Augenblick vor die Flinte kommt«, sagte Ventura, »dann jage ich ihm eine Kugel in das Glasauge.«

»Und der Oberst?« fragte ich.

»Auch dem Oberst«, antwortete er. »Der steht als einer der ersten auf meiner Liste. Seit sechs Monaten bin ich dabei, sie aufzustellen. Sie wird zu lang, ich muß endlich anfangen . . .«

Ventura hatte Züge eines Mafiamannes. Er erzählte, im Weltkrieg, 1915, hätten sein Vater, sein Onkel, ein Gevatter seines Onkels und ein Vetter seiner Mutter, kurz, alle aus seinem Dorf, die an der Front waren, nicht lange gefackelt und sich bei einem Angriff ihrer Offiziere und der »stinkigen« Unteroffiziere entledigt. Nach dem zu urteilen, was er berichtete, hatte die italienische Armee mehr Offiziere und Unteroffiziere durch seine Verwandten verloren als durch die Kugeln der Österreicher. Ich ging auf seine Späße ein, denn ich fand dadurch eine gewisse Erleichterung; es half, jenen Druck des Entsetzens zu lösen, den ich in mir spürte. Ventura war ein guter Kamerad, vielleicht erzählte er das alles, um mich aufzurichten. Seit Málaga waren wir zusammen, immer dicht beieinander in Augenblicken der Gefahr. Wir hatten uns angefreundet, als er eines Tages einen Kalabrier verbleute, dem es Vergnügen bereitete, »Erschießungen mit anzusehen«. Sobald dieser Kerl ein paar freie Minuten hatte, erklärte er: »Ich gehe mir die Erschießungen ansehen«, frohgelaunt, als wollte er das Feuerwerk zum Fest der heiligen Rosalia miterleben. Ventura sagte ihm, er dürfe von Erschießungen nicht mehr reden, und wenn er Geschmack daran finde – übrigens den Geschmack von Schurken –, dann möge er gehen, ohne den anderen auf den Wecker zu fallen, denen das Kotzen komme, wenn sie nur das Wort Erschießungen hörten. Der Kalabrier hatte aufbegehrt, er wollte ihm einen Stoß mit dem Seitengewehr versetzen, aber Ventura bearbeitete ihm das Gesicht mit Fausthieben. Nach der Schlägerei lud ich Ventura zu einem Glas Wein ein. Eine Stunde verbrachten wir damit, Seekrebse zu knabbern und Wein zu trinken, der so aromatisch war wie der Wein aus Pantelleria. Nun erst dämmerte mir, was der Krieg in Spanien bedeutete. Ich hatte geglaubt, die »Roten« seien Rebellen und wollten eine ordnungsgemäße Regierung stürzen. Ventura machte mir klar, daß die spanischen Faschisten den Aufruhr angezettelt hatten und es allein nicht schafften, die Regierung niederzuwerfen. Sie hatten darum Mussolini um Hilfe gebeten. Mussolini hatte gedacht: Was fange ich mit all den Arbeitslosen an? Ich schicke sie nach

Spanien und bin fein 'raus! Und dann stimmte es auch nicht, daß in Spanien eine kommunistische Regierung herrschte.

»Schließlich«, meinte Ventura, »was haben dir die Kommunisten getan? Tun sie dir und mir etwas? Ich mache mir nichts aus Kommunismus oder Faschismus, ich spucke drauf. Ich will nach Amerika.«

»Und wie gelangst du nach Amerika?«

»Deshalb bin ich ja nach Spanien gekommen«, antwortete er. »Ich laufe über, die Amerikaner unterstützen die Republik, sie kämpfen in den Brigaden. Es gibt eine, die nur aus Amerikanern besteht. Ich laufe über und trete in die Brigade ein. Wenn sie mich umbringen, das heißt, wenn ihr mich umbringt...« Der Gedanke, daß ich oder einer von uns ihn töten könnte, überraschte ihn. »Aber ich gehe in diesem Schlamassel ja nicht zugrunde, ich komme nach Amerika, selbst wenn ein Stück von mir hierbleiben sollte, ich komme hin... Meine Mutter ist in Amerika, mein Bruder, zwei verheiratete Schwestern sind drüben, die Neffen... Ich bin zwei Jahre dort gewesen, mit Vater und Mutter. Dann ist mein Vater gestorben, und ich habe mich den Herumtreibern in Bronx angeschlossen. Eines Nachts erschlugen sie einen Polizisten, und ich war in die Sache verwickelt, ohne daß ich wußte, wie. Ich hatte ja nicht geschossen. Zwei Wochen später saß ich auf einem Dampfer, der mich nach Italien bringen sollte... Ich war damals noch ein Junge, meine Mutter wollte mitfahren, man riet ihr zu bleiben. Ein bekannter Anwalt würde sich meiner Sache annehmen, um mich zurückzuholen, desgleichen ein Senator... Seit zehn Jahren läuft nun meine Mutter dem Anwalt und dem Senator hinterher. Und ich sitze verzweifelt in Italien und tue nichts, denn an Dollars haben sie es mir nicht fehlen lassen, und warte. Mehr als einmal habe ich versucht, über die grüne Grenze nach Frankreich zu gelangen – immer wurde ich erwischt... Als ich von dem Krieg in Spanien erfuhr und als bekannt wurde, daß sich Freiwillige melden konnten, wurde ich der fanatischste Faschist im ganzen Ort. Sie schickten mich als einen der ersten auf die Reise. Aber ich pfeife auf den Faschismus und auch auf den Kommunismus.«

Ich glaube, der Wein hatte ihm die Zunge gelöst, hatte ihm den Drang eingegeben, sich Luft zu machen. Denn so hätte er nicht reden dürfen, er kannte mich doch kaum. Und solche Vertrauensseligkeit bei so gefährlichen Dingen machte mir angst. Ein paar Tage später aber sagte er, das Vertrauen zu mir sei nicht durch den Wein verursacht. Er habe begriffen, daß er sich auf mich verlassen könne, denn Menschenkenntnis habe er. Trotzdem glaubte ich, daß der Wein ihn dazu getrieben hatte, und empfahl ihm stets, nicht mehr als eine halbe Flasche zu trinken.

»Du«, sagte Ventura an jenem Tage zu mir – der Wein hatte ihn bereits rührselig gemacht –, »du bist einer von denen, die sich Mussolini vom Halse geschafft hat ... Ein Arbeitsloser bist du. Lassen wir den armen Arbeitslosen in den Krieg ziehen, in Italien ein Brotloser, wird er in Spanien ein Held. Dem Duce zu Ehren wird er die tollsten Taten vollbringen.«

Nun, als wir auf den Stufen der Kirche saßen, die in allem unserer Dorfkirche ähnelte, und zwischen den Fingern schmutzige Zigaretten drehten, hatte ich das Bedürfnis, zu reden, zu reden wie ein Betrunkener. Von mir, von meinem Dorf, von meiner Frau, von der Schwefelgrube, in der ich gearbeitet hatte, und von der Flucht aus der Schwefelgrube in die Hölle von Spanien.

Gewehrschüsse knallten.

»Sie haben den Verwundeten hingerichtet«, sagte Ventura.

»Ich laufe mit dir zu den anderen über«, rief ich aus, »ich will nicht mehr die Erschießungen hören, ich will nicht mehr sehen, was jetzt mit der Deutschen geschehen ist, und ich will nicht länger die Moros sehen und die Obersten[1] vom Tercio, die Kruzifixe und Jesusherzen ...«

»Die Quasten vom Tercio, die Marokkaner, die Kruzifixe und die Jesusherzen würdest du zwar nicht mehr sehen. Aber um die Erschießungen und um das andere wirst du auch dort nicht herumkommen.«

Ich wußte, daß er die Wahrheit sprach, und doch bedeutete es schon viel für mich, nicht mehr die Kruzifixe sehen zu müssen, die die Falangisten aus Frömmigkeit an alle todbringenden Dinge, an die Geschütze und an die Panzer hängten. Nicht mehr die Muttergottes von diesen Navarresen anrufen zu hören, die in den Atempausen zwischen den Angriffen Gefangene niedermetzel-

1 Regiment der spanischen Fremdenlegion, mit dem Franco seinen Putsch begann. Infanterie-Elitetruppen.

ten, und nicht mehr die segenspendenden Kaplane zu sehen, den Mönch, der mit erhobener Hand durch unsere Reihen stürmte und uns im Namen Gottes und der Jungfrau Maria beschwor ...

»In meinem Dorf«, sagte ich, »wird jetzt das Fest Mariä Himmelfahrt begangen, Madonna di mezzoagosto, wie unsere Bauern es nennen ... Hier werden die Bauern zu Ehren der Madonna di mezzoagosto erschossen ... Die Bauern folgen mit geschmückten Mauleseln der Prozession. Die Maulesel sind mit Schellenhalsbändern behängt, jedes Tier trägt einen nagelneuen Doppelsack voll Korn. Sie kommen zur Kirche und laden dort das Korn ab, Hunderte Scheffel Korn, zum Dank für den Regen, der zur rechten Zeit gefallen ist, oder zum Dank dafür, daß das Kind von der Würmerkrankheit geheilt wurde, daß der Huf des ausschlagenden Maulesels den Kopf des Bauern nur gestreift hat ... Gewiß, viele Kinder sterben. Und der Regen war zwar gut für den Weizen, aber die Mandeln haben Frost abbekommen, und es wird ein ölarmes Jahr werden, und den einen oder den anderen Bauern hat das Maultier voll getroffen, an den Kopf oder in den Bauch ... Doch für unseren Glauben zählen nur die guten Dinge. Mit unseren Nöten hat Gott nichts zu tun, die lädt uns das Schicksal auf den Hals. Wir machen uns einen schönen Sonntag, es gibt Brühe und Fleisch, und meine Mutter meint, wir sollten Gott danken. Da tragen sie meinen Vater ins Haus, der im Antimon[1] verbrannt ist. Und meine Mutter sagt, das böse Schicksal habe ihn verbrannt ... Ich wünsche, ich könnte meiner Mutter zeigen, daß hier in Spanien Gott und das Schicksal ein und dasselbe Gesicht haben.«

»Ich will nichts davon wissen«, entgegnete Ventura, »weder von Gott noch vom Schicksal. Nur Narren denken an das Schicksal. Es ist genau so, als stellte man sich vor einen Ameisenhaufen und überlegte: Versetze ich ihm nun einen Fußtritt oder nicht? Ist es Schicksal, wenn ich es tue, oder ist es Schicksal, wenn ich ihn ungeschoren lasse? Fängst du erst an, über das Schicksal nachzudenken, dann kannst du den Verstand verlieren, wenn du so einen Ameisenhaufen anschaust. Was Gott betrifft, so ist es komplizierter. In den zehn Jahren meines Nichtstuns hatte auch

---

1 Bezeichnung der sizilianischen Schwefelgrubenarbeiter für Grubengase.

ich Zeit, an Gott zu denken, und ich habe die Überzeugung gewonnen, daß Gott der Tod ist. Jeder trägt den Gott seines Todes wie einen Maulwurf in sich. Aber es ist nicht so einfach, es gibt Momente, in denen man sich wünscht, daß der Tod wie der Schlaf sein möge und daß von dir etwas in einem Traum schweben bleibe: ein Spiegel, der deine Gestalt festhält, während du schon weit weg bist . . . Das ist der Grund, daß sich die Menschen einen Gott schaffen. Aber ich will davon nichts wissen. In demselben Augenblick nämlich würde ich mich verlassen fühlen, wie ein Kind, das laufen lernt und plötzlich merkt, daß die Hand der Mutter nicht mehr da ist, es zu halten, und es fällt hin. Hier müßte ich allein laufen, ohne Gott. Ebensogut ist es, ihn nie gehabt zu haben . . . Wenn ich mir nämlich einen Gott gemacht hätte, dann wäre es ein guter Gott gewesen. In Spanien hätte er mich sicherlich allein gelassen. Der Gott des Tercio und der Navarresen ist kein guter Gott.«

»Ich werde es meiner Mutter erzählen, daß ihr Gott zum Tercio hält«, sagte ich.

»Sie würde dir antworten, daß das ganz richtig ist. Vielleicht ist sie gerade in diesem Augenblick dabei, die Novene für den Tercio und für die Navarresen zu begehen. Der Pfarrer wird ganz gewiß von der Kanzel gepredigt haben: ›Übet eure Andacht für Mariä Himmelfahrt mit dem Willen, von Gott Schutz und Kraft zu erbitten für die Truppen, die in seinem Namen und ihm zum Ruhme kämpfen.‹«

»Ich hasse diese Spanier«, entgegnete ich.

»Sie haben Gott wie eine Decke auf ihre Seite gezogen, und dich haben sie im Kalten gelassen, dich und deine Mutter. Aber in der Republik gibt es keinen Gott. Da sind solche, die das immer gewußt haben, wie ich, und andere, die vor Kälte zittern, weil die Falange die Decke Gottes ganz zu sich gezogen hat.«

»Das ist es nicht allein«, erwiderte ich, »sie sind grausam.«

»Höre«, sagte Ventura, »der Wunsch, nach Amerika zurückzukehren, hat mich veranlaßt, mein Leben hier in Spanien aufs Spiel zu setzen. Amerika ist reich, zivilisiert, voll von guten Dingen. Dort herrscht Freiheit, man kann mit nichts anfangen und reich werden wie Ford, oder man wird Präsident, man kann werden, was man will. Und doch sind zwei Unschuldige auf den elektrischen Stuhl gekommen. Ganz Amerika wußte, daß sie unschuldig waren. Die Richter wußten das und der Präsident, die die Zeitungen machen, wußten es, und jene, die sie verkaufen. Für mich ist das entsetzlicher als die Erschießungen, die es hier gibt. Jene beiden sind in einem freien, geordneten, reichen Staat verurteilt worden, in aller Form nach dem Gesetz, aber aus dem gleichen Grunde, aus dem die Falangisten die aus den Brigaden niedermetzeln. Hast du nie von Sacco und Vanzetti gehört?«

»Nein«, antwortete ich, »nie gehört.«

Er erzählte mir die Geschichte Saccos und Vanzettis. Man brauchte sich wirklich über Spanien nicht zu wundern.

»Und denk an Sizilien«, mahnte Ventura, »denk an die Schwefelgrubenarbeiter und an die Bauern, die als Tagelöhner arbeiten müssen, denk an den Winter der Bauern, wenn es keine Arbeit gibt und die Häuser voll hungriger Mäuler sind. Die Frauen laufen mit geschwollenen Beinen in der Stube herum, Esel und Ziege liegen neben dem Bett. Ich würde wahnsinnig. Und wenn die Bauern und die Grubenarbeiter eines Tages den Bürgermeister, den Sekretär des Fascio, Don Giuseppe Catalanotto', den Eigentümer der Schwefelgrube, und den Principe di Castro, dem die Äcker gehören, umbringen – wenn das in meinem Dorf geschieht und wenn es sich auch in deinem Dorf zu regen beginnt und wenn in allen Dörfern Siziliens ein ähnlicher Wind zu blasen anhebt, weißt du, was dann los ist? Dann tun sich all die feinen Herren, die Faschisten sind, mit den Priestern und Carabinieri zusammen und fangen an, auf die Bauern und Grubenarbeiter zu schießen, und die Bauern und Grubenarbeiter fallen über die Priester, die Carabinieri und die feinen Herren her. Das Morden würde kein Ende nehmen, und dann kämen die Deutschen und flögen ein paar Bombenangriffe, so daß den Sizilianern ein für allemal die Lust verginge, zu rebellieren, und die Herren blieben Sieger.«

»Auch in Spanien wird das so enden«, sagte ich.

»Durch unser Zutun«, bestätigte Ventura. »Ohne Italiener und Deutsche würden die feinen Herren hier wie die Ratten krepieren. Wir sind schlimmer als die Marokkaner.«

Ich hätte gern den Namen des Dorfes erfahren; die Kirche war, wie ich mich erinnere, dem heiligen Isidoro geweiht. Er ist ein Heiliger der Bauern, aber die Bauern hatten in dieser Kirche auf ihn geschossen. Der Journalist machte Aufnahmen von ihm. Der unbedeckte Kopf des Heiligen glich einem Blumentopf, und die Arme fehlten ihm, wie dem Faschisten, der sie bei Guadalajara verloren hatte. Als ich auf den Stufen der Kirche saß, wurde mir vieles klar über Spanien und Italien und über die ganze Welt.

Der Kalabrier, der sich immer die Erschießungen ansah, erzählte, in Málaga sei es wie im Theater; auch die Frauen gingen hin. Sie hielten sich ein wenig abseits, schauten aber zu. Unter ihnen gebe es eine alte Frau, die die Szenen durch ein Opernglas aus Perlmutter betrachte. Das Bild dieser alten Frau verfolgte mich, es verkörperte für mich das fanatische und grausame Spanien. Ich mußte an Donna Maria Grazia denken. Wir wohnten in einer Bodenkammer ihres Prunkhauses, und meine Mutter bezahlte die Miete dadurch, daß sie zweimal wöchentlich die Fußböden und die Treppen des Palastes schrubbte. Donna Maria Grazia warf stets einen Blick durch das Lorgnon und nörgelte: »Die Treppe ist zu feucht aufgewischt, reiben Sie mit dem Lappen noch einmal hier in der Ecke und im Salon nach.« Zweimal in der Woche verließ meine Mutter fix und fertig den Palast, vor Erschöpfung verging ihr sogar die Lust zu essen. Von mir hatte Donna Maria Grazia keine gute Meinung. »Ihr Sohn wächst schlecht auf«, sagte sie zu meiner Mutter, »er ist nicht diensteifrig, er grüßt mich kaum, und er kleidet sich, als wäre er ein Edelmann. Wer weiß, was für finstere Gedanken er in seinem Kopf ausbrütet. Lehren Sie ihn, daß wir dort stehen müssen, wo die Vorsehung uns hingestellt hat. Der Arme, der den Stolzen herauskehrt, wird ein schlimmes Ende nehmen.« Und meine Mutter schärfte mir ein: »Grüße sie, tu es für mich, grüße sie.« Dabei hatte ich nie versäumt, sie zu grüßen. Ich zog die Mütze und sagte: »Guten Abend.« Sie aber wollte, daß ich »Küss' die Hand!« rief, deshalb sah sie mich durch ihr Lorgnon an und antwortete nicht. Sie wäre mit ihrem Lorgnon erschienen, um meiner Erschießung beizuwohnen.

Bevor ich nach Spanien kam, hatte ich keine Ahnung vom Faschismus. Für mich gab es ihn so gut wie gar nicht. Mein Vater hatte in der Schwefelgrube gearbeitet, ebenso mein Großvater, und wie sie arbeitete auch ich dort. Ich las die Zeitung. Italien war groß und geachtet, es hatte ein Imperium erobert. Mussolini hielt Reden, daß es ein Vergnügen war, ihm zuzuhören. Die Priester verabscheute ich, wegen der Dinge, die ich über sie gelesen hatte, auch wegen der Beichte. Mir gefiel nicht, daß meine Mutter oder meine Frau dem Pfarrer erzählten, was zu Hause geschah, daß sie ihm Sünden anvertrauten, meine und die der Nachbarn. Die Frauen in unserer Gegend beichten in dieser Art, sie reden mehr über die Sünden der anderen als über die eigenen. Auch die feinen Herren waren mir zuwider, jene, die von dem Ertrag der Güter und der Gruben lebten. Wenn ich sie am Sonntag in Uniform sah, dann meinte ich, der Fascio lasse gewissermaßen Gerechtigkeit walten, nämlich dadurch, daß er sie zwang, sich komisch zu kleiden und auf den Schloßplatz zu marschieren. Ich glaubte an Gott, ging zur Messe und schätzte den Fascio. Meine Frau hatte ich gern, ich hatte sie aus Liebe geheiratet, ohne einen Soldo Mitgift. Und ich arbeitete in der Schwefelgrube, eine Woche Nachtschicht, eine Woche Tagesschicht, ohne mich jemals zu beklagen. Aber vor dem Antimon hatte ich große Angst, denn mein Vater war verbrannt, in derselben Grube. Die Besitzer hatten sie, wie die Ältesten zu berichten wußten, schon immer ohne jede Rücksicht auf die Sicherheit der Arbeiter, ausgebeutet. »Unglücksfälle«, wie der Einsturz eines Schachtes oder die Explosion von Grubengas, ereigneten sich häufig. Und die Angehörigen derer, die zerquetscht wurden oder verbrannten, haderten dann mit dem Schicksal. Es gab eine Zeit, im Jahre neunzehn oder zwanzig, da nahmen die Arbeiter, die solch ein »Unglück« überlebten, den Grubenbesitzer ins Gebet, statt mit dem Schicksal zu hadern. Sie streikten und stellten Forderungen. Aber die Zeit der Streiks war vorüber. Um die Wahrheit zu sagen, ich glaubte nicht, daß der Streik zu einer ordnungsliebenden Nation paßte, wie es das neue Italien war.

Am achten September 1936, am Tage Mariä Geburt, an dem ihr zu Ehren überall auf den Äckern des Dorfes Feuer angezündet werden – meine Mutter sagte später, es sei ein »festlicher« Tag gewesen, und an solchen arbeite man eben nicht –, an jenem achten September hatte ich Frühschicht. Ich mußte um drei Uhr nachts aufstehen, mußte um halb vier das Haus verlassen, hatte einen Weg von einer Stunde zurückzulegen und fuhr um fünf in den Schacht ein. Mein Onkel Pietro Griffeo, der Bruder meiner Mutter, ein alter Hase in allen Grubenangelegenheiten, schärfte uns schon seit mehreren Tagen ein: »Jungs, haltet eure Lampen bei kleiner Flamme, da ist etwas, was mir nicht gefallen will.« Auch an jenem Tage gab er uns die übliche Empfehlung mit auf den Weg. Unsere Strecke hatte die schlechteste Bewetterung, es fehlte an den nötigen Apparaten, und die »Füllungen« mußten geschafft werden. Wir zogen uns aus. Auf der nackten Haut spürten wir die Luft wie ein nasses Tuch. Wir hatten Azetylenlampen. Die Verwaltung hielt die Sicherheitslampen zurück, so wie unsereiner den Sonntagsanzug schont. Sie ließ sie »erscheinen«, wenn Ingenieure zur Besichtigung aufkreuzten. Im übrigen wollten die alten Grubenarbeiter sie nicht. »Wenn das Schicksal es will«, sagten sie, »kommt man auch mit Sicherheitslampen um.« Wer weiß, warum sie sie nicht mochten, sie schätzten eben die alten Azetylenfunzeln.

Nachdem wir gefrühstückt hatten – fast alle aßen Brot mit gesalzenen Sardinen und rohen Zwiebeln –, gingen wir wieder an die Arbeit. Mein Onkel schärfte uns noch einmal ein: »Die Funzeln herunterdrehen«, und eine Minute darauf donnerte aus der Tiefe der Strecke das Schlagwetter. Wie ich im Kino durch offene Schleusen das Wasser stürzen sah, so raste die Flamme brüllend auf uns zu. Aber das überlege ich mir jetzt. Ich bin nicht sicher, daß es wirklich so gewesen ist. Ich sah das Feuer über mich kommen und begriff nichts. Mein Onkel schrie: »Das Antimon!« und zerrte mich mit, und ich rannte schon wie im Traum. Ich rannte noch, als ich aus der Grube heraus war, rannte barfuß und nackt über das Feld, bis mir das Herz versagen wollte, und warf mich dann, laut weinend und an allen Gliedern zitternd, zu Boden.

Nachts phantasierte ich, aber Fieber hatte ich nicht, und ich schlief auch nicht. Jedes Wort, das an mich gerichtet wurde, jedes Geräusch, jeder Gedanke schienen wie ein Blitzlicht in mir zu explodieren. Der Blitz verlosch, und ein lila Licht blieb zurück, von dem ich annahm, daß die Blinden es in sich trügen. Angst vor dem Antimon hatte ich von jeher gehabt, denn ich wußte, es verbrannte die Eingeweide – so war mein Vater gestorben –, oder es verbrannte die Augen. Ich kannte viele, die durch Antimon blind geworden waren.

Am Tage darauf fühlte ich mich, als wäre ich hundert Jahre alt, und ich entschloß mich, nie in die Schwefelgrube zurückzukehren. Ich wußte, daß in Spanien Krieg war; vorher hatten viele an dem afrikanischen Krieg teilgenommen und es dabei zu Geld gebracht. Nur ein einziger aus meinem Dorf war in Afrika gefallen. Schließlich, im vollen Tageslicht zu sterben, fürchtete ich nicht so sehr – und ich habe in dem ganzen spanischen Krieg keine Todesangst ausgestanden, nur bei dem Gedanken an die Flammenwerfer mußte ich schwitzen. Ich legte also meinen Sonntagsanzug an und begab mich in das faschistische Parteilokal. Der politische Sekretär saß da. Er war ein Schulfreund von mir, später wurde er Volksschullehrer. Er mochte mich leiden, auch wenn er jetzt fürchtete, ich könnte ihn mit der Vertrautheit eines Schulkameraden behandeln und ihn duzen; doch ich redete ihn respektvoll an.

Ich sagte, ich wolle in den Krieg, nach Spanien.

»Nun«, meinte er, »es ist tatsächlich etwas da, ein Freiwilligenaufruf, und das muß ja auch nicht gleich heißen, daß es nach Spanien geht . . .«

»Selbst wenn es in die Hölle gehen sollte«, entgegnete ich.

»Schön und gut, aber Milizangehörige werden gefordert, die haben Vorrang, du bist aber nicht in der Miliz.«

»Dann nehmt mich auf«, verlangte ich.

»Das ist nicht so einfach.«

»Ich bin Mitglied der faschistischen Gewerkschaft«, sagte ich, »ich bin Jungfaschist gewesen, habe die vormilitärische Ausbildung genossen und habe dann gedient. Ich verstehe überhaupt nicht, warum ihr mich nicht in die Miliz aufgenommen habt, als ich zurückkam.«

»Du hättest es beantragen sollen«, erwiderte er.

»Dann beantrage ich es jetzt. Den Afrikakrieg habe ich nicht mitgemacht, aber diesen will ich mitmachen. Ich bin Bersagliere gewesen, mein Gesundheitszustand ist gut. Ich glaube, einer wie ich hat wohl das Recht, in den Krieg zu ziehen. Wenn nicht, schreibe ich an den Duce und biete mich ihm als Freiwilligen an.«

Dieses Argument saß. Einmal hatte ein Arbeiter wegen einer Prämie, die man ihm verweigerte, an den Duce geschrieben. Er hatte damit so viel Staub aufgewirbelt, daß sich der politische Sekretär noch heute daran erinnerte. Freilich hatte man es dem Arbeiter später heimgezahlt.

»Wir wollen sehen, was sich tun läßt«, sagte der politische Sekretär. »Ich werde es dem Standartenführer berichten, und dann werden wir sehen. Am Montag ist er zurück.«

Ich wurde eingezogen. Meine Mutter und meine Frau weinten. Ruhigen Herzens fuhr ich ab. Vor der Schwefelgrube hatte ich Angst, der Krieg in Spanien kam mir dagegen wie eine Landpartie vor.

Cádiz war schön, es ähnelte Trapani. Aber das Weiß seiner Häuser war leuchtender. Auch Málaga war schön in jenen sonnigen Februartagen, obendrein der gute, sonnige Wein und der Kognak. Von November bis Februar war auch der Krieg schön. Schön war es, im Tercio zu sein, dessen Offiziere zum Angriff führten, ohne die Pistole zu ziehen; nur die Lederpeitsche hielten sie in der behandschuhten Rechten. Das Wesen unseres Krieges schien mir jener Mann mit dem Spitzbart zu verkörpern, dem die Spanier zujubelten. Offizier war er nicht, aber gewiß war er ein großes Tier bei den Faschisten. An seinem schwarzen Hemd trug er das Zeichen des Fascio, ferner ein Kreuz sowie Pfeile und Bogen, das Abzeichen der Falange. Er war ein schöner Mann, auf dem Pferd wirkte er sehr stattlich. Die Spanier erzählten, er habe Großes geleistet; später erfuhr ich, daß ein Franzose ein dickes Buch geschrieben hatte, in dem er all die Greuel schilderte, die jener Mann vollbracht hatte. Ich möchte es gern lesen.

In Málaga hörte ich zum erstenmal von Erschießungen, und danach öffnete mir das Zusammentreffen mit Ventura allmählich die Augen. Aber die Spanier in Málaga jubelten uns zu, alle wollten uns etwas anbieten, wollten mit uns sprechen. Die Frauen lächelten uns an. Die Männer sagten: »Ich stehe rechts« und luden uns zum Trinken ein. Ich wußte nicht, was sie damit meinten. Ich glaubte, die Behauptung, rechts zu stehen, sei ein Kompliment oder ein in Spanien üblicher Gruß. Ventura erklärte mir, der Faschismus sei eine politisch rechtsstehende Partei, links ständen der Kommunismus und der Sozialismus. Die Spanier in Málaga waren alle rechts. Sechs Jahre später erlebte ich, wie sich alle Faschisten in meinem Dorf als Linke ausgaben. Die Stadt wies keine Zerstörungen auf. In den Straßen stolzierten die Frauen. Die Erschießungen aber wollten kein Ende nehmen.

Ich kann nicht von mir behaupten, daß ich bis Málaga irgendwann mein Leben aufs Spiel gesetzt hätte, ich hatte nur an unbedeutenden Aktionen rings um kleinere Ortschaften und Dörfer teilgenommen. In Málaga spielten wir nur Statistenrollen. Den wirklichen Krieg bekam ich erst einen Monat später zu spüren, in der Schlacht um Madrid, die dann nach dem Ort Guadalajara benannt wurde. Es war eine Hölle, eigentlich jedoch mehr durch den Wind, der wie ein Rasiermesser ins Gesicht schnitt, und durch den Schnee, den Morast und die Lautsprecher als durch das Geschützfeuer und die Maschinengewehrsalven, die von allen Seiten auf uns niederprasselten. Die Lautsprecher machten uns konfus. Die Stimmen schienen aus dem Wald, aus den Zweigen über uns zu dringen, sie waren im Wind, als wären sie ebenso beschaffen wie er, und sie waren im Schnee. Bäume, Wind und Schnee sagten: »Genossen, Arbeiter und Bauern Italiens, warum kämpft ihr gegen uns? Wollt ihr sterben, um die Arbeiter und die Bauern Spaniens zu hindern, daß sie in Freiheit leben? Man hat euch betrogen. Kehrt heim zu euren Familien. Oder kommt zu uns. Eure Kameraden, die bei uns in Gefangenschaft sind, werden euch bestätigen, daß wir sie mit offenen Armen empfangen haben . . .« Dann ließ sich eine andere Stimme vernehmen: »Hört her, Kameraden, man hat uns betrogen und verraten. Es ist nicht wahr, daß die Roten Gefangene erschießen, und sie sind besser bewaffnet als wir, sie essen besser als wir . . . Es stimmt nicht, daß sie keine Generale haben, ich habe sie gesehen, sie haben mich verhört . . . Hier spricht Pinto, Calogero Pinto . . .« Und bei jedem Namen, der aus dem Lautsprecher tönte, sagten unsere Offiziere: »Das ist nicht wahr, er ist gefallen, ich habe ihn sterben sehen. Sie haben lediglich seine Erkennungsmarke.« Vielleicht war es auch so, daß sie die Erkennungsmarken benutzten. Verdächtig war aber, daß so viele Offiziere denselben Soldaten hatten fallen sehen.

»Ich haue ab«, sagte Ventura zu mir, »ich versuche nur herauszubekommen, wo die amerikanische Brigade liegt, ich will so rasch wie möglich zu den Amerikanern.« Aber er tat es nicht. Ich glaube, er fühlte sich verpflichtet zu bleiben, solange es schlecht um uns stand. Am fünfzehnten März waren wir auf Spähtrupp. Plötzlich machten wir halt und lauschten gespannt in die Stille, als hätte jeder eine geheimnisvolle Warnung vernommen. Aber ich denke, etwas Reales hatten wir schon gehört, denn an geheimnisvolle Warnungen glaube ich nicht. Wir bewegten uns, und eine Stimme rief: »Werft die Waffen weg!« Wir wandten wie Marionetten die Köpfe, um ausfindig zu machen, woher die Stimme kam. Ein Maschinengewehr ratterte. Sie schossen hoch, und die Stimme rief noch einmal: »Werft die Waffen weg, ergebt euch!« Die Worte waren italienisch, und die Stimme klang heiter, als forderte sie uns freundschaftlich dazu auf. Der Leutnant begriff nichts, er sagte: »Macht keine Scherze, wir sind es«, und die Stimme antwortete belustigt: »Gewiß, ihr seid es, wir erkennen euch sehr gut, werft die Waffen weg.« Da vollführte Ventura eine rasche Bewegung. Die Handgranate detonierte zwischen den Bäumen. Es hagelte Geschosse, wir warfen uns hinter die Stämme in Deckung, der Leutnant und ein Soldat fielen.

Als wir unsere Linien erreicht hatten, sagte Ventura zu mir, während wir unsere Uniformen an einem kleinen Feuer trockneten: »Wenn ich Lust habe, haue ich ab. Aber wer Luigi Ventura wie einen Esel fangen will, der muß erst geboren werden.«

Wir lagerten in einer kleinen Hütte, die halb zerstört war. Eine Ecke war stehengeblieben. Sie schien geeignet, die Figuren des Krippenspiels zu beherbergen. Auf dem Stück Dach, das noch vorhanden war, lag eine Schicht Schnee, ebenso ringsum, so daß dadurch das Bild der Zerstörung gemildert wurde. Wir hatten etwas Wein aufs Feuer gesetzt, um ihn zu wärmen.

»Es waren Italiener«, sagte ich. »Vielleicht hat deine Handgranate einige getötet.«

»Das täte mir leid«, erwiderte Ventura. »Aber selbst wenn es die Amerikaner gewesen wären, die ich suche, ich hätte die Handgranate geworfen. In bestimmten Situationen gibt es weder Italien noch Amerika, weder Faschismus noch Kommunismus. Die heutige Situation sah so aus: Da war Luigi Ventura, und da war jemand, der ihn gefangennehmen wollte. In einer Bar in

New York hatte es einmal eine Prügelei gegeben, die Polizei kam und ließ uns mit erhobenen Händen an der Wand stehen. Zehn Minuten lang habe ich so an der Mauer zugebracht. Für einen Mann ist es nicht gerade schön, mit dem Gesicht zur Wand stehen und die Hände hochhalten zu müssen. Damals habe ich gedacht: Wenn von heute an noch einmal einer ›Hände hoch!‹ zu dir sagt, dann heißt es: er oder ich. Die Würde hört da auf, wo man mit erhobenen Händen stehen muß, während ein anderer mit dem Gewehr auf deinen Rücken zielt. Wenn ich an die Erschießungen denke, kriege ich das Kotzen. Es ist unwürdig, einen Mann an die Wand zu stellen und aus zwölf Karabinern auf ihn zu schießen. Ehrlose sind es, die die Erschießungen anordnen und die sie ausführen, jawohl, sie haben keine Ehre im Leibe.«

»Ehre hat mit Töten nichts zu tun«, entgegnete ich.

»Auch beim Töten ist Ehre im Spiel«, widersprach Ventura. »aber nur, wenn man im offenen Kampf tötet: deine Haut oder meine. Oder wenn Schweine umgelegt werden, die aus Feigheit oder berufsmäßig Spitzeldienste leisten, und führende Leute, die Dreck am Stecken haben. Die könnte ich kaltblütig umlegen, und ich würde mir das zur Ehre anrechnen.«

Einen Polizisten in Bronx oder einen Carabiniere auf den Feldern bei Naro umzubringen, einem Offizier in den Rücken zu schießen – das schien ihm durchaus ehrenvoll. Und diese Art zu denken war mir nicht neu. Genauso dachten die Aufseher in der Schwefelgrube, die von uns und von den Eigentümern Geld nahmen und uns den Arbeitsplatz, den Eigentümern aber unsere hohen Leistungen garantierten. Wer sie nicht bezahlte, der verletzte ihr Ehrgefühl. Solche Menschen verabscheute ich. Und Ventura ähnelte ihnen in gewisser Hinsicht. In der Schwefelgrube hätte ich ihn vielleicht gehaßt. Dieser Krieg jedoch ließ seine Ehrbegriffe besser, der Menschenwürde angemessener wirken als jene, die der Faschismus auf seine und unsere Fahnen geschrieben hatte. Für mich, für Ventura, für so viele von uns in diesem Krieg, den wir hingenommen hatten, ohne ihn zu begreifen, und der uns allmählich den Gefühlen und Motiven des Feindes näherbrachte, gab es keine Fahnen. Jeder von uns war sich selbst gegenüber verpflichtet, nicht ängstlich zu sein, sich nicht zu ergeben und seinen Posten nicht zu verlassen. Es ist durchaus möglich, daß alle Kriege auf diese Weise gemacht werden, mit Männern, die nur Männer sind und keine Fahnen besitzen. Für diese Männer, die sie durchfechten, gibt es in den Kriegen weder Italien noch Spanien noch sonst ein Land, und nicht einmal der Faschismus, der Kommunismus und die Kirche sind für sie darin. Allein die Würde des einzelnen, sein Leben in dem Spiel um den Tod teuer zu verkaufen, existiert für sie. Ich gebe zu, es ist möglich, daß ich für mein Teil gern unter einer echten menschlichen Fahne gekämpft hätte. Aus den Lautsprechern erklang, wenn die Stimmen schwiegen, die uns zum Überlaufen aufforderten, die Hymne der Arbeiter. Diese Aufforderungen, diese Beteuerungen der Brüderlichkeit bereiteten mir großen Verdruß. Auch etwas, was wahr ist, nimmt, wenn es herausposaunt und von Lautsprechern verbreitet wird, einen trügerischen Schein an. Doch die Arbeiterhymne flößte mir ein anderes Gefühl ein. Mein Vater starb 1926. Ich war sechzehn Jahre alt, als er starb. Die Erinnerung daran, wie er gelebt hatte und wie er gestorben war, verließ mich nie. Aber ich hatte vergessen, daß er auch Sozialist war. Bei den Klängen der Arbeiterhymne sah ich meinen Vater, wie er mich an der Hand hielt. Die Kapelle spielte, und dann trat ein Mann mit einer Fliege auf einen Balkon und sprach, und mein Vater rief: »Sehr gut!« und klatschte Beifall. Und wer erinnerte sich nicht an die Hymne? Es war schöne Musik, in einem bestimmten Augenblick schien sie schwere Wolken zu verjagen. Die Worte lauteten: »Hell aus dem dunklen Vergangen leuchtet die Zukunft hervor . . .« Sie ließen tatsächlich hoffen.

Doch was war das – Sozialismus? Sicherlich eine gute Fahne, denn mein Vater sagte: »Gerechtigkeit und Gleichheit«. Aber es kann keine Gleichheit geben, wenn es Gott nicht gibt, man kann das Reich der Gleichheit nicht vor einem Notar gründen, nur vor Gott ist das möglich. Oder angesichts des Todes: Wenn wir uns alle jederzeit im Tode spiegelten. Die Welt der Gleichheit wäre so ungerecht, daß wir sie nur im Namen Gottes oder im Spiegel des Todes ertragen könnten. Ohne Gott kann man Gerechtigkeit walten lassen. Ich habe nie angenommen, Gott bedeutete Gerechtigkeit, er steht unserem Streben nach ihr fern. Mein Vater gab sich mit der Gerechtigkeit nicht zufrieden, er wollte die Gleichheit. Er glaubte, die großen Advokaten mit ihren breiten Hüten und Fliegen ständen an Gottes Stelle – der Advokat Ferri und der Advokat Cigna an Gottes Stelle.

Aber auch der Sozialismus mußte ein wenig der Religion ähneln: ein Kessel, in dem viele Dinge kochen; ein jeder tut einen Knochen hinein, um sich das eigene Süppchen zu brauen. Für mich bedeutete er nur die Erinnerung an meinen Vater, seinen Glauben, die Art, wie er gestorben war – hatte ich doch den gleichen Tod wie er riskiert. Donna Maria Grazia hatte von mir einmal behauptet: »Er hat die verschrobenen Ideen seines Vaters.« Tatsächlich hatte ich weder gerade noch verschrobene Ideen, sondern nur eine wehmütige Erinnerung an meinen Vater und an seine Todesqualen, und ich fürchtete mich vor dem Antimon, aber ein wenig hoffte ich auch auf Gerechtigkeit.

Nach den Kämpfen bei Guadalajara hieß es, wir hätten uns schlagen lassen, weil an der Front von Madrid der Kommunismus begonnen habe, unter uns wie eine Krankheit zu grassieren. Man glaubte vielleicht, das Gebrüll der Lautsprecher und die Zettel, die von den Flugzeugen herabregneten – es hagelte aber auch Bomben, und man kann nicht Wahrheit und Bomben zugleich empfangen –, hätten gewissermaßen die Moral der Truppen angegriffen. Hinterher wurden Untersuchungen geführt, und der eine oder der andere von uns wurde nach Hause geschickt. Ich erinnere mich noch, wie man uns eines Tages in Reih und Glied antreten ließ. Teruzzi, der Kommandeur der Miliz, war eingetroffen, um uns zu besichtigen. Plötzlich blieb er vor einem Legionär stehen und fragte: »Warum bist du in Spanien?« Der Legionär begann zu stottern: »Ein Freund ist zu mir gekommen und hat gesagt: ›In Spanien ist Krieg, stell einen Antrag.‹ Ich hatte gerade erst geheiratet, ich bebaute ein Stück Land in Halbpacht, zusammen mit meinem Vater und meinem Bruder. Als ich heiratete, setzten sie mich vor die Tür. Mein Vater sagte: ›Such dir allein Pachtland.‹ Ich sagte: ›Es ist nicht so einfach, Land zu bekommen. Wo soll ich es hernehmen?‹ Da tauchte zum Glück mein Freund auf und erzählte, es gibt Krieg in Spanien.« Teruzzi sah ihn an, als hätte der Soldat ihm ein Geheimnis anvertraut; er stellte sich aufmerksam und nachdenklich. Man erzählte sich, vor der Zeit des Faschismus sei er Unteroffizier gewesen, und in diesem Moment schien er den Soldaten zu begreifen, als Unteroffizier, als kleiner Mann, der er gewesen war, nicht als Kommandeur der Miliz. Aber der Oberst, der ihn begleitete, fuhr den Legionär an: »Esel!«, und Teruzzi ging wortlos weiter, musterte zerstreut die Gesichter der Legionäre, blieb dann von neuem stehen und forderte einen auf: »Und du, laß mal hören, warum du nach Spanien gekommen bist.« Da keiner vom Oberst Esel genannt werden wollte, wußten jetzt alle, was sie zu antworten hatten. Der Legionär erwiderte also mit sicherer Stimme: »Für Italiens Größe und zur Rettung Spaniens.« Teruzzi atmete erleichtert auf, sagte »Bravo!« und wandte sich an den Oberst: »Dieser Legionär erhält eine Belohnung.« Tatsächlich bekam er später fünfundzwanzig Pesetas. Der andere aber, der seine Geschichte von dem Freund und von der Halbpacht vorgebracht hatte, wurde nach Hause geschickt. Eine Untersuchung, die so geführt wurde, war natürlich sinnlos. Der Oberst kehrte allein zurück, um uns auszufragen, und Ventura, der sehr schlagfertig war, schnitt dabei glänzend ab. Er faselte etwas vom Duce, vom faschistischen Italien und von Religion, wie ein Parteisekretär und Prediger in einem. In Wirklichkeit haßte er den Faschismus und die Priester. Wie immer, wollten die Faschisten die Lüge hören. Wir alle, ausgenommen die wenigen überzeugten Faschisten, waren des Soldes wegen nach Spanien gekommen; Arbeitslosigkeit und schlechte Arbeitsbedingungen hatten uns dazu getrieben. Den Krieg aber führten wir mit ganzem Einsatz, man wußte zu sterben. Zweifellos verwirrte es uns, daß auf der anderen Seite spanische Bauern und Bergleute standen und die Falangisten sie exekutierten. Wenn man vom Sozialismus njchts weiter wußte, diese Musik und diese Fahne genügten, gefährliche Erinnerungen zu wecken, wie zum Beispiel in mir die Erinnerung an meinen Vater.

Guadalajara, die Schlacht um Madrid, war eine Hölle. Nach dem milden Frühling von Málaga hätte ich nie geglaubt, daß es in Spanien einen so heftigen Winter geben könnte. Meine Lippen und meine Hände wurden rissig im Schneegestöber. Wir standen durchgeweicht im Schlamm. Unsere Flugzeuge ließen sich selten blicken, die republikanischen jagten über uns hinweg, als wollten sie uns enthaupten; man hatte das Gefühl, daß der Kopf weggerissen würde. Die Republikaner hatten Panzer, groß wie Häuser, unsere Panzer waren im Vergleich damit Sardinenbüchsen. An alle Wände hatten sie geschrieben: »Madrid es el baluarte del antifascismo«[1], und sie schlugen sich tapfer und diszipliniert, um die Stadt zu halten. Bis Málaga hatten wir gegen Banden von Bauern und Arbeitern gekämpft, die ungeordnet, ohne jede Vorsicht stürmten und sich von den Maschinengewehren niedermähen ließen oder die hinter Feldgemäuer, auf Dächern und auf Kirchtürmen lauerten und verzweifelt Widerstand leisteten, oft nur mit Doppelflinten bewaffnet. In Málaga gab es zahlreiche Milizionäre, zehntausend Gefangene wurden gemacht. Sie hätten sich besser wehren, sie hätten uns sogar schlagen können. Aber sie kannten keine Ordnung. Ich bin in der Kriegskunst nicht bewandert; aber wie sie sich beim Angriff oder beim Rückzug in großen Haufen bewegten, das ließ mich vermuten, daß sie keine gute Führung hatten. Vielleicht hatten sie sich mit jenem Traum von Gleichheit, der auch meinen Vater beseelte, in den Krieg gestürzt und glaubten, daß mit dem Krieg die Welt der Gleichheit erstehen könnte: keiner Offizier oder jeder Offizier. Meinem Vater hätte es Vergnügen bereitet, an einem solchen Krieg teilzunehmen. Doch im Krieg braucht man einen, der befiehlt, selbst wenn es dabei vorkommt, daß einer kommandiert, der eine Wassermelone als Kopf hat. Nun hatten sie begriffen. Zur Verteidigung Madrids hatten sie disziplinierte Soldaten und gute Offiziere aufgeboten. Unsere Offiziere behaupteten, aus Rußland seien Offiziere gekommen, die ununterbrochen Erschießungen vornähmen, um die Disziplin durchzusetzen. Aber ich glaube nicht, daß das stimmt, denn ich habe nie einen russischen Gefangenen gesehen. Deutsche, Amerikaner, Franzosen sah ich, auch einen Italiener, der in Gefangenschaft geriet, einen Russen niemals. Es ist eben so, daß sie begriffen hatten; sie hatten falsch angefangen, jetzt aber gingen sie von der richtigen Seite an den Krieg heran.

Ich müßte etwas behaupten, was ich erst zehn Jahre später wußte, wenn ich erzählen wollte, daß ich die Entwicklung der Kämpfe überschaut und unsere Niederlage geahnt hätte. In jenen Tagen bewunderte ich die Generale, denen es in all dem Durcheinander von Menschen und Kraftwagen im Morast und zwischen den Bäumen, unter Schnee und Wind und Feuer gelang,

1 Madrid ist das Bollwerk des Antifaschismus.

das Gewirr der Linien zu überblicken, zu sehen, wo wir standen und wo die Republikaner waren. Mag sein, daß sie alles nun wieder nicht so klar erkannten, denn wir wurden ja geschlagen. Oder war es General Franco, der, wie es hieß, uns hinterging. An dem Frontabschnitt, der von seinen Truppen gehalten wurde, ließ er die Republikaner in Ruhe, als wäre es abgemacht gewesen, daß Mussolinis Soldaten allein die Schlacht um Madrid gewinnen müßten. Zweifellos freuten sich die Spanier im stillen über unsere Niederlage. Wenn in einem Café ein Streit zwischen Spaniern und Italienern ausbrach, dann sagten jene, um uns zu beleidigen: »Guadalajara«, und auch mir, der in den Zank nicht verwickelt war, bereitete dieser Name Verdruß.

Wir revanchierten uns, als die republikanischen Truppen in Santander mit den Italienern wegen der Übergabe verhandeln wollten und dem Wort unserer Generale, nicht aber dem Wort Francos vertrauten. Und in der Tat, auch ich hätte auf das Wort Francos nichts gegeben. Von ihm waren Bilder in Umlauf, auf denen er als junger Mann mit Schnauzbart wie der heilige Luigi Gonzaga aussah; ich habe ihn auch von nahem betrachtet, als er älter war: Immer machte er eine Miene, als käme er gerade vom Gebet. Wie Don Carmelo Ferraro aus unserem Dorf, der bei den Fronleichnamsprozessionen den vergoldeten Schirm des Sanktissimum hielt und jeden Nachmittag in die Kirche ging, um das Paternoster anzuleiten, wobei seine tiefe Stimme in dem Gemurmel der Greise und Frauen besonders voll klang – er wandelte auch immer, den Blick zum Himmel gerichtet, als würden seine Augen wie durch einen Magneten dort angezogen. Und er lieh Geld aus zu Wucherzinsen; für fünfzigtausend Lire ergatterte er einen Olivenhain des Barons Fiandaca, der mehr als eine Million wert war. Er schluckte ihn durch die Zinsen; auch die Armen plagte er damit. Ebenso wie Don Carmelo, hatte Franco ein volles, glattes Gesicht, und seine Augen waren ebenfalls himmelwärts gerichtet. Ich gewann die Überzeugung, daß er einer von den Menschen war, die von einem Tabernakel heruntergefallen scheinen und dabei all das Böse tun, das ein Mensch nur zuwege bringen kann; sie rauben und stiften zum Mord an, aber in ihrem Testament vermachen sie Kirchen und Krankenhäusern Hinterlassenschaften. Da war mir schon jener General lieber, der jeden

Abend im Radio sprach. Die Spanier amüsierten sich über ihn wie bei einer Posse. Er hieß Queipo de Llano. In Málaga hatte er zwar gewütet, aber das war bei seinem Wolfsgesicht und den zotigen Bemerkungen, die er im Radio zum besten gab, nicht anders zu erwarten. Heiter und elegant, wirkte Franco wie einer, der sich gerade vom samtüberzogenen Betpult erhoben hat, und von einem Mann, der auf einer samtenen Unterlage betet, ist nichts Gutes zu erwarten. Die Besatzung von Santander wollte sich also den Italienern ergeben. Die Italiener sicherten den Gefangenen das Leben zu. Wir empfanden Genugtuung darüber, daß die Republikaner uns Menschlichkeit zubilligten. Aber es wurde eine bittere Genugtuung, denn schon erhob sich Franco von seinem Betpult und sagte, der General Bastico falle ihm allmählich auf den Wecker. Sicherlich sagte er nicht das, seine Wut fand gewiß einen höflicheren Ausdruck. Er teilte Mussolini mit, es sei Unfug, wenn sich ein italienischer General über seine Befehle hinwegsetze und ihn hindere, in Santander, dieser roten Stadt, Sauberkeit zu schaffen; er möge also Bastico zurückpfeifen und ihn nach Hause holen. Mussolini begriff – man stelle sich auch vor, er hätte nicht die Notwendigkeit eingesehen, saubere Verhältnisse zu schaffen, da er doch selbst so auf Sauberkeit bedacht war! Bastico mußte gehen, und die Falange begann, auch in Santander ihre Orgie zu feiern.

Aber während ich auf den Stufen der Kirche des heiligen Isidoro saß, in jenem Dorf, dessen Name mir entfallen ist, hatten die Kämpfe bei Santander gerade erst begonnen. Es war der fünfzehnte August 1937. Wir kreisten um Madrid wie Nachtfalter um eine Flamme: Sie nähern sich, bis sie die Glut spüren, und erweitern dann den Kreis, nähern sich von neuem, und durch einen Windstoß fängt die Flamme sie schließlich. So war Madrid. Der Windstoß kam von Brunete: Die Republikaner fielen überraschend über uns her, und meine Bewunderung für die Generale flaute im Nu ab. Denn die Republikaner hätten uns gewissermaßen im Schlaf überwältigen können; sie versäumten, den entscheidenden Vorstoß zu machen, vielleicht, weil dieses Vakuum sie verblüffte. Sie fürchteten eine Falle, aber es war gar nichts da. So rückten sie bis an die Straßenkreuzung von Brunete vor und stoppten dann den Vormarsch. Lister, ihr General, traute unseren Generalen zu viel zu. Als ehemaliger Landarbeiter dachte er wie ich, die Generale sähen alles. Ein Vakuum, wie das an der Front von Madrid, müsse also heimliche Berechnung sein. Als er merkte, daß er weiter hätte vorstoßen können, da war es schon zu spät. Seine Truppen zogen sich rings um Brunete zusammen, und viele von unseren Soldaten saßen in dem Kessel. Aber wir gingen bereits zum Gegenangriff über, um weitere Vorstöße zu verhindern und um die Zange zu brechen, die sich um die Unseren geschlossen hatte. Den Zangengriff zu sprengen gelang uns nicht, aber wir zwangen Listers Truppen in die Defensive. Sein Anfangserfolg, den er nicht ganz zu nutzen verstand, war in zehn Tagen zunichte gemacht. Von neuem begannen wir, die Ortschaften zu säubern. Der Ort, den wir am Tage Mariä Himmelfahrt erobert hatten, lag im Gebiet von Brunete. Ich glaube mich zu erinnern, daß es dort einen kleinen Fluß gab. Wir kamen aus einem Dorf, das Maqueda hieß. Man sagte mir, ein Herzog aus dieser Gegend sei ehemals Vizekönig von Sizilien gewesen, daher heiße die schönste Straße von Palermo Via Maqueda. Es ist jedoch möglich, daß ich mich irre und wir ein paar Tage zuvor oder später durch Maqueda gezogen sind. Warum, kann ich mir nicht erklären, aber ich habe an die Dörfer und Städte Spaniens nur noch eine schwache Erinnerung. Auch an Sevilla, die schönste Stadt, die ich je gesehen habe. Ich habe ohnehin kein gutes Ortsgedächtnis, von den Ortschaften in Spanien aber weiß ich fast gar nichts mehr. Vielleicht weil die Dörfer dort denen so sehr ähnelten, die ich seit meiner Kindheit kannte, und weil ich mir sagte: Dieses Dorf ist wie Grotte, hier glaube ich in Milocca zu sein, dieser Marktplatz gleicht dem unseren. Auch in Sevilla hatte ich zuweilen den Eindruck, durch die Straßen Palermos rings um die Piazza Marina zu wandeln. Selbst die Landschaft war wie in Sizilien: in Kastilien öd und trostlos wie zwischen Caltanissetta und Enna, aber noch öder und trostloser, als hätte der Herrgott, nachdem er Sizilien hingeworfen hatte, sich den Spaß gemacht, ein Vergrößerungsspiel mit einem jener Apparate zu betreiben, die auf den Jahrmärkten verkauft und auch von Ingenieuren benutzt werden, mit einem sogenannten Pantographen. Welche Idee auch, eine Hauptstadt mitten in Kastilien hinzusetzen! Daß in dieser Wüste eine große Stadt liegen konnte, schien unvorstellbar, eine Sinnestäuschung, die ebenso entstand wie bei einem Verdurstenden die Spiegelung einer murmelnden Quelle. Aber die Stadt war tatsächlich da: Madrid. Nachts leuchtete über ihr der Himmel in grellem Rot, es brannte, und unsere Flugzeuge griffen die Brandstätten immer wieder an. Manchmal dachte ich daran, daß in dieser Stadt ja Kinder und greise Menschen lebten, Frauen, die sich in Qualen wanden, daß es Häuser waren, in denen Tausende und aber Tausende von Menschen wohnten. Und ich dachte: Antimon, das Feuer! Aber der Widerschein war weit entfernt, und diese Fata-Morgana-Stadt kostete uns so viel Blut und Schmerzen, daß ich den tödlichen roten Schein gewöhnlich genau so betrachtete, wie ich als Kind auf dem Lande die fernen Schleifen des Feuerwerks zum Fest des heiligen Calogero betrachtet hatte: als leuchtendes Spiel in nächtlicher Ferne.

Der Abend senkte sich auf jenes kleine Dorf Kastiliens oder Estremaduras herab. Und die Landschaft aus Kreide und Brombeergestrüpp und versengten Stoppeln, eine Landschaft, in der das Feudalgut zu spüren war mit seinen gewalttätigen Feldhütern, den Steuereintreibern, den Dieben und dem Herzog, der in Palermo und in Madrid sein Geld für Frauen und Autos verschwendet, und den Bauern, die sich auf diesen Kreideböden unter dem feindseligen Auge der Feldhüter schinden – diese Landschaft versetzte mich in eine wehmütige Stimmung. Ähnlich empfand ich, wenn ich aus dem Schlund der Schwefelgrube kam und mir der Geruch von Erde und Sonne entgegenströmte und das Verlangen in mir wuchs, Bauer zu werden. Wir stießen bis zu den letzten Häusern vor. Ein Mann in schwarzem Anzug grüßte uns mit gehobener Hand. »Viva l'Italia.« Ventura antwortete prompt: »Arriba España.« Meist gefiel mir dieser Grußaustausch, weil sich Italiens und Spaniens Namen darin kreuzten.

Der Mann blieb stehen und sagte: »Es magnifico.« (Großartig.)

»Ja«, bestätigte Ventura.

»Mussolini nos ha prestado un gran servicio«, fuhr der Mann fort. »Es magnífico.« (Mussolini hat uns einen großen Dienst erwiesen.)

»Cómo no!« entgegnete Ventura. (Natürlich!)

188

»Una pandilla de asesinos, los rojos«, bemerkte der Mann. (Eine Mörderbande, diese Roten.)

»Der Kerl fängt an, mir auf die Nerven zu fallen«, sagte Ventura zu mir und fragte: »Por qué?« (Warum?)

»Que opinión tiene usted?« fragte der Mann, plötzlich beunruhigt. (Welcher Meinung sind Sie?)

»Arriba España«, antwortete Ventura.

Der Mann atmete auf. »Falange ama España sobre todas las cosas . . . Es terrible estar entre cuatro paredes, cuando fuera . . . Los días son largos entre cuatro paredes . . . Pues, ahora empieza nuestro triunfo . . .« (Die Falange liebt Spanien über alles. Es ist entsetzlich, in den vier Wänden zu hocken, während draußen . . . In den vier Wänden sind die Tage lang. Nun, jetzt beginnt unser Sieg.)

»Cómo no!« wiederholte Ventura. »Ahora limpieza: y hombre profético partido único sindicato vertical . . .«

Er las spanische Zeitungen und wußte mancherlei.

»Claro«, bekräftigte der Mann. »España no se aparta de Dios.«

»Spanien wendet sich nicht von Gott ab«, übersetzte Ventura, und zu dem Mann sagte er: »Naturalmente, así es . . . Manos a la obra, ahora: limpieza.« (Natürlich, so ist es . . . Ans Werk, jetzt heißt es: Sauberkeit.)

»Es magnífico.« Der Mann schien einen Augenblick lang von seiner Vision berauscht, dann schwenkte er die Hand, als wäre sie ein Maschinengewehr, mit einer Mähbewegung. »Falange fusilará a todos, a todos . . . Es terrible estar entre cuatro paredes . . .« (Die Falange wird alle, alle erschießen . . . Es ist entsetzlich, in den vier Wänden zu hocken.)

»Arriba Falange«, sagte Ventura und drehte ihm den Rücken.

»Viva Mussolini«, grüßte der Mann.

»Dieser Schurke«, murmelte Ventura, »will halb Spanien niedermachen, um sich für die Tage zu rächen, die er zu Hause eingesperrt gesessen hat. Es wird der Apotheker sein, der Gemeindearzt oder der Bruder des Erzpriesters. In unseren Dörfern sind das die Kräfte des Faschismus. Kurz, ein feiner Herr.«

Auf dem Platz vor der Kirche hatten sie ein Radio auf einen Stuhl gestellt. Es spuckte und gab Töne von sich wie Gitarrensaiten, wenn sie reißen. Dann kündigte, wie jeden Abend, eine

Stimme an: »El excelentísimo señor general don Gonzalo Queipo de Llano, gobernador de la Andalucía y jefe del glorioso ejército del sur . . .«

Das Geschwätz des vortrefflichen Herrn Generals Gonzalo Queipo de Llano, des Gouverneurs von Andalusien und Befehlshabers der ruhmreichen Südarmee, begann, und Ventura meinte: »Dieser Wüstling! Alle häßlichen spanischen Ausdrücke, die ich kenne, habe ich von ihm.«

II

In Zaragoza wimmelte es von Prostituierten. In keiner anderen Stadt habe ich so viele Prostituierte gesehen. Sie schwirrten in den Bars herum wie Fliegen. Jeder Soldat fand die seine, und es gab Tausende von Soldaten in Zaragoza. Wenn die Republikaner Bomben warfen, glichen Bars und Restaurants mit einem Schlage den Refektorien in den Klöstern: Alle diese Frauen riefen die Madonna von Pilar um Hilfe an und leierten Gebete, jede hatte den Rosenkranz hervorgeholt und sich auf die Knie geworfen. Man hatte seinen Spaß daran, aus einer Gesellschaft halb betrunkener Frauen plötzlich in eine traurige Vereinigung frommer Marienmädchen zu geraten, ein Vergnügen, zusammengesetzt aus vielen Einzelheiten, wie etwa ein wohlschmeckendes Gericht, das aus so vielen verschiedenen Zutaten besteht, daß man sie nacheinander nicht essen möchte, in der Zusammensetzung aber ihren Eigengeschmack gar nicht mehr erkennen kann.

Die Jungfrau von Pilar war die Schutzpatronin von Zaragoza. Sie hatte schon zu Napoleons Zeiten ein eindeutiges Wunder vollbracht und fuhr nun fort, ihren Schutz als bestallte Befehlshaberin der falangistischen Truppen von Aragonien mit entsprechendem Sold weiter zu gewähren. Meine Mutter bekreuzigte sich, als ich ihr von der Madonna von Pilar erzählte, die einen Dienstgrad in der Armee gehabt und Sold empfangen habe. Sie glaubte, ich hätte mir eine solche offenkundige Teufelei ausgedacht, um sie zu kränken. Die Madonna könne sich nicht an einem Krieg beteiligen, in dem der Mütter Söhne einander abschlachteten, und schon gar nicht könne sie einen Dienstgrad haben. Was aber den Sold betreffe ... Sie mußte es hinnehmen, als ich ihr bei den Seelen der verstorbenen Familienangehörigen schwor, daß es wirklich so war. Doch als Madonna habe sie ihren Sold nicht empfangen, den habe sicherlich ein Geistlicher abgeholt, so habe sie sich denn auch um die Truppen von Aragonien gekümmert, oder besser, sie habe sich um die von Aragonien und auch um mich, den Sizilianer, gekümmert, und um alle, die in Spanien kämpften, und habe bei Gott Fürsprache gehalten, damit er dem Gemetzel ein Ende bereite.

Zaragoza lag nur wenige Kilometer von der Front entfernt, aber der Krieg schien tausend Meilen weit zu sein, nur die Bombenangriffe, die übrigens keinen nennenswerten Schaden anrichteten, ließen hin und wieder etwas von ihm und seiner Nähe spüren. An der Front ging es wechselhaft zu, der Krieg war ein Stellungskrieg geworden. Schützengräben und Vorpostenlöcher wurden erobert, aufgegeben und zurückerobert. Bei Belchite erlitten wir eine Niederlage, doch von Mitte September an wurde die Front sozusagen wieder normal. Das heißt, wir hatten wenige Opfer zu beklagen und fügten auch dem Gegner nur geringe Verluste zu. Das Wetter war schön: ab und zu ein Regenschauer, dann leuchtete wieder ein heiterer Himmel, die Landschaft war blitzblank, und der Ebro glich einer Lebensader der Erde. Wir hatten Lister uns gegenüber. Einmal hätten wir ihn beinahe durch einen Handstreich gefangengenommen, seine Sachen blieben zurück, auch ein Affe, von dem behauptet wurde, er gehöre ihm. Er schleppte ihn als Maskottchen mit sich herum, vielleicht brachte das Tier ihm auch Zerstreuung. Ich besitze ein Foto mit Listers Affen; er wird von einem Legionär gehalten, der ihm ähnlich sieht. Unser Leutnant hatte ihn dafür ausgesucht. Wir anderen stehen mit lachenden Gesichtern im Halbkreis um ihn herum. Lister war ein Teufelskerl; immer gelang es ihm, uns zu entwischen – und er war ein guter Kommandeur. Sein Bild habe ich nie in die Hände bekommen. Was er in Wirklichkeit war, Landarbeiter oder Philosoph, weiß ich nicht. Aber ich hätte gern gewußt, wohin er geraten ist und ob er noch lebt. Ich möchte gern vieles erfahren, nicht nur über Lister, sondern über jenen Krieg im allgemeinen.

Wenn ich aus dem Schützengraben nach Zaragoza zurückkehrte, dann suchte ich immer eine Frau auf. Sie hieß María Dolores. Ihr Mann war zur Volksmiliz gegangen, sie war anderer Gesinnung. Ihr Vater hatte zur katholischen Partei gehalten und war erschossen worden. Sie hoffte, ihr Mann sei tot, obgleich sie sicher war, daß er nicht wiederkommen würde.

Sie kochte vor Haß; sie wünschte, alle, die für die Republik kämpften, sollten umgebracht werden, damit ihr Vater gerächt würde und sie die Gewißheit hätte, daß es auch ihren Mann erwischt hatte. Mussolini war für sie ein Mann der Vorsehung, der in den spanischen Krieg eingegriffen habe, damit sie von ihrem Mann befreit würde, den der Wein und die Politik zum Lumpen gemacht hatten, und damit der Tod ihres Vaters gerächt werde. Und sie ging mit den Italienern ins Bett, als wollte sie dadurch auch Mussolini einen Gefallen erweisen. Ich hätte es nicht über mich gebracht, mit einem Spanier, der so voller Haß gewesen wäre, wie sie, Freundschaft zu schließen. Bei einer Frau war das etwas anderes. Ihr Haß wurde für mich liebenswert, nicht etwa, weil aus ihrem Haß gegen andere für mich Liebe entsprang, sondern sie gefiel mir gerade, weil sie haßte, weil sie aus ihrem Haß einen Zauber machte, weil sie ein wenig wie eine Hexe war. Das körperliche Liebesempfinden ist sehr kompliziert. Es ist stärker, wenn auf der Frau eine dunkle Verdammung lastet, wenn ihr Wesen ein bösartiges Geheimnis birgt. Ich meine damit das Liebesvergnügen, denn die Liebe selbst ist einfacher und klarer. Diese Frau zog mich mehr an als jede andere, einmal, weil sie mir mit ihrem Körper, ihren Augen, ihrem Haar und ihrer Stimme »Blut machte«, wie es in meiner Heimat heißt, wenn man sich zu einer Frau unwiderstehlich hingezogen fühlt, und zum anderen, weil sie mit großem Ungestüm alles liebte, was mein Gewissen ablehnte. In jenen Tagen quälte mich der Gedanke, daß mich meine Frau betrügen könnte und mich vielleicht auch betrog, nicht mehr so heftig wie in der ersten Zeit der Trennung. Ich fand zwischen dem herben Liebesvergnügen, das trüb und verworren war, und der schmerzvollen Klarheit, die ich allmählich über diesen Krieg gewann, ein sonderbares Gleichgewicht. Mein Leben von gestern war mir gleichgültig, es war mir fern, als gehörte es mir nicht mehr, abgesehen von dem, was mich nach Spanien getrieben hatte: Armut, Schwefelgrube und Faschismus.

Die Erinnerung an meinen Vater, an seinen Tod, und das Bild
meiner Mutter, die sechzigjährig, von der Gicht geplagt, bei den
Reichen Aufwartefrau sein mußte, wollten mich nie verlassen.
Jedoch nur, weil ich zu der bitteren Erkenntnis gelangte, daß ich
nach Spanien gekommen war, um gegen ihre Hoffnungen, gegen
die Hoffnungen von Menschen wie sie und ich zu kämpfen. Meine Frau indes bot ein Bild der Liebe, das mit jedem Tage, mit
jedem Brief, den ich von ihr erhielt, weniger bedeutend und
verschwommener wurde. Ihre Briefe waren zerfahren und
dumm. Sie berichtete über ihre häuslichen Sorgen, als wäre ich
nicht in den Krieg gezogen, sondern zur Erholung aufs Land
gefahren. Es sei ihr lästig, sich anzustellen, um das Geld in Empfang zu nehmen, das ich für sie im Kriege verdiente; an manchen
Tagen fühle sie sich so einsam, daß sie wahnsinnig werden könnte; meine Mutter kritisiere sie wegen gewisser Ausgaben, die sie
für unnötig und übertrieben halte. Und sie erzählte mir von
Kleidern, die sie schneiderte, und von den Leuten, denen sie
begegnete. Ein ganzer Brief handelte nur von Mussolini, der
durch unser Dorf gekommen sei. Sie sei hingegangen, um ihn zu
sehen, und er sei wirklich ein schöner Mann, er sehe besser aus
als auf den Bildern, ein sympathisches sonnengebräuntes Gesicht
habe er. So viele Menschen seien an der Bahn erschienen, daß
Mussolini schließlich die Befürchtung geäußert habe, die Pimpfe
und die Jungmädchen könnten von der Menge unter die Räder
des Zuges gedrängt werden. Meine Mutter dagegen schrieb, daß
sie für mich bete und auch für die anderen, damit der Krieg bald
enden möge. Sie fügte auch immer hinzu: »Ich weiß nicht, was
Deine Frau über mich erzählt, doch glaube nicht, daß ich ihr
gegenüber die Schwiegermutter herauskehre. Ich sage ihr nur,
sie soll sparsam sein und daran denken, daß Du das Geld, das sie
erhält, bitter verdienen mußt.« Meine Mutter meinte nicht das
bittere Gefühl, einen Krieg mitmachen zu müssen, mit Gewis-
sensbissen und mit Scham im Herzen. Sie dachte an das bitterbö-
se Werk des Krieges, an die Hinrichtungen und an die Bomben,
an den Tod, der mich von einem Augenblick zum anderen hin-
wegraffen konnte. Meine Mutter konnte nicht schreiben. Sie diktierte ihre Briefe einer Nachbarin, die dann aus eigenem Antrieb
abschweifte, um mir das zu berichten, was im Dorfe geschah. Ich

193

kannte meine Mutter gut. Ihrem Sohn, der sich im Kriege abplagte, hätte sie nie geschildert, wie das Fest des heiligen Calogero verlaufen oder daß ein Bischof in unsere Pfarre gekommen war, um die Firmung vorzunehmen.

Ich hatte aus Liebe geheiratet. Liebe in unseren Gegenden bedeutet heimliche Blicke und stumme Begegnungen. Man geht eine Straße entlang, und mit einemmal entdeckt man auf einem Balkon ein schönes Mädchen, das gestern vielleicht noch ein Kind gewesen ist. Und von diesem Tage an schaust du bei jeder Gelegenheit zu dem Balkon auf, und sie sieht dich jeden Tag an. Und dann gehst du jeden Sonntag zur Messe, um sie zu treffen. Sie wird in deinen Augen immer schöner, du bist verliebt, und sie blickt dich verliebt an. Aber außer daß sie dich will, weißt du nichts über ihre Gedanken, über ihr Leben und über das, was ihr gefällt, und das, was sie fürchtet. Du weißt nichts von ihrem Herzen, von ihrer Art, Freude zu empfinden oder Anteil zu nehmen an dem, was in der Welt geschieht. Die Liebe müßte hingegen aus der frohen Erkenntnis kommen, daß man gemeinsam, Mann und Frau, in der Lage ist, die Sorgen, vor allem die Sorgen des Lebens, zu meistern. Gemeinsam fürs Leben, im Leid, in dem man einander stützt, wie in der Freude, die nur ein Augenblick ist und uns mit unserem nackten Herzen allein läßt, damit wir uns besser im Herzen verstehen. So enthüllte sich mir der Sinn der Liebe, und ich entdeckte, daß ich für meine Frau keine Liebe empfand. Aber ich gab mich mit dem Vergnügen zufrieden, mir genügte eine Soldatenfrau, eine Frau, die das Böse dieses Krieges in sich hatte. Ich suchte sie wie ein Verdurstender, aber nach ein paar Tagen, wenn ich wieder an die Front mußte, ließ ich erleichtert von ihr ab. Der Gedanke, daß andere Soldaten meinen Platz in ihrem »cuarto«[1] einnahmen und den Haß, der in ihr war, das düstere Vergnügen ihres Hasses fühlten, bereitete mir seltsamerweise eine herbe Freude.

Ventura wechselte von einer Frau zur anderen. Einmal war er sogar mit María Dolores zusammen. Sie ließen mich in der Bar sitzen und gingen miteinander weg. Ich litt ein wenig darunter, weil Ventura mein Freund war, nicht weil sie sich um andere kümmerte. Lächerlich, wenn man's sich überlegte. Ventura ver-

1 Zimmer.

gnügte sich in Zaragoza, er wollte den Krieg vergessen. An der Front wurde er nach jedem Urlaub finsterer und wütender. Er stritt mit anderen und wurde in seinen Äußerungen immer unvorsichtiger. Die Absicht überzulaufen schien er aufgegeben zu haben.

In diesem Herbst war der Krieg an den Fronten Aragoniens nicht so hart, wie er in Guadalajara und in Brunete gewesen war. Die schwarzen Tage sollten mit dem Winter anbrechen. Wir führten kleinere Kampfhandlungen aus. Manchmal hatte ich den Eindruck, daß sie uns wie einen Hund, der sich in den Schwanz beißt, im Kreise laufen ließen. In unseren Befehlsstellungen herrschte wohl eine Art Chaos, und vielleicht wußte Lister das. Eines Nachts, wir schliefen gerade in einer Meierei bei Zaragoza, wurden wir alarmiert. Es hieß, feindliche Kavallerie sei in unsere Stellungen eingebrochen und habe ein Dorf besetzt, das zu unserem Abschnitt gehörte. Wir marschierten eine Stunde lang. Es war so finster, daß man die Nacht in Scheiben hätte schneiden können, so dicht und greifbar umgab sie jeden von uns, und ihre Feuchtigkeit drang uns bis in die Knochen. Endlich erreichten wir ein Dorf, das von Hunden nur so wimmelte. Es waren so viele, daß wir den Eindruck hatten, uns mitten in einem ganzen Rudel zu bewegen. Wir riefen besänftigend »Perro, perrito« und warfen das Brot, das wir in unseren Taschen fanden, in die Finsternis, um nicht gebissen zu werden. Wir hörten die Kiefer nach den Brotstücken schnappen und wütend nagen. Es waren wohl knochenharte Bissen. Dann kam der Befehl haltzumachen. Das Nachbardorf, etwa vier oder fünf Kilometer weiter, war eben jenes, das angeblich von feindlicher Kavallerie besetzt war. Es war drei Uhr, die Offiziere sagten, wir könnten bis zum Morgengrauen ausruhen. In der Erinnerung – aber auch schon damals – erscheint mir dieses Durcheinander von Menschen und Hunden im Dunkeln, dieses Rufen und Fluchen, dieses Nagen der Tiere, wie ein Traum.

Der Morgen dämmerte, die Hunde gähnten wie wir. Kradfahrer wurden vorgeschickt. Eine halbe, eine ganze Stunde verging – sie kehrten nicht zurück. Die Offiziere beratschlagten; dann kam ein Leutnant auf uns zu, ein junger Sizilianer, der sich stets in der Nähe des Majors aufhielt. Ich mochte ihn gut leiden. Er sagte: »Zwanzig Mann folgen mir, wollen mal sehen, was da los ist.« Ventura trat als erster vor, ich baute mich neben ihm auf. Die Sonne stand bereits am Himmel, als wir das Dorf sichteten – die Herbstsonne, die in Sizilien manchmal schlimmer ist als im Sommer. Es war totenstill. Das wäre nicht das erstemal, daß die Milizionäre ein Dorf besetzten und sich dann dem Schlaf hingaben, vor Müdigkeit und weil sie Wein getrunken hatten; sie vergaßen, Posten aufzustellen. Und im Schlaf ließen sie sich dann von uns ausheben.

Aber hier stimmte bedenklich, daß unsere beiden Kradschützen nicht zurückgekehrt waren. Wir näherten uns also mit gebotener Vorsicht den ersten Häusern. Nichts. Fast auf Zehenspitzen bogen wir auf einen kleinen Platz ein. Und dort standen ein Geistlicher und drei oder vier alte Weiber. Der Priester und die Frauen kamen von der Frühmesse, wie in unseren Dörfern. Als sie uns mit vorgehaltenem Gewehr um die Ecke biegen sahen, wären sie vor Angst beinahe gestorben. Ich für mein Teil habe nie zuvor soviel Freude beim Anblick eines Priesters empfunden wie damals. Denn das bedeutete, daß es in diesem Dorf keine Roten gab, sonst wäre der Pfarrer ja nicht dagewesen. Der war vor Schreck starr wie ein Stockfisch, und es dauerte eine Weile, ehe er den Gruß des Leutnants zu erwidern vermochte. Der Leutnant erkundigte sich bei ihm nach den Roten und sagte, uns sei gemeldet worden, daß das Dorf vom Feind besetzt sei. Der Priester zuckte zusammen und schürzte instinktiv die Soutane, wie Frauen und Priester es tun, wenn sie sich zum Laufen anschicken. Der Leutnant mußte seine ganze Geduld aufbieten, um ihn zu beruhigen und ihn zu der Aussage zu bewegen, daß in diesem Dorf von den Roten nicht einmal gesprochen worden sei. Ebensowenig in den benachbarten Dörfern. Und die Kradfahrer? Auch über sie konnte der Pfarrer nichts mitteilen. Wir machten uns also auf und marschierten weiter. Ein paar Kilometer – ein anderes Dorf, etwas größer. Zwei Motorräder standen vor einem Amtsgebäude, ein Posten bewachte sie. Am Eingang war eine Holztafel angebracht – Kommandantur. Der Leutnant ging wutentbrannt hinein. Fünf Minuten später kam er mit einem Major heraus. Der Major beteuerte in klagendem Ton: »Ja, mein Sohn, ich begreife hier gar nichts mehr, jeder tut, was ihm gerade paßt, Offiziere ebenso wie Soldaten. Gestern hat ein Leutnant zu mir gesagt:

›Herr Major, ich gehe.‹ Ich fragte ihn: ›Wohin denn?‹ Er antwortete: ›Ich fühle mich nicht wohl, und ich muß ins Lazarett.‹ Darauf ich: ›In welches Lazarett, zum Teufel ...? Dir geht es besser als mir. Wer in Behandlung müßte, das bin ich.‹ Und er wieder: ›Ich bleibe nicht, ich fühle mich schlecht.‹ Was sollte ich machen? Ihn erledigen? Jawohl. Aber dieser Leutnant ist kein Einzelfall. Ich möchte nicht all die Ärgernisse aufzählen, die ich durchzustehen habe. Hier haben sich die größten Tölpel zusammengefunden. Es scheint, daß sie eigens für mich ausgewählt worden sind, einer wie der andere – ›den teilen wir dem Major D'Assunta zu, der ist geduldig, der hat gesunde Nerven‹ –, dabei sind meine Nerven so angegriffen, daß sie wie Gitarrensaiten zittern, aber ich knöpfe mir noch einen vor, und den mache ich fertig für immer, den erledige ich.«

»Wo ist die feindliche Kavallerie?« fragte der Leutnant.

»Das, mein Sohn, ist eine andere Sache. Oder vielmehr, es ist die gleiche. Ich muß hier alles allein machen. Jeden Tag steige ich auf die Stellungen und erkunde mit dem Feldstecher. Das ist noch gar nichts, ich muß so viel anderes regeln, was gar nicht in meine Kompetenz fällt. Kurz, gestern blicke ich in diese Richtung« – er deutete auf das Dorf, in dem wir den Priester angetroffen hatten –, »und da sehe ich im Tal, durch das ein Bach fließt, Männer zu Pferde und zu Fuß Bretter schleppen. Von dem Abhang dort oben haben sie sie bis ans Ufer getragen. Aha, denke ich, die wollen mich für dumm verkaufen, rufe alle zum Appell, und da sagt einer: ›Was soll die Geschichte mit den Brettern? Ich beobachte diese Bewegungen schon seit ein paar Tagen!‹ Verstehst du, mein Sohn? Seit ein paar Tagen. Und er behält das für sich, als hätte er ein schönes Mädchen in der Via Toledo gesehen. Ich sage dir, die machen sich's bequem. Krieg? Nein! Urlaub auf Capri machen die hier ... Also, ich gebe eine chiffrierte Meldung durch: ›Einbruch feindlicher Kavallerie!‹ Nun seid ihr da, im Handumdrehen haben wir das ausgebügelt ...« Er fuhr sich mit der Rechten über die stoppeligen Wangen und fragte: »Hast du einen Friseur unter deinen Leuten? Meiner läßt sich seit zwei Tagen nicht mehr sehen, dieser Bastard ...«

Wir schickten die beiden Kradschützen zurück, und die anderen schlossen sich uns an. Unser Major beobachtete durch den

Feldstecher, Spähtrupps wurden ausgesandt. Sie kehrten belustigt zurück. In dem Tal waren sie auf Reiter der »requetés« und auf Arbeiter gestoßen, die dort eine Brücke bauten. Major D'Assunta, quietschvergnügt und glattrasiert, sagte: »Um so besser, ich fürchtete schon, man wolle mich für dumm verkaufen«, und er begann, unserem Major die Sorgen zu schildern, die er mit seinen Männern habe, jedoch mehr, um ihn aufzuheitern, als um wirklich über seine Nöte zu klagen. Er glich einem Vater, der von den Spitzbübereien seiner Söhne erzählt, es eigentlich aber bedauern würde, wenn sie keine mehr begingen. »Seit einem Monat, seit sie in diesem Nest sind, die armen Jungs, haben sie sich eingelebt. Sie haben ihre ›novia‹[1], ein warmes Bett, ein frisches Ei, alle im Dorf lieben sie. Und sie haben mich gern, müssen Sie wissen. Sie bringen mich zwar manchmal in Zorn, aber sie haben mich gern . . . ›Herr Major, selbst gemolken‹ – ein voller Krug Milch. ›Herr Major, es ist noch warm‹ – das Ei. ›Herr Major, der »chorizo«, der Ihnen immer so gut schmeckt‹ – eine Wurst, lang wie ein Arm.« Major B. – seinen Namen habe ich behalten, ich nenne ihn aber nicht, weil ich noch anderes über ihn zu berichten habe –, unser Bataillonskommandeur, sah ihn an wie ein wütender Wolfshund, der ihn im nächsten Augenblick in Stücke reißen möchte. Major D'Assunta unterbrach die Aufzählung der freundlichen Aufmerksamkeiten, die ihm seine Männer angedeihen ließen, und fragte: »Schmeckt Ihnen der ›chorizo‹?«

Das Maß war übervoll. Major B. rief wutentbrannt aus: »Ich bin nicht nach Spanien gekommen, um ›chorizo‹ zu essen. Ich bin gekommen, um Krieg zu führen, und um ihn gut zu führen.«

»Gewiß«, erwiderte Major D'Assunta, »natürlich führen wir Krieg. Wozu sind wir denn sonst in Spanien; doch nicht, um Feste zu feiern . . . Vielleicht führe ich ihn nicht so gut wie Sie, wenn Kriegführen hier bedeuten soll . . . Aber lassen wir das. Immerhin, mir schmeckt der ›chorizo‹.«

Major B. hob die Hand zum römischen Gruß und wandte ihm den Rücken zu.

»Morgen«, sagte Ventura, »bekommt Major D'Assunta weder ein weiches Ei noch frisch gemolkene Milch. Wer weiß, an welche Front es ihn verschlagen wird.«

1 Schatz.

Lastkraftwagen trafen ein, um uns zu holen. Wir fuhren nach Zaragoza zurück.

Als ich das erstemal von meinem Dorf nach Palermo reiste, war ich zehn Jahre alt; mein Vater begleitete mich. Wir fuhren mit seinem Bruder, der nach Amerika auswanderte. Es war meine erste Eisenbahnfahrt. Der Zug, die Schaffner, die Stationen, die Landschaft – alles war für mich ein frohes Erlebnis. Den ganzen Weg hin und zurück machte ich stehend und schaute aus dem Fenster. Damals kam der Wunsch in mir auf, Eisenbahner zu werden. Einen Augenblick, bevor der Zug hält, abspringen, ins Horn blasen und den Namen der Station ausrufen, und wenn der Zug anruckt, wieder mit einem sicheren Schwung aufspringen. An einem Ort unterwegs rief der Schaffner: »Aragona, bitte umsteigen!« Wer nicht nach Girgenti wollte, verließ mit Koffern und Bündeln den Zug, um in einen anderen zu steigen, der bereits wartete. Wenn ich später mit den Jungen aus meiner Straße spielte, reservierte ich diesen Ausruf immer für mich. Er war wie die Stimme des Schicksals, das einige Menschen von Aragona nach Osten und andere von Aragona nach Westen gebracht hatte, damit sie dort lebten. Aber genau wüßte ich heute nicht mehr zu sagen, welchen Reiz dieser Ausruf damals für mich hatte. Aragona habe ich im Gedächtnis behalten, so wie es vom Zug aus erschien, wenige Minuten, bevor wir den Bahnhof erreichten. Es ist, als drehte es sich um einen Angelpunkt: eine halbe Drehung um ein großes Gebäude, das den Ort beherrscht; ihm zu Füßen liegen die kahlen Äcker. Obwohl Aragona nur wenige Kilometer von meinem Dorf entfernt ist, bin ich nie dort gewesen. Von der Stadt ist mir nur der Eindruck geblieben, den man vom fahrenden Zug aus empfängt.

In dem spanischen Aragón, dem Gebiet Aragonien, das so viele Ortschaften hat, die unserem Aragona in der Provinz Girgenti ähneln, erinnerte ich mich an jene längst vergangene Reise und an das Spiel, bei dem ich mir später mit anderen Jungen die Zeit vertrieben hatte. Immer wieder fiel mir der Ausruf ein: »Aragona, bitte umsteigen!«, so wie einem zuweilen eine Melodie oder die Worte eines Liedes in den Sinn kom-

199

men und einen dann tagelang verfolgen. Umsteigen, dachte ich, mein Leben steigt in einen anderen Zug um ... oder ich bin dabei, mich in den Zug des Todes zu setzen ... Umsteigen. Aragona, umsteigen ... umsteigen. Und dieser Gedanke wurde eine musikalische Obsession. Ich glaube an das Mysterium des Wortes, auch daß Worte Leben, Schicksal werden können, genauso, wie sie Schönheit werden.

So viele Menschen studieren, besuchen die Universität, werden gute Ärzte, Ingenieure, Anwälte, werden Beamte, Abgeordnete, Minister. Diese Leute möchte ich fragen: »Wißt ihr, was der Krieg in Spanien gewesen ist? Wenn ihr es nicht wißt, dann werdet ihr nie begreifen, was sich heute vor euren Augen abspielt, dann werdet ihr nie den Faschismus, den Kommunismus, die Religion der Menschen verstehen, nichts, gar nichts werdet ihr begreifen, denn alle Irrtümer und Hoffnungen der Welt sind in diesem Krieg konzentriert. Wie eine Linse die Sonnenstrahlen sammelt und Feuer entfacht, so entbrannte Spanien an allen Hoffnungen und Irrtümern der Welt. Und dieses Feuer knistert heute in der ganzen Welt.« Als ich nach Spanien ging, konnte ich kaum lesen und schreiben. Ich las die Zeitung und die »Geschichte der Herrscherdynastien von Frankreich«, und ich konnte einen Brief nach Hause schreiben. Ich bin aber so zurückgekehrt, daß ich glaube, die kühnsten Dinge lesen zu können, die ein Mensch nur denken und schreiben kann. Ich weiß auch, warum der Faschismus nicht stirbt, und ich bin sicher, alles, was mit seinem Tod untergehen müßte, zu kennen, auch das, was in mir und in allen anderen Menschen sterben müßte, damit der Faschismus für immer verschwindet.

»Hoy España, mañana el mundo«, sagte Hitler auf den Flugblättern, die die Republikaner über uns abwarfen. Sie stellten dar, wie er einen Arm nach Spanien ausstreckte. Flugzeuggeschwader entsprangen seiner Geste, während Spaniens Boden von einem Kranz weinender Kindergesichter bedeckt war. »Heute Spanien, morgen die ganze Welt«, sagte Hitler. Und ich fühlte, das waren keine von der Propaganda erfundenen Parolen. Die ganze Welt würde wie Spanien werden. Die Bank in Spanien sprengen bedeutete noch nicht, daß das Spiel für immer beendet wäre. Außer

Mussolini wollte keiner in Spanien seine Karten voll ausspielen. Die Deutschen erprobten ihre neuen präzisen Waffen. Wir indes warfen alles, was wir hatten, in den Kampf: die neuen Jäger und die alten österreichischen Geschütze, die Panzer, die für ein Regimentsfest gerade gut waren, und die Maschinengewehre aus dem Jahre 1914 – dazu die armen Soldaten mit ihren Fußlappen und Wickelgamaschen und ihren graugrünen Uniformen, die im Regen wie gebackenes Brot aussahen, Arbeitslose aus den süditalienischen Provinzen. Und das Schönste ist, daß nicht einmal die spanischen Francoleute uns für soviel Einsatz dankbar waren. Das Zeichen CTV des Corpo Truppe Volontarie, des Freiwilligenkorps, drückten sie mit dem Satz aus: »Cuando te vas?«, das heißt »Wann gehst du weg?«, als wären wir nach Spanien gekommen, um sie zu ärgern. Ich hätte sehen mögen, wie sie allein fertig geworden wären, diese Priester und feinen Herren, diese Marientöchter und Burschen aus dem Pfarrzirkel, diese Berufsoffiziere und die paar Tausend Carabineros und Schutzpolizisten. Ich hätte sehen mögen, wie sie gegen die Bauern und die Grubenarbeiter, gegen den roten Haß des armen Spaniens hätten bestehen wollen. Oder fühlten sie sich vielleicht gedemütigt und beschämt, uns als Zeugen dieses Elends und dieses Blutvergießens zu haben, wie einer, der gezwungen ist, Freunden die Armut seines Hauses und den Wahnsinn seiner Familienangehörigen zu zeigen? Der ganze unberechenbare spanische Stolz lag in diesem Wunsch, daß wir gingen. Und mit Franco waren auch jene, die ihren Unmut und ihren Kummer über das äußerten, was sie auf ihrer Seite zu sehen bekamen. Nicht wenige waren unter ihnen, die meinten: »Wäre José Antonio hier, dann wäre alles anders.« Ohne José Antonio überzeugte sie die Revolte der Generale nicht – »No es justo que el conde Romanones posea todas las tierras de Guadalajara« (Es ist ungerecht, daß der Graf Romanones den gesamten Boden von Guadalajara besitzt) –, und sie hatten die traurige Gewißheit, daß Franco dem Grafen Romanones nicht einen einzigen Hektar Boden wegnehmen würde. Sie schämten sich auch, daß Spanien durch ausländische Waffen und fremde Söldner zerfleischt wurde. Die Deutschen zertrümmerten mit ihren Bomben ganze Städte, so wie man beim Spazierengehen einen Ameisenhaufen zertreten kann, und die Moros kamen nach vielen Jahrhunderten unter spanischer Führung wieder, um sich an den Söhnen dieses christlichen Spaniens, das sie verdrängt hatte, zu rächen. Wenn die Prostituierten und die feinen Herren in einer eroberten Stadt den marschierenden Marokkanern·zuriefen: »Moros moritos«, dann las ich in den Gesichtern mancher spanischer Soldaten Kränkung und Haß. Was uns Italiener betraf, so rief der Umstand, daß wir die Spanier beschuldigten, zu viele Menschen hinzurichten – unsere Befehlsstellen scheinen unablässig protestiert zu haben –, bei denen, die die Erschießungen wollten, Unduldsamkeit hervor und Beschämung bei denen, die sie nicht wollten. Folglich gab es keinen Spanier, dem unsere Anwesenheit nicht zuwider gewesen wäre.

In Zaragoza waren alle diese Gefühle und Ressentiments zugespitzt, vielleicht weil dort Prostituierte waren, und im Beisein einer Frau, ob Prostituierte oder nicht, möchte man immer sein wahres Wesen hervorkehren. Dann war da auch der Wein – jener Augenblick der Wahrheit, den der Wein uns verschafft, bevor der Becher uns trunken macht. In Zaragoza gab es Marokkaner und Deutsche, »requetés« und Falangisten, Aragonier und Andalusier. Auch unter uns war der Faschist der ersten Stunde, der Norditaliener, der sich gemeldet hatte, um den Antifaschisten in Spanien Schläge zu versetzen, und der auf die sizilianischen Arbeitslosen herabsah wie ein Kastilianer auf die Moros. Den Wein im Magen und eine Frau neben sich, kehrte jeder seine schlimmsten oder seine besten Seiten hervor.

Ich behaupte, daß der letzte Bauer aus meinem Dorf – der »finsterste«, das heißt unwissendste, der Weltkenntnis am meisten verschlossene –, daß dieser Bauer, hätte man ihn an die Front in Aragonien gebracht und zu ihm gesagt: »Rate, auf welcher Seite Leute wie du sind, und geh zu ihnen«, ohne zu zögern auf die Schützengräben der Republikaner losgelaufen wäre, denn auf unserer Seite blieb das Land größtenteils unbestellt. Bei den Republikanern dagegen arbeiteten die Bauern selbst unter Artilleriebeschuß. Wie es scheint, hatte die Republik den Boden unter die Bauern aufgeteilt, und die Alten – die jungen Männer waren ja im Krieg – klammerten sich mit solchem Eifer an ihr Stück Land, daß nicht einmal das Geschützfeuer oder der Gedanke, der bebaute Acker könnte im nächsten Augenblick durch Schützengräben aufgewühlt werden, sie fernzuhalten vermochte. Wenn man an klaren Vormittagen von einem Hügel aus durch den Feldstecher schaute, dann konnte man hinter der republikanischen Kampflinie die Bauern in schwarzer Hose und leuchtend blauem Hemd, einen Strohhut auf dem Kopf, den Pflug führen sehen, der von einem Mauleselgespann oder auch nur von einem einzigen Maulesel gezogen wurde. Diese Pflüge sind kreuzförmig, die Pflugschar ist nicht größer als eine Hacke. Auch die Bauern in meinem Dorf benutzen sie noch – die Furche, die sie zieht, ist nur ein Kratzer, kaum daß die trockene Erdkruste dabei bewegt wird. Ventura besaß ein Fernglas, und ich berauschte mich daran, den Pflügern zuzuschauen. Darüber vergaß ich sogar den Krieg, ich hatte das Gefühl, auf den Äckern meines Heimatdorfes zu stehen. Schön sind die Felder im Herbst: das plötzliche Schwirren der Rebhühner, der leichte Nebel, durch den der Boden braun und blau schimmert. Aragonien ist ein Land der Hügel, der Nebel umschlingt sie, und zwischen Nebel und Sonne wirken sie noch schöner. Aber es ist nicht so, daß es ein wirklich schönes Land wäre und jedem sogleich schön erschiene. Es ist schön in einer besonderen Art. Man muß in einem Land wie diesem geboren sein, um seine Schönheit zu erkennen und zu lieben.

Die Front war eine gebrochene Linie, sie glich einer Generalslitze. Seit Ausbruch des Krieges hatte es hier keine großen Bewegungen gegeben, auch die Geschichte mit Belchite hatte nichts Neues gebracht. Manchmal wurden mit infernalischem Lärm Aktionen eingeleitet, die die Front wer weiß wie weit hätten vorantreiben oder bis an die Häuser von Zaragoza zurückdrängen müssen. Aber alles verlief im Sande. Wir besetzten die Schützengräben, die tags zuvor den Roten gehört hatten, oder die Roten besetzten unsere Stellungen – und dann kehrte man von neuem in die Gräben vom Vortage zurück. Ventura gefiel diese Art Austausch, denn er fand amerikanische Zeitungen und Bücher in den republikanischen Gräben, und er war verliebt in alles, was aus Amerika kam.

Diese Situation blieb bis zu den ersten Tagen im Dezember. Hätte es nicht in der Nähe die Stadt gegeben, die Erholung und die Frauen, die Zaragoza zu bieten hatte, dann wäre es keinesfalls vorteilhaft gewesen, an der Front in Aragonien zu sein. Wenn ein Krieg monatelang auf der Stelle tritt, dann spürt man, auch wenn sich das Risiko nur auf irrende Kugeln und Stoßtruppenunternehmen beschränkt, den Ekel des Krieges, das, was am Krieg wirklich abstoßend ist, in der Kehle, wie das Instrument, das der Arzt einem in den Mund steckt, um Brechreiz hervorzurufen. Die Erde scheint in Verwesung überzugehen, sie riecht nach faulen Eiern und Urin. Als schnitte der Mensch Schanzen und Laufgräben in das kranke Fleisch der Erde, in eine eiternde Geschwulst. In Wirklichkeit aber kommt dieser Geruch nicht von der Erde, er eignet dem Menschen, der sich seine Höhle darin schaufelt, der sich in ein wildes Tier zurückverwandelt und einen Unterschlupf gräbt und der wie jedes andere wilde Tier der Umgebung seinen Geruch aufprägt. In diesem Sinne, glaube ich, gibt es für den Menschen nichts Entwürdigenderes als den Stellungskrieg, in dem er gezwungen ist, im eigenen Gestank zu vegetieren, seine Nahrung hinunterzuschlingen, während der Erde Ausdünstungen von Kot und Erbrochenem entsteigen, gierig Wasser zu trinken, das Tropfen für Tropfen aus dem schaumigen Abfluß einer Schwemme aufgefangen scheint.

Wenn der Schnee Häuser und Felder bedeckt, dann bereitet er Freude, denn er verleiht allem ein sauberes Profil, ein leuchtendes Zeichen. Wenn der Schnee auf mein Dorf herabrieselt, weckt er Freude im Herzen, und man hält es für eine unverhoffte Gnade, im eigenen Haus zu wohnen. Auf das von Schützengräben zerwühlte Feld trägt der Schnee jedoch Verzweiflung. Der Mensch im Schützengraben betrachtet ihn mit den gleichen Augen wie der Fuchs, der aus seinem Bau kriecht.

Ich glaube, die Offensive, zu der die Republikaner gegen Teruel ausholten, hat mir, ungeachtet dessen, was sie mich kostete, einen scheußlichen Winter im Schützengraben erspart. Ich wäre wahnsinnig geworden, hätte ich den Dezember und den Januar im Schützenloch zubringen müssen, denn diese Monate waren ein einziges Sturmgeheul über einer Welt weißen Todes.

Teruel ist hochgelegen, wie Enna, und es ist auch nicht größer als Enna. Seit Kriegsanfang war die Stadt in der Hand der Falangisten. Wie es scheint, hat dort die Polizei ein Blutbad unter den Roten angerichtet, und zwar nicht nur unter denen aus der

Stadt. Von der Polizei getäuscht, die vorgab, der Regierung treu geblieben zu sein, liefen die Milizionäre, die die Stadt besetzen wollten, in eine Mausefalle. Es war eine gute Position, Valencia unter der Drohung einer Offensive zu halten. Die Republikaner entschlossen sich daher, Franco die Stadt zu entreißen. Auf der Seite der Republikaner war es ein seltsamer Krieg – ich wäre jedoch gern dabeigewesen. Es war, als bestimmten Worte die Tatsachen, ähnlich wie in der Religion oder in der Poesie, wo das Wort die Dinge heiligt oder verschönt. Das Wort verwandelt sich in den Leib, das Blut und die Seele Jesu Christi; eine Landschaft oder ein Dorf, die man vorher zerstreut beobachtet hat, erscheint plötzlich schön, weil die Poesie ihren Glanz darübergebreitet hat. Ich weiß nicht, ob ich mich klar genug ausdrücke. Ich will sagen, daß ich von gewissen Sätzen, die die Republikaner auf Mauern, Plakate oder Flugblätter schrieben, den Eindruck eines bereits entschiedenen Ereignisses gewann, noch bevor die Aktion begonnen hatte, die zu seiner Entscheidung führen sollte. Ich stellte mir vor, daß diese Worte für jeden Soldaten der Republik eine schicksalhafte Wahrheit und Schönheit hatten und sich in Entschlossenheit und Kraft umwandelten. »Madrid es el baluarte del antifascismo . . . Teruel será hoy nuestro.« (Madrid ist das Bollwerk des Antifaschismus . . . Teruel wird heute unser.) Losungen wie diese nahmen für mich den Charakter des Unabänderlichen an. Die Worte flossen in Strömen, plötzlich aber drangen einige wenige, ein Satz nur, an die Oberfläche, wie von einer hohen Welle getragen, und prägten sich ein durch die Macht der Wahrheit oder des Glaubens. »El comisario del XIX Cuerpo de Ejército« sprach in einer Proklamation wunderbare Dinge aus, der Angriff auf Teruel hatte bereits begonnen, und der Kommissar des XIX. Korps sagte: »Que en estas tierras ásperas de Aragón, sea donde florezcan las primicias de nuestra victoria definitiva.« (Daß in dieser rauhen Erde Aragoniens die Anfänge unseres endgültigen Sieges sprießen . . .) Das waren indessen Worte, die nur so dahinplätscherten, die Gewißheit hatte solche, die nackter und notwendiger waren: »Teruel será hoy nuestro.«

Am fünfzehnten Dezember 1937 begannen also die Republikaner ihren Angriff auf Teruel. Ich will nicht behaupten, daß das überraschend für uns geschah. Es war ein Krieg, in dem es weder auf der einen noch auf der anderen Seite Überraschungen gab. In Spanien wimmelte es von Spionen wie in einem verdorbenen Käse von Maden. Tatsächlich wurden wir noch vor dem Fünfzehnten umgruppiert. Uns gegenüber lagen in den letzten Tagen anarchistische Milizionäre, die sich täglich den Spaß machten, tausend Schüsse, und zwar immer über unsere Köpfe hinweg, auf uns abzufeuern, und die uns zunächst brüderliche Aufforderungen und dann tiefste Verachtung aus ihren Lautsprechern entgegenschleuderten. Kurz, es waren Leute, die bereit gewesen wären, Karten mit uns zu spielen, hätten wir sie dazu eingeladen. Und wenn sie darauf versessen waren, Geschosse eine Handbreit über unsere Köpfe hinwegzujagen, dann waren sie es weniger, um einen von uns zu töten, als vielmehr aufgrund der unwiderstehlichen Verlockung, den Abzug zu betätigen, wie viele Spanier, sobald man ihnen ein Gewehr in die Hand gibt. Eigentlich hatten die Anarchisten eine ausgeprägte Vorliebe für Handgranaten, aber die Entfernung zwang sie, die Karabiner zu benutzen. Da sie auch in völlig unpassenden Augenblicken der Verlockung erlagen, zu schießen oder Handgranaten zu werfen, endeten ungezählte ihrer Aktionen mit blutigen Schlappen, vor allem die nächtlichen, denn ein Schuß oder die Explosion einer Handgranate alarmierten uns zur rechten Zeit, so daß wir sie mit höllischem Feuer empfangen konnten. Es ist jedoch nicht von der Hand zu weisen, daß manche von ihnen beabsichtigten, uns zu warnen. Die Francoanhänger der fünften Kolonne schlichen sich in die Bataillone der Anarchisten ein, wo sie sich die Tatsache zunutze machen konnten, daß die echten Anarchisten verrückt waghalsig waren und deshalb gar nicht merkten, ob einer von ihnen uns durch seine Ungeduld oder in verräterischer Absicht warnte.

Die Anarchisten gefielen mir, die echten natürlich. Das soll nicht heißen, daß man mit solchen Leuten Kriege gewinnen kann – sie gehen ganz gewiß verloren. So wie die Republik zusammenbrach, bin ich zu dem Urteil gelangt, daß Franco nie gesiegt hätte, wenn es auf der Seite der Republik mehr Kommunisten und weniger Anarchisten gegeben hätte. Wie man mit anderen nicht zusammenleben kann, wenn man alles ausspricht, was man über sie denkt, so kann man auch nicht einen Krieg wie den spanischen führen, indem man unter allem, was einem verhaßt ist, Bomben explodieren läßt. Und die Anarchisten haßten zuviel: die Bischöfe und die Dogmatiker, die Statuen der Heiligen und der Könige, die Klöster und die Bordelle. Sie starben mehr für das, was sie haßten, als für das, was sie liebten. Deshalb hatten sie einen so irrsinnigen Mut und den Drang, sich zu opfern. Jeder von ihnen fühlte sich ein wenig wie Jesus Christus und wollte durch das eigene Blut die Welt erlöst sehen. Es ist daher begreiflich, daß einer, der sich kreuzigen lassen will, der nur beispielgebendes Opfer sein will, keine Offiziere nötig hat, die ihm sagen, wann der Augenblick gekommen ist, sich zu bewegen, und wann, sich still zu verhalten. Ein Anarchist – aber ich kann mich auch irren, denn ich habe mir mein Urteil nach ihren Handlungen gebildet und weiß nichts über ihre Doktrin – betrachtet sich selbst als eine Bombe, die da ist, geworfen zu werden und zu explodieren. Und wie man bei einer Aktion vor Ungeduld darauf brennt, die Handgranate auf das erste Anzeichen oder die geringste Bewegung des Feindes zu werfen, so brennt der Anarchist darauf, sich selbst allem, was er haßt, entgegenzuschleudern und zu explodieren. Ihr konntet vom feindlichen Schützengraben aus einen Anarchisten um seine Ration bitten, wenn euch der Hunger quälte – er hätte sie mit Freuden gebracht, selbst sein Gewehr, wenn das eure Ladehemmung gehabt hätte. Doch eine Minute später wäre er auch ohne Gewehr, aber mit seinem ganzen Haß zum Angriff auf euren Schützengraben angetreten.

Auch in einem Krieg wie diesem brauchte man Elastizität, und die Kommunisten hatten sie. Hätten sie von Anfang an die Fäden in der Hand gehalten, dann erklänge in den Kirchen der Republik das Tedeum und nicht das Zielschießen, und massenhaft hätten sich Priester gefunden, die, ohne zu zögern, die Messe für den Sieg der Republik lesen würden, anstatt vor einem Zug Milizionäre ihr Leben lassen zu wollen. Die spanischen Bourgeois, die guten Bürger, die zur Messe gehen, schlachteten die Bauern zu Tausenden ab, nur weil sie Bauern waren, und davor schloß die Welt die Augen. Aber der erste Geistliche, der unter den Schüssen der Anarchisten zusammenbrach, die erste Kirche, die in Flammen aufging, ließen die Welt entsetzt aufhorchen und besiegelten das Schicksal der Republik. Eigentlich ist es gerechter, einen Priester umzubringen, weil er ein Priester ist, als einen

Bauern, weil er Bauer ist. Der Priester ist ein Soldat seines Glaubens, ein Bauer ist lediglich Bauer. Doch davon will die Welt nichts wissen.

Teruel war Bischofssitz. Der Bischof war in der Stadt, als die Republikaner ihren Feuergriff um sie schlossen. Aber auch Frauen und Kinder waren dort, Soldaten und Polizisten, für die es kein Entrinnen gab. Doch ganz Francospanien jammerte nur um den Bischof. Plötzlich hieß es dann, die Roten hätten ihn erschossen, aber ich las erst ein Jahr später über den Tod des Bischofs von Teruel in den Zeitungen. Die Anarchisten brachten ihn um, als sie nach Frankreich zurückwichen. Da selbst ein Bischof nicht zweimal sterben kann, ist es klar, daß die Republikaner ihn nicht getötet haben können, als sie Teruel eroberten.

Wenn wir eine Ortschaft besetzten, dann krochen die feinen Herren bleich und schlaff aus den Verstecken; die Priester in ihren Soutanen, die an ihnen wie an Kleiderständern baumelten, so abgemagert waren die Geistlichen vor Angst, und die Frauen der Reichen mit übergroßen Augen in den durch Angst scharfgeschnittenen Gesichtern. Diese Herren und Damen kamen heraus, als wollten sie einer Galacorrida beiwohnen, und die Priester schienen bereit, die letzte Absolution zu erteilen, falls einer der Republikaner ihrer teilhaftig werden wollte. Als ich eines Tages in Zaragoza die Leute aus dem »Grand Hotel« ins Freie strömen sah, da glaubte ich, es gebe eine Festveranstaltung; aber sie wollten sich nur die Gefangenen anschauen, die hingerichtet werden sollten, ungefähr hundert Mann, zu dreien mit Stricken aneinandergebunden, umringt von Marokkanern mit dem Gewehr im Anschlag. An der Spitze des Zuges schritten ein Offizier mit einer Maschinenpistole und ein Priester in einer Stola. Unter den Gefangenen waren auch Knaben, die wie Schlafwandler taumelten und stolperten, ruckhaft mitgerissen auf diesem schrecklichen Marsch durch den sicheren Schritt der anderen Verurteilten. Wenn ich so etwas erblickte, dann empfand ich einen herben Trost bei dem Gedanken, daß die Republikaner zurückkommen könnten, wenn auch nur für ein paar Stunden. Hätte ich auf der Seite der Republik gestanden und einen Zug von Priestern und feinen Herren zur Hinrichtung marschieren sehen, dann hätte ich zweifellos Grauen verspürt. Und doch bedeutete es etwas anderes, wenn ich Menschen meines Schlages, Männer, die die Spitzhacke und den Pflug hatten liegenlassen, um in den Krieg zu ziehen, diesem Tode entgegengehen sah. Deshalb fand ich es gewissermaßen gerecht, daß die Republikaner Teruel einnahmen und dort Leute überraschten, die sich siegreich und sicher wähnten, Bürger und Polizisten, die grausam unter dem Volk gewütet hatten. Ein Bürgerkrieg ist nicht so widersinnig wie ein Krieg zwischen Nationen – Italiener gegen Engländer oder Deutsche gegen Russen –, in dem ich, ein sizilianischer Grubenarbeiter, einen englischen Bergmann töten muß und der russische Bauer auf den deutschen Bauern zu schießen hat. Der Bürgerkrieg ist logischer. Man kämpft für Menschen und für Ziele, die man liebt, für eine Sache, die man erstrebt, und man schießt auf jene, die man haßt. Und keiner kann sich irren in der Entscheidung für die Seite, auf der er zu stehen hat. Ich glaube, unter allen Missetaten wird Mussolini am wenigsten verziehen, daß er Tausende armer Italiener in den Kampf gegen arme Spanier geschickt hat. Ein Bürgerkrieg ist ungeachtet all seiner Grausamkeit eine Art »hora de la verdad«. Als »Stunde der Wahrheit« bezeichnen die Spanier den dramatischsten Augenblick des Stierkampfes. Das Volk zum Beispiel sagt »Schergen« und meint damit Leute, die berufsmäßig die öffentliche Ordnung gewährleisten und sozusagen den Arm des Gesetzes verkörpern. Diese im Volke verbreitete Verachtung scheint also ungerecht und unbegründet, um so mehr, wenn man bedenkt, daß ein »Scherge« ja aus dem Volke stammt. Der Bürgerkrieg aber macht sofort begreiflich, was ein Scherge ist und weshalb das Volk ihn verachtet. Ich habe mich oft gefragt, welchen Anlaß die Polizisten hatten, sich auf die Seite Francos zu stellen. Sie brachen den auf die Republik geleisteten Eid und verrieten das Volk, dessen Söhne sie waren. Es ist nicht anzunehmen, daß sie durch äußere Umstände gezwungen wurden, zu Franco zu halten, etwa aus Angst vor ihren Offizieren oder auch nur aus Gehorsam. Denn sie desertierten aus der Republik, einzeln oder in Gruppen, wobei sie ihr Leben aufs Spiel setzten. In Wirklichkeit konnte es also nur daran liegen, daß sie Schergen waren, in all der Anmaßung und Schlechtigkeit, wie sie das Volk den Schergen zuschreibt, und sie wußten, daß sie in dem Spanien Francos weiter Schergen bleiben und Terror ausüben und, menschlicher Abschaum, der sie waren, sich vor dem Volk in überheblicher Autorität wiegen durften. Die Spanier reden – mit allem Respekt, versteht sich –, wenn sie einen Polizisten erwähnen, wie unsere Bauern, denen es unterläuft, gewisse Körperteile oder unanständige Dinge beim Namen nennen zu müssen. Natürlich sind keinesfalls alle Spanier so.

In Teruel läutete die Todesstunde für viele Polizisten – mit Respekt gesagt. Eins aber muß ihnen angerechnet werden: Im Krieg waren sie nicht feige. Auch sie verstanden, zu kämpfen und zu sterben. Übrigens habe ich im ganzen Bürgerkrieg keinen Spanier kennengelernt, der Angst vor dem Tode gehabt hätte. In dem Augenblick, da sie in Gefangenschaft gerieten, sahen sie ihrem Schicksal gleichgültig entgegen, mancher betrachtete uns sogar voll ironischen Mitleids. Den Jüngsten – es gab ja so viele Knaben in diesem Krieg – war anzumerken, daß sie weinen würden, wären sie allein gewesen, doch so richteten sie ihren Stolz an der Haltung der Älteren auf. Ventura meinte, das spanische Volk sei von allen das würdevollste angesichts des Todes.

Wenn eine Armee in eine Großoffensive geworfen wird, wie die Republikaner gegen Teruel, so können die gegnerischen Truppen, die an ihren Flanken stehen, nicht viel tun, um sie aufzuhalten, es sei denn, daß sich der Widerstand der Streitkräfte, auf die der Angriff trifft, lange hinzieht. Ich kenne mich in der Kunst der Kriegführung nicht aus, ich behaupte das lediglich aufgrund der Erfahrungen von Teruel. Wir standen sozusagen in Tuchfühlung mit Listers Division, wie ein Hund, der neben einem Auto einherrennt. Das Auto fährt schneller, und der Hund merkt, daß er nicht mitkommt, und bleibt keuchend am Straßenrand stehen. In nicht ganz einer Woche hatten die Republikaner Teruel genommen, und wir brauchten eine weitere Woche, um Lister ernstlich angreifen zu können.

Ich hatte geglaubt, in ganz Spanien könnte es, was Schnee und Wind betraf, nicht mehr geben als in Guadalajara. Aber in der Umgebung von Teruel war es weit schlimmer. Ich fühlte mich, als wäre ich aus Glas, und der Wind schnitt mich wie mit Diamantspitzen. Auch die Bilder, die die Pupillen aufnahmen, schienen spinnennetzförmig zu bersten, als lägen sie auf einer Glasscheibe, die in der Mitte von einem unsichtbaren Geschoß getroffen war. Diese Empfindungen kamen mir vielleicht von dem pausenlosen Geräusch des Windes, ähnlich dem, das ein Glaser beim Glasschneiden verursacht, auch von dem gläsernen Knirschen des Schnees unter unseren Füßen und von dem Stechen in den tränenden Augen.

Bei Concud, das Lister zäh wie ein Schäferhund verteidigte, verbrachte ich die scheußlichsten Weihnachtstage meines Lebens. Alle Bilder des Friedens und der häuslichen Geborgenheit, die Mitternachtsmesse, das Spiel um halb acht am Kohlebecken, der Duft des kochenden Kapauns in der Küche, die goldfarbenen Orangen auf dem weißen Tischtuch – all das bildete einen Kontrast zur Wirklichkeit des Krieges. Bei unserem Fest, das wir in einem von Einschlägen halbzerstörten Stall feierten, gab es säuerlichen Wein, der nach Most schmeckte, und ein paar Päckchen amerikanischer Zigaretten. Jeder sah in den anderen sein Abbild: langer Bart, glänzende Augen, eine Decke um die Schultern. Wir boten einen Anblick, der mehr an Gefangene als an Kämpfende erinnerte, und wir fühlten uns auch ein wenig als Gefangene – nicht so sehr, weil die Roten auf dem Vormarsch waren und wir von einem Augenblick zum anderen ihnen in die Hände fallen konnten, vielmehr fühlten wir uns durch den Krieg, an dem teilzunehmen wir gezwungen wurden, in die Lage von Gefangenen versetzt, jene von uns, die begriffen, weil sie begriffen hatten, und die anderen, die nicht begriffen, weil sie nichts begriffen hatten. Kurz, es war nicht unser Krieg, sowohl für den, der dachte, es wäre ein guter Krieg gewesen, gegen Franco zu kämpfen, wie für den, der meinte, er sei eine Angelegenheit, die die Spanier unter sich auszumachen hätten. In jener Nacht merkte ich, daß der Krieg in jedem Soldaten Gedanken hervorrief, die so oder so die Fratze des Faschismus enthüllten. Für die meisten war es eine Fratze des Wahnsinns, des Wahnsinns eines Mannes, der mit dem Rat von Schurken und Hanswursten die Geschichte von Millionen Italienern lenkte und sie wer weiß welchem Abgrund zuführte.

Ventura wurde durch das Weihnachtsfest und den Wein zu scharfsinnigen Betrachtungen angeregt. Es gebe einen Verbindungsfaden, sagte er, zwischen dem Wahnsinn Mussolinis und dem Wahnsinn der Millionen Menschen, die in diesem Augenblick anläßlich der Geburt des Jesuskindes in die Kirche gingen. Und dieser Faden werde von Betrügern gehalten. Sie zogen an dem Faden, und in Spanien brach der Krieg aus. »Jesus Christus«, sagte Ventura, »wird in einem Stall wie diesem geboren. Da kommen die Betrüger und bauen um den Stall herum Goldsäulen auf, legen ein Golddach darüber und machen so eine Kirche daraus. Dann errichten sie neben der Kirche ihre Paläste, bauen eine Stadt, die Stadt der Schlauen. Der Bauer kommt vom Land, sieht, wie schön die Stadt ist, und sagt: ›Hier bleibe ich gern.‹ Und die Schlauen führen ihn in die Kirche, zeigen ihm den Stall und sagen: ›Du hast einen Stall wie diesen und willst in einen Palast gehen? Sieh, wo Christus auf die Welt zu kommen geruhte, um mit dir gleich zu sein. Beleidige ihn nicht dadurch, daß du deinen Stall verläßt.‹ Der Bauer kehrt zurück in den Stall, überlegt dann aber: Wollte Jesus in einem Stall geboren werden, dann wollte er vielleicht damit sagen, es sei nicht gerecht, Menschen in Ställen hausen zu lassen. Und er erscheint wieder in dem Palast und sagt: ›Schaffen wir Ordnung, es scheint mir nämlich nicht nach Gottes Willen zu gehen.‹ Die Betrüger geraten in Wut. Sie erwidern: ›Wenn du wirklich darüber diskutieren willst, können wir dir sofort dienen‹ und rufen Mussolini . . .«

»Und Mussolini beginnt sofort, mit dem Knüppel zu argumentieren«, unterbrach ihn einer aus Palermo. »Es ist wirklich so. Ich erinnere mich, eines Tages, ich war noch nicht zehn Jahre alt, da kam mein Vater mit einer Schramme im Gesicht nach Hause und mußte sich einen ganzen Tag lang übergeben. Er war nahe daran zu sterben, soviel Rizinusöl hatten sie ihm eingeflößt. ›Ich wollte mit einem diskutieren, der behauptet hatte, man müsse die streikenden Eisenbahner aufhängen‹, erzählte mein Vater. ›Er rief seine Kumpane herbei, und die haben mich so zugerichtet.‹ Es ist so, kaum fängt man an zu überlegen, schon setzt es Schläge.«

»Hört auf mit diesen Redereien«, sagte der Unteroffizier, ein Neapolitaner, der einen Haufen Kinder nebst Frau und Schwiegereltern zu unterhalten hatte; das ganze Bataillon wußte bereits von seinen Sorgen. »Hört auf, heute ist doch Weihnachten, das Fest der Familie, Weihnachten und Ostern verbringt man unter den Seinen, denken wir an unsere Familien.«

»Woran willst du denn denken?« rief einer scherzend aus.

»Um diese Zeit feiern deine Schwiegereltern; vielleicht sagen sie gerade: ›Trinken wir eins auf den Esel, der in den Krieg gezogen ist, damit es uns gut geht.‹«

»Du kennst meine Schwiegereltern nicht«, erwiderte der Unteroffizier, »du glaubst zu scherzen, du sagst es, um mich zu ärgern, aber sie denken wirklich so. Wenn ich morgen sterbe, haben sie das Große Los gezogen... Laßt mich um Himmels willen nur nicht daran denken.«

»Denk nicht daran«, sagte Ventura, »denk lieber an Mussolini. Was würdest du zu ihm sagen, wenn er in diesem Augenblick in den Stall träte?«

»Ich würde zu ihm sagen: Duce, du bist ganz wie wir!«

»Und Mussolini würde dir antworten: ›Bravo, arbeite nur weiter in diesem kleinen Krieg, ich werde inzwischen einen anderen für dich aushecken, einen größeren sogar.‹«

»Mussolini denkt immer an Kriege«, warf einer aus Catania ein.

»Hoch lebe unser Duce«, rief der Neapolitaner, »wir verehren in ihm den Gründer des Imperiums!«

Am achtundzwanzigsten Dezember griffen wir Lister mit starken Kräften an. Die Offensive prallte gegen seine Stellungen wie ein Faß gegen eine Mauer. Aber wir erhielten Nachricht, daß die Republikaner auf der entgegengesetzten Seite zurückwichen. Die Journalisten, die bei uns herumlungerten und Teruel durch den Feldstecher beobachteten, begannen in den Zeitungen zu schreiben, daß Franco es zurückerobert habe. Der Krieg in Spanien hat mich jedoch gelehrt, den Journalisten nicht zu glauben. Sie sind wie die Makler, die einen Steinbruch in einen Garten und einen schlachtreifen Gaul in das geflügelte Roß Astolfos umloben. Teruel wurde Ende Januar 1938 zurückerobert, an welchem Tage, weiß ich nicht mehr genau. Es ist aber sicher, daß die Republikaner bis zum achtzehnten Januar Widerstand geleistet haben, und nach dem achtzehnten verließ ich die Front von Teruel und den spanischen Kriegsschauplatz für immer.

In den ersten Januartagen erfuhr Ventura, daß die amerikanische Brigade an der Front in Stellung gegangen war. Er sagte mir nichts von seiner Absicht überzulaufen, er teilte mir lediglich mit, daß die Amerikaner da seien, und ich mochte ihn nicht ausfragen. Am Fünfzehnten sah ich ihn zum letztenmal. Wir waren im Begriff, eine Böschung hinaufzukriechen; es wurde schon dunkel, und über unseren Köpfen krepierten, sprühend wie am Schleifstein des Scherenschleifers die Funken, die Sprenggeschosse eines Maschinengewehrs. Es waren Spezialgeschosse. Ventura erklärte es mir: »Sie töten nicht, aber du mußt die Augen schützen.« Er lag neben mir, gleich darauf war er nicht mehr da, und ich sollte ihn nie wiedersehen. Einen Tag zuvor hatte sich etwas zugetragen, was mich stark erregt und meine Bewunderung für ihn gesteigert hatte. Wir hatten gerade einen Nahkampf erfolgreich beendet. Während wir nun zwischen den Bäumen standen, denen die Einschläge das Astwerk geraubt hatten, und vom Himmel feiner Schnee herabrieselte, tauchte wie ein Gespenst ein republikanischer Soldat auf, mit geschultertem Gewehr, die Hände hoch erhoben, und rief: »Fascista, fascista«, wobei sich ein verlegen-ängstliches Lächeln auf seinen Zügen ausbreitete. Major B. schoß. Das Lächeln im Gesicht des Soldaten schloß sich wie ein Blitzscharnier, seine Augen spiegelten Entsetzen, wie bei einem Menschen, der auf der obersten Sprosse einer Leiter einen Fehltritt tut. Er fiel auf die Knie. Major B. war ein ausgezeichneter Schütze. Er feuerte die beiden Schüsse ab, indem er die Linke wie Tom Mix seitlich über die Pistole hielt. Freilich war der rote Soldat auch nur zwei Schritt entfernt. Die Szene wickelte sich ab wie bei einer Blitzlichtaufnahme. Etwa zehn Sekunden lang schauten wir fassungslos zu, wie ein Fotoapparat, der nur Auge ist und Bilder aufnimmt. Als wir unsere Blicke von dem bäuchlings im Schnee liegenden Körper lösten und einander verstohlen musterten, war der sizilianische Leutnant, den ich sehr sympathisch fand, im Begriff, auf die Knie zu sinken, wie zuvor der Soldat unter den Schüssen des Majors. In seinen Zügen malten sich Abscheu und Entsetzen. Major B. bemerkte dies und warf ihm einen strafenden Blick zu. Der Leutnant gewann die Fassung wieder und schaute auf, um das Gesicht in dem rieselnden Schnee zu kühlen. »Wir können uns den Luxus nicht erlauben, Gefangene zu machen«, sagte der Major; aber ihm war anzusehen, daß das Verhalten des Leutnants ihm an die Nieren gegangen war.

Ein paar Stunden später brachte ein Spähtrupp zwei Gefangene. Jetzt knallt der Major sie nieder, dachte ich. Aber der Major erkundigte sich, ob man sie mit der Waffe in der Hand gefaßt habe; Franco hatte ja bereits seit Guadalajara den Roten, die sich unbewaffnet gefangennehmen ließen, das Leben zugesichert. Die beiden waren jedoch mit dem Gewehr in der Hand ergriffen worden. Der Major suchte mit den Blicken den Leutnant und sah ihn an, als wollte er zum Ausdruck bringen, daß er es allein zu seinem Nutz und Frommen tue und er sich eben an gewisse Dinge gewöhnen müsse, und er befahl ihm, die Gefangenen abzuführen, sie zu erschießen und sie so gut wie möglich zu begraben. Der Leutnant war sekundenlang nahe daran, einen Tobsuchtsanfall zu bekommen, sagte dann aber: »Zu Befehl!«, rief die vier Nächststehenden von uns herbei, und wir entfernten uns mit den Gefangenen, die vorangingen. Ventura gehörte nicht zu den Aufgerufenen, schloß sich uns jedoch an. Uns saß das Entsetzen in den Knochen, uns sechs Italienern ebenso wie den beiden Gefangenen. Es waren zwei junge Burschen. Sie hatten begriffen, daß sie sterben sollten, und sie weinten stumm vor sich hin, wie Kinder, die des lauten Weinens müde sind und nur noch leise schluchzen. Der Leutnant hielt die Pistole in der Hand und zitterte am ganzen Körper. Schweißtropfen rannen ihm über das Gesicht wie Tränen. Er schaute uns verlegen an, und dann die Gefangenen. Nach ungefähr hundert Metern blieb er stehen und sagte: »Hier.« Wir hielten an, auch die Gefangenen standen still. Einer von ihnen fragte: »Que hora es?« Ventura warf einen Blick auf seine Uhr und antwortete: »Las once y cinco«, fügte hinzu: »Más adelante« und wandte sich an den Leutnant: »Noch weiter.« Der Leutnant gehorchte, wir gingen weiter. Ventura sagte zu den Gefangenen: »Calma, nada que temer.« (Ruhe bewahren, keine Angst.) Sie sahen ihn an, als begriffen sie nicht, mit Augen wie Tiere, die unsäglich leiden.

»Alto«, rief Ventura schließlich aus. Wir waren hinter einem Hügel, schneeüberkrustete Brombeersträucher standen hier. Der Leutnant tauschte mit Ventura einen langen Blick, dann wandte sich Ventura an die beiden Gefangenen und sagte: »Con cuidado: a la izquierda.« Er hob die linke Hand und wies nach links, zum Zeichen, daß sie sich entfernen konnten. Die beiden waren ungläubig und hoffnungsvoll zugleich, rührten sich aber nicht.

»A vuestras casas«, drängte Ventura, »adiós.«

Die Jungen sahen einander an, sie hatten begriffen, und rannten los, nach links, wobei sie sich immerzu nach uns umschauten, aber wir standen still wie Statuen. Schließlich verschwanden sie hinter einem Zaun. Nun nahm Ventura dem Leutnant die Pistole aus der Hand und drückte viermal ab in den Schnee. Dann gab er ihm die Pistole zurück. Der Leutnant schob sie mechanisch in das Futteral.

»Rauchen wir«, sagte Ventura.

Am nächsten Abend war Ventura verschwunden. Er wurde totgesagt. Einer findet sich ja immer, der behauptet: »Ich habe ihn fallen sehen.« Aber ich habe ihn gesucht und mir alle Toten genau angesehen, ihn fand ich nicht. Vielleicht ist er wirklich gefallen oder in Gefangenschaft geraten, oder aber es ist ihm gelungen, zur fünfzehnten Brigade, zu den Amerikanern, durchzustoßen. Ich habe alle Sizilianer aus Amerika, die ich später kennenlernte, ausgefragt, doch keiner konnte mir etwas über Ventura sagen. Ich hoffe, daß er am Leben ist und bei seinen Verwandten in Bronx weilt. Ob er nun Gangster ist oder Bier und Eis verkauft, wie er es sich und auch mir gelobte – ich wünsche nur, daß er lebt und daß er glücklich ist.

Am achtzehnten Januar wurde eine zweite Großoffensive eingeleitet. Nach einem gelungenen Durchbruch wurde unsere Abteilung plötzlich von einem Maschinengewehr aufgehalten, das uns zwischen den Bäumen hindurch gezielt mit Sprenggeschossen überschüttete. Ich war hinter einem Baumstamm und meinte wie der Vogel Strauß, der den Kopf in den Sand steckt und so glaubt, geschützt zu sein, es sei unmöglich, daß mir das MG etwas anhaben könnte, da ich doch den Kopf in Deckung hatte. Ich lag auf dem Bauch und streckte die linke Hand aus, die starr geworden war. Plötzlich war mir, als hätte sich die Luft rings um meine Hand in siedendes Wasser verwandelt. Was man empfindet, wenn man unversehens entdeckt, daß die eigene Hand verstümmelt ist, daß sie gar keine Hand mehr ist, entspricht ungefähr dem Gefühl, man sei aus sich selbst herausgesprungen. Ähnlich wie es bei Trickaufnahmen geschieht, wo einer sich im Spiegel betrachtet und sein Abbild sich im Spiegel bewegt, während er selbst stillsteht.

Ich schleppte mich hinter die Kampflinie. In den Fingern, die nicht mehr da waren, spürte ich einen brennenden Schmerz. Eigenartig das Gefühl, als wären die Finger noch da und brennten. Im Lazarett behandelte ein Arzt die Hand, und ich empfand nichts mehr, vielleicht fiel ich für einige Augenblicke in Ohnmacht.

Vier Tage später lag ich im Krankenhaus von Valladolid. Der Krieg in Spanien war für mich beendet.

III

Für mich war der Krieg in Spanien aus; der Schnee, der Wind und die Sonne Spaniens, die Tage im Unterstand und die Angriffe auf die Schützengräben, auf die Bauernhöfe und auf die Landhäuser, die Kämpfe an der »carretera«, der Landstraße nach Frankreich, und am Ebro, der bedrückende Anblick der Gefangenen, die Frauen der Hingerichteten in schwarzen Kleidern und mit welken Augen, und die Frauen aus den Hotels und die Prostituierten – all das war für mich endgültig vorüber. Nie wieder würde ich den Major B., die Offiziere des Tercio, die Polizisten, die Moros, die Navarresen mit ihren Jesusherzen und all die Fahnen dieses Krieges zu sehen bekommen, die Hoffnung, den Haß und den Tod, die die Fahnen ersannen und sie in Spaniens Himmel hoben, so wie ein Schiff im Fahnenschmuck prunkt, wenn auf ihm ein Fest gefeiert wird. Doch in mir, in meinen Gedanken und in meinem Blut, lebte der spanische Bürgerkrieg weiter. Jeder Augenblick meines Lebens würde von dieser Erfahrung getrübt sein, in ihr lagen nun die Wurzeln meines Lebens. Sie regten sich stumm in diesem dunklen Nährboden. Der linke Arm war mir wie ein abgestorbener Ast geblieben, aber die Wurzeln meines Lebens wuchsen weiter.

Dieses Bild des Baumes rührt von einem Traum her, den ich im Lazarett in Valladolid hatte: Ich hatte das Gefühl, nackt zu sein, wie bei der Musterung. Ein Mann ohne Gesicht betastete mich mit eisigen Händen und sprach gleichsam mit sich selbst. Aus seinen Worten folgerte ich, daß er mich für einen Baum hielt. Ich wollte ihm erklären, daß ich doch ein Mensch sei, aber die Stimme versagte mir. Ich spürte, wie meine Worte lautlos in der Kehle platzten, als wären es Seifenblasen. Der Mann ergriff meine linke Hand – im Traum war sie wieder unversehrt – und sagte: »Sie muß abgeschnitten werden, sie ist verdorrt, der Baum wird neue Zweige ansetzen, die Wurzeln . . .« Ich schrie ohne Stimme, die Hand sei gut, es sei eine Hand und kein Zweig, aber alles verfinsterte sich, und ich vernahm im Dunkeln das Klicken einer Gartenschere. Ich träumte viel im Krankenhaus, und immer erschien mir meine Hand unversehrt. Aber es endete jedesmal so, daß etwas darauf fiel und sie mir zerquetschte, oder jemand riß oder schnitt sie mir ab – durch den Schmerz wachte ich auf – und trug sie fort.

Ich litt nicht sehr darunter, daß mir die Hand fehlte. Ein wenig schon, als der Verband abgenommen wurde; denn ich weiß nicht, wie es kam, aber ich hatte den Eindruck gehabt, daß die Hand unter den Binden noch da sei. Als ich nun den Stumpf entdeckte, der in Farbe und Gestalt an eine Wurst erinnerte, die noch frisch ist an dem Ende, an dem man sie aufhängt, da packte mich in den ersten Tagen Verzweiflung. Ich schwitzte beim An- und Auskleiden wegen der Knöpfe, der Schnürsenkel und der Wickelgamaschen oder wenn ich mir eine Zigarette anzünden wollte. Einen Monat später achtete ich nicht mehr darauf, so als wäre ich nur mit einer Hand geboren. Aber beim Zigarettenanzünden verliere ich noch heute die Geduld.

Der Krieg hatte meinen Körper mit seinem Fluch gezeichnet. Wenn aber ein Mensch begriffen hat, daß er die Verkörperung von Würde ist, kann man ihn selbst wie einen Holzklotz zurichten, ihn überall zerfleischen. Er wird immer Gottes größtes Werk bleiben. Wenn an einem Frontabschnitt neue Truppen eintrafen und in die Schlacht geworfen wurden, pflegten Generale und Journalisten zu sagen: »Sie haben ihre Feuertaufe erhalten.« Das ist eine jener hochtrabenden, dummen Phrasen, mit denen man die Unmenschlichkeit der Kriege bemäntelt. In dem Krieg in Spanien jedoch, im Feuer dieses Krieges glaube ich tatsächlich eine

Taufe empfangen zu haben: ein Zeichen der Befreiung im Herzen, ein Zeichen der Erkenntnis, der Rechtlichkeit.

In den Stunden, die ich außerhalb des Lazaretts in Valladolid verbrachte, spazierte ich, in Gedanken versunken, durch die Calle Santiago, oder ich saß im Café »Cantábrico« und brütete vor mich hin, und die Stunden vergingen mir im Fluge. Manchmal verstrickten sich meine Gedanken wie Garnsträhnen, Gott und die Religion verwirrten alles; es gelang mir nicht mehr, den Anfang zu finden und sie zu entwirren. Ich ging ins Colegio des heiligen Gregorio, betrat den Hof, und meine Gedanken lösten sich, sie schwebten über den Worten: Der Stein und das Licht waren hier von der Hand des Menschen in Harmonie verwandelt. Und der Stein schien nicht mehr aus der Sierra zu stammen, das Licht nicht mehr jenes zu sein, das ungehemmt auf Kastiliens Äcker fiel. Ich selbst kam aus einer Welt, in der das Herz des Menschen wie der Stein aus einem Gebirge war und das Licht das Antlitz der Toten fraß. Und nun entdeckte ich, daß der Mensch mit seinem lebenden Herzen, um des Friedens in seinem Herzen willen, Stein und Licht in Harmonie vereinigen, alles emporheben und über sich selbst stellen kann.

Auch die Fassade von Sankt Gregorio zog mich in ihren Bann. Sie war mit allen Symbolen der Geschichte Spaniens verziert, und obwohl ich nicht viel von Spaniens Geschichte weiß, hatte ich doch den Eindruck, daß diese Fassade die Historie und die Schönheiten des Landes widerspiegelte. Valladolid ist eine schöne alte Stadt, ich wäre gern für immer dort geblieben. Ich liebe solche kleinen alten Städte, und ich hoffe, daß ich meinen Lebensabend in einer Stadt wie Valladolid oder Siena verbringen kann, in einer Stadt, in der sich die Vergangenheit des Menschen von jedem Stein ablesen läßt. Aber für mich war der Krieg zu Ende. Auf die »Treue und Ehre«, mit der ich gedient hatte, auf meine verlorene Hand wurden die Stempel der Etappen- und Einschiffungskommandos gedrückt.

Spanien entbot ein letztes nächtliches Zeichen von Land und Häusern, als wäre es in der frostigen Februarnacht wieder ein Land des Friedens geworden. Während das Schiff sich entfernte, begann ein Soldat ironisch zu singen: »Wenn Spanien schläft in seinen heitern, klaren Nächten . . .« Ein Schlager, der schon eini-

ge Jahre alt war, einer von denen, die den bösen Blick werfen –
ich sage das nur so, denn ich glaube an dergleichen nicht, aber
eigenartig ist es doch, daß sich in jenen Jahren Unheil in den
Ländern zusammenbraute, von denen die Schlager zu schwärmen
begannen; vielleicht setzten die Schlager Mussolini Grillen in
den Kopf . . . Wütend rief einer im Dunkeln: »Hör auf!«

IV

Verwandte und Freunde besuchten mich. Sie zeigten sich betrübt
wegen der Hand, die ich verloren hatte, erwogen meine Zukunft
als Rentenempfänger und fanden, ich könne eigentlich Gott danken, daß mir nichts Schlimmeres widerfahren sei. Dann fragten
sie: »Wie ist Spanien?« Als wäre ich zu meinem Vergnügen dort
gewesen und hätte nur durch Zufall die Hand eingebüßt.

»Entsetzlich«, antwortete ich.

Sie waren überrascht. Die Stierkämpfe, die Gitarrenständchen,
die Frauen hinter den Arabesken der Gitter, der Jasmin, die Prozessionen – war das nicht Spanien?

Ich habe nicht eine einzige Gitarrensaite klingen hören. Eine
Corrida verließ ich nach dem ersten gemeuchelten Stier, und die
Frauen sah ich betrunken in den Schenken, keineswegs in ge-
heimnisvoller Zurückgezogenheit hinter Gittern. Auch andere
Frauen habe ich gesehen, zusammengeballt, eine schwarze, kla-
gende Masse vor den Türen der Kommandanturen. Und ich habe
weder den nächtlichen Duft der Jasminsträucher gespürt noch die
Prozessionen in Gold und Weihrauch erblickt.

»Aber schön ist Spanien doch?« fragten sie hartnäckig weiter.

»Es gleicht Sizilien«, antwortete ich, »zum Meer hin wunderhübsch, voller Bäume und Weinberge, im Inneren trocken. ›Brot-
land‹, wie wir das nennen, und zwar mit äußerst kargem Brot.«

»Sind die Spanier arm?«

»Die Armen sind ärmer als wir, und die Reichen sind furchtbar
reich, man muß eine ganze Nacht in der Bahn reisen, um die
Ländereien eines Herzogs zu durchqueren, Güter, die kein Ende
nehmen.«

»Sonderbar«, meinten da meine Freunde. »Hier hat sich Mussolini gegen den Grundbesitz gestellt, er sagt, er wolle die Güter unter die Bauern aufteilen. Auf dem Markt hängen Plakate, dort steht es groß geschrieben: ›Angriff auf den Großgrundbesitz.‹«

»Aber in Spanien haben wir gegen die gekämpft, die die Güter unter die Bauern aufteilen wollen.«

»Dann kämpfen wir in Spanien für die Reichen?«

»Für die Reichen, für die Priester und für die Schergen«, sagte ich.

»Wie ist das möglich? Für die Priester und für die Polizei, das versteht sich, aber mit den Reichen geht Mussolini doch wie mit Schweinen um.«

»Er kann sagen, was er will«, erläuterte ich, »wir werden aber nie erleben, daß den Reichen etwas weggenommen wird, solange Mussolini zu bestimmen hat.«

Wenn meine Mutter mich so reden hörte, dann machte sie mir mit Augen und Mund Zeichen, damit ich schwiege. Waren wir allein, dann bat sie mich, vorsichtig zu sein; ihr stehe vor Angst das Herz still, wenn die Leute kämen und ich so daherrede. Mein Onkel Pietro behauptete, er kenne mich nicht wieder. Als ich abfuhr, hätte ich kaum vier Worte zusammenhängend sprechen können, und jetzt redete ich wie ein Advokat. Es sei geradezu irrsinnig, wenn ich schon im Krieg eine Hand verloren hätte, es noch auf eine Deportation ankommen zu lassen. Meine Frau sagte nichts. Das Bankbuch mit den zehntausend Lire, die sie gespart hatte, schien ihr alles zu entgelten, den Krieg, die verlorene Hand, den Widerwillen, den sie empfand, wenn sie meinen Armstumpf anblickte oder von ihm berührt wurde. Ich fühlte, wie sie zitterte, als liefe ihr ein Schauer über den Rücken, wenn ich sie anfaßte. Liebe hatte es zwischen uns nie gegeben, aber in den wenigen Monaten, die wir zusammenlebten, hatten wir unseren Spaß miteinander gehabt. Dieser Stummel, kalt wie eine Hundeschnauze, genügte nun, ihre Begierde abzutöten. Ähnlich nehmen bestimmte Blumen, sobald man sie berührt, Brandflecke an. Sie war schön. Das Verlangen nach ihr erfaßte mich wie eine Flamme. Kaum befriedigt, war mein Leben wieder frei von ihr, wie von einer Schiefertafel die Schriftzeichen verschwinden, sobald man mit einem Lappen darüberwischt. Sie war schöner geworden, vollkommener in ihren Körperformen. Eifrig täuschte sie ihren Liebesmoment vor; je entrückter sie mir war, desto heftigeres Verlangen täuschte sie vor. Sie war ein gutes Weib. Oder hatte ich mich vielleicht ihr gegenüber verändert? Ich fühlte mich ja verändert an meinem Körper und in meinem Bewußtsein, in ihr aber glaubte ich Böswilligkeit und Verstellung zu sehen. Und ihre Erregung, die sie nicht zu zügeln vermochte, wenn sie von ihrem Bankbuch sprach und davon, was man mit dem Gesparten alles anfangen könne, verurteilte ich als Habsucht, als armselige Freude einer Frau, die nur das Geld liebt. Dabei war es vielleicht die Armut, der wir entronnen waren, die dem Geld in ihren Augen diesen Glanz verlieh, sah doch auch meine Mutter durch die Ersparnisse und durch die Rente, die ich beziehen würde, die Zukunft in hellerem Licht. Ich selbst litt unter diesem Geld, ich hielt mich für einen Meuchelmörder, der sein grausames Handwerk getan und den Lohn dafür empfangen hat, für einen Judas mit seinen dreißig Silberlingen. Ich erinnerte mich an den Augenblick, an den einzigen Augenblick im Kriege, in dem mich die kalte Lust zu töten übermannt hatte: Die Republikaner wichen zurück, und ich schoß mit Berechnung, das Visier ein kleines Stück vor den laufenden Gegner haltend, den ich treffen wollte. Diese wilde Freude, einen Menschen getroffen zu Boden stürzen zu sehen! Es ist mir unbegreiflich, warum in jenem Moment diese Lust mit solchem Ungestüm und zugleich mit solcher Klarheit in mir aufkommen konnte. Der Krieg ist vor allem so schrecklich, weil er uns selbst plötzlich vor uns als Mörder entlarvt, uns zeigt, daß jene Lust zu töten genauso heftig sein kann wie das Verlangen, eine Frau zu besitzen. In jenem Augenblick, in dem ich Mörder gewesen bin, glaube ich das Geld verdient zu haben, das auf dem roten Sparbuch ist. Meine Mutter würde mich vielleicht verstehen, hätte ich ihr gesagt, daß dieses Geld in meinen Augen und vor meinem Gewissen eine Schande darstellt: Es stammt aus einem Krieg, der nicht der meine war und in dem ich gegen Menschen meines Schlages kämpfen mußte, es ist das Entgelt für einen Moment, in dem ich ein Mörder gewesen bin. Sie hätte begriffen, aber nach ihren Anschauungen würde sich alles zu meinem Seelenheil heute und in alle Ewigkeit wenden, wenn ich meine Gedanken einem Priester auf den Knien beichtete und der Madonna einen geringen Teil jener Summe opferte. An der Religion ist mir zuwider, daß die Leute ihr Gewissen dorthin bringen wie eine schmutzige Decke ins Waschhaus und es von neuem sauber über sich stülpen können. Meine Frau jedoch begriff nicht einmal diese Gewissenswäsche, sie empfand Lust und Freude und ging so zur Kirche, wie manche Beschwörungen murmeln, wenn ihnen eine schwarze Katze über den Weg läuft. Ein Muster nachzuhäkeln war das Höchste, wozu sich ihr Verständnis und ihr Sinn für Schönheit aufzuschwingen vermochten. Der Gedanke, ein Kind von ihr zu haben, erschreckte mich.

In jener Zeit war ich wie ein kleiner Junge, der ein neues Spielzeug bekommen hat, ein kompliziertes Spielzeug, von dem er keinen Augenblick lassen möchte. Ich hatte entdeckt, daß es ein unerschöpfliches Spiel sein konnte, über mich selbst und über die anderen, über alles in der Welt nachzudenken – gleichsam ein Fortbewegen in einer endlosen Zahlenreihe. Nicht daß ich mir dieser Entdeckung bewußt war und mich willentlich in dieses entsetzliche Spiel stürzte. Es war etwas Natürliches, wie bei einem Gewächs, das im Blumentopf verkümmert ist und, ins Freie verpflanzt, Blätter und Wurzeln ansetzt. Als Kinder ergötzten wir uns in der Grundschule an einem Zahlenspiel: Wir schrieben eine Null hinter die eins und lasen – zehn, eine andere Null – hundert, und so weiter, eine Null nach der anderen, schließlich langten wir bei Zahlen an, die nicht einmal mehr der Lehrer lesen konnte, und noch immer fügten wir Nullen hinzu. So ist das Denken. Ich fühlte mich wie ein Akrobat, der über dem Drahtseil schwebt, die Welt im Freudentaumel des Fluges betrachtet und sie dann umkehrt, sich selbst umkehrt und den Tod unter sich sieht – ein Seil hält ihn über einem Abgrund von menschlichen Köpfen und Lichtern, und die Trommel rührt derweil den Todeswirbel. Mit einem Wort, ich war von der Manie besessen, alles von innen zu sehen, als wäre jeder Mensch, jeder Gegenstand, jede Tatsache wie ein Buch, das man aufschlägt und liest. Auch das Buch ist ein Gegenstand; man kann es auf einen Tisch legen und nur anschauen, man kann es sogar benutzen, um einen wackligen Tisch zu stützen oder um es jemandem an den Kopf zu werfen. Öffnest du es aber und liest darin, dann ersteht vor dir eine ganze Welt. Warum sollte sich nicht jedes Ding öffnen und lesen lassen und eine Welt sein?

Was mich am tiefsten verletzte und mich noch einsamer sein ließ, das war die Gleichgültigkeit, die alle gegenüber dem Schrecklichen offenbarten, das ich erlebt hatte und das Spanien erlebte. Ich kam mir vor wie einer, der am Tage des heiligen Calogero oder an Mariä Himmelfahrt einem Leichenzug folgen muß: Die Menschen sind übermütig vor Freude, der Marktplatz prunkt in lebhaften Farben, und du schreitest hinter der schwarzgelben Kutsche einher, in der ein Toter liegt. Dein Herz ist schwer vor Kummer, und du mußt durch eine Freudengalerie laufen, und so entsteht in dir Groll gegen das Fest und gegen die Menschen, die sich vergnügen.

Vielleicht ist es das Los aller Heimkehrer, sich an der Gleichgültigkeit der Menschen zu stoßen und sich zu verschließen, bis der Alltag, die Arbeit, die Familie, die Freunde sie wieder voll in Anspruch nehmen und sie sich anpassen müssen. Doch wenn einer aus einem Krieg wie dem spanischen zurückkehrt, erfüllt von der Gewißheit, daß sein Haus an dem gleichen Feuer verbrennen wird, dann gelingt es ihm nicht, aus seinen Erfahrungen nur Erinnerungen zu machen und in den Schlaf der Gewohnheiten zu verfallen. Er möchte vielmehr, daß auch die anderen wach bleiben, daß auch sie wissen.

Aber die anderen wollten schlafen. So dürftig und so niederträchtig in seiner Armut war mein Dorf, daß alle mir neidisch vorhielten: »Du hast Geld gemacht, nun kannst du in Ruhe leben.« Auch die Wohlhabenden sagten das zu mir. Hätte ich nicht meine Hand verloren, ich wäre wieder in die Schwefelgrube gegangen. Auch Spanien war eine Schwefelgrube, der Mensch wurde ausgebeutet wie ein Tier, und das Todesfeuer lauerte im Hinterhalt, um sich von einem Riß auszubreiten; der Mensch allein darin mit seinem Fluch und seinem Haß, und mitten in dem Fluch und in dem Haß, zart wie die weißen Weizenkeime am Karfreitag, seine schwache Hoffnung. Als Einhändiger war ich dagegen verurteilt, die Unterhaltung mit Greisen nach Feierabend zu suchen und mir die Zeit mit ausgedehnten, einsamen Spaziergängen zu vertreiben. Mit den Alten konnte ich mich endlos lange unterhalten. Sie hörten mir zu, als erzählte ich ihnen von den Heldentaten der Paladine von Frankreich, von entrückten Dingen, in denen nur das Blut eine lebhafte Farbe hatte, wie auf den Paneelen der sizilianischen Karren.

Der Sekretär des Fascio tat, als wäre ich seinetwegen, in seinem Namen in den Krieg nach Spanien gegangen. Er war stolz auf meine verlorene Hand. Durch diese Hand lag unser Dorf ebenfalls auf der Waagschale des Sieges. »Ein Ruhmesblatt der Tapferkeit haben wir beschrieben«, äußerte er. So lautete der Schlußsatz der Begründung für die Medaille, die mir verliehen wurde. Von einem Lehrer hatte er eine Kopie der Begründung anfertigen lassen, in Schönschrift und voller Schnörkel, ringsherum verziert mit Bändern und Fahnen in Aquarellfarben. Sie hing eingerahmt zwischen dem Sansepolcristendiplom[1] eines Mitbürgers und dem Bild eines Soldaten, der in Abessinien gefallen war. Fotos von Gefallenen, Diplome und Begründungen für die Verleihung von Medaillen bedeckten die Wände des Parteihauses. Hinter dem Arbeitstisch des Sekretärs hing in einem Rahmen ein Gebot des faschistischen Dekalogs: »Man dient dem Vaterland auch dann, wenn man einen Benzinkanister bewacht.« Nicht ohne Grund hob der Sekretär dieses Gebot hervor. Wache halten am Kanister würde er, darauf konnte Mussolini sich verlassen; schließlich wird Benzin ja auch verkauft. Der Sekretär ließ mich fast jeden Tag holen, er sagte, das Vaterland vergesse gegenüber seinen besten Söhnen nicht seine Dankesschuld, und er wirkte darauf hin, daß sich das Vaterland seiner Dankesschuld mir gegenüber erinnerte. Er wolle, daß mir das Vaterland einen geeigneten Arbeitsplatz verschaffe. Es sei vielleicht ein wenig vergeßlich, denn es habe so viele tapfere Söhne zu belohnen. Der Sekretär verlangte, daß ich ihm Einzelheiten aus dem Kriege erzählte, er brannte darauf, etwas über General Bergonzoli, den »elektrischen Bart«, wie er genannt wurde, zu erfahren, als wäre Bergonzoli ein Fußballspieler gewesen oder ein Torero. Ich erzählte ihm einiges über Bergonzoli, was ich in den Zeitungen gelesen hatte, den Bart hatte ich nie gesehen. Und dann berichtete ich ihm die

1 Die Sansepolcristen waren die ersten Anhänger Mussolinis, benannt nach der faschistischen Demonstration am 23. März 1919 auf dem Platz San Sepolcro in Mailand.

grausamsten Episoden, die ich erlebt hatte, Dinge, bei denen man vor dem Faschismus ausspucken mußte. Ich erzählte sie ihm ungeschminkt, ohne jeden Ton der Entrüstung. Er hörte mir zu, und seine Begeisterung wuchs. »O ja«, sagte er, »das Landvolk ist ein gemeines Pack.« Er meinte die Bauern. »Behandelt man es gut, dann beißt es . . . Ebenso die Schwefelgrubenarbeiter. Es gibt zwar auch solche wie dich, aber in der Mehrzahl sind es Leute, die nur den Knüppel verstehen . . . Die wollten Spanien in die Hand bekommen, wie? Aber unser Duce wacht, an unserem Meer wird sich der Kommunismus nicht festsetzen . . .«

»Eigentlich gibt es nur wenige Kommunisten in Spanien«, entgegnete ich, »die meisten dort sind republikanische Anarchisten und Sozialisten.«

»Alle sind rot«, erwiderte der Sekretär, »alle sind Knechte Moskaus. Und die Anarchisten sind die gefährlichsten von allen, das sind wilde Bestien.«

Eines Tages ließ er mich von neuem holen. Das Vaterland hatte auf seine Mahnungen reagiert. Es erinnerte sich meiner und bot mir einen Schuldienerposten an. Die Schuldienerposten des Vaterlandes aber, das heißt die Pedellenposten, über die der Staat verfügte, waren allesamt in den Städten, in denen es Mittel- und Hochschulen gab; die Hausmeister an den Grundschulen waren nicht »staatlich«. Ich mußte also – der Sekretär bedauerte es lebhaft – meine Stellung in einer Stadt antreten. Vielleicht könnte es sogar eine Stadt in der Nähe werden . . .

»Nein«, sagte ich. »Lieber in einer fernen Stadt, außerhalb Siziliens, in einer großen Stadt.«

»Und warum?« fragte der Sekretär erstaunt.

»Ich will etwas Neues sehen«, antwortete ich.

Siziliens menschliche Stimme
Der Erzähler Sciascia

Von Nino Erné

Von Leonardo Sciascia wußten bis zum Beginn der siebziger Jahre selbst seine Leser kaum mehr, als daß er 1921 in dem kleinen Ort Racalmuto, nicht weit von Agrigent, geboren worden ist, viele Jahre lang Schullehrer war, in heimatlichen Blättern über sizilianische Angelegenheiten zu schreiben begann, um 1960 seine ersten Bücher veröffentlichte, ein paar belanglose literarische Preise bekam und allmählich auch in Italien, das heißt »auf dem Festland«, bekannt wurde. Heute genießt er den Ruf, Ruhm und Ruch eines Unbequemen, vor dem man nicht mehr einfach die Ohren verschließen kann, eines engagierten Schriftstellers, der sich jedoch nie bedingungslos, linientreu und auf die Dauer von einer Partei engagieren ließ. Im Gegenteil: es macht ihm nichts aus, sich polemisch mit den beiden großen Parteien seines Landes gleichzeitig anzulegen, wie er im »Fall Moro« bewiesen hat. Die Democrazia Cristiana war von Anfang an seine Zielscheibe, da versuchte er, und oft gelang es ihm, ins Schwarze zu treffen. Mit den Roten saß er zwar eine Zeitlang gemeinsam im Regionalparlament von Palermo, trennte sich aber enttäuscht wieder von ihnen. Es ist bezeichnend, daß er sich schließlich, 1979, bei den Wahlen zum italienischen und zum Europaparlament für eine kleine, aber radikal oppositionelle, eben die Radikale Partei Italiens, aufstellen ließ. Seine zweite Heimat fand er, ohne die sizilianische aufzugeben, in Paris, der Stadt der voltaireschen Aufklärung. Die Zeitschrift »L'Arc« aus Aix-en-Provence hat ihm kürzlich eine Sondernummer gewidmet. In Frankreich begann sein europäischer Ruhm.

Sciascia hat nur ein Hauptthema. Das ist der einfache sizilianische Mensch, dessen Obrigkeit von Eroberer zu Eroberer wechselt, aber dessen Sklavenleben im wesentlichen dasselbe bleibt, ob die Bourbonen und ihre Statthalter, die Vizekönige, regieren, die Großgrundbesitzer, die Bürokraten des geeinten Italien nach 1871, die Faschisten oder die Beamten der jüngsten Republik. Ja sogar die Freiheitskämpfer Garibaldis, so zeigt dieser gegen offizielle Heldenverehrung unempfindliche Autor, lassen sich Unterdrückung, Ungerechtigkeiten, Massaker zuschulden kommen. In der großen Erzählung *Quarantotto* (»Das Jahr achtundvierzig«) erscheint Sciascias Kernfigur zum erstenmal und auch der extreme Gegenspieler. »Weil ich«, heißt es da, »an die Sizilianer glaube, die wenig sprechen, die sich nicht viel bewegen, die sich innerlich aufreiben und leiden: die Armen, die uns mit müder Geste grüßen, wie aus einer Entfernung von Jahrhunderten – Oberst Carini, immer schweigsam und zurückhaltend, von Schwermut und Verdruß geplagt, aber jeden Augenblick bereit zu handeln. Ein Mann, der anscheinend nicht viele Hoffnungen hat und doch das Herz selbst der Hoffnung ist, die stumme, schwache Hoffnung der besten Sizilianer . . .«

Es ist bezeichnend für Sciascias zwar mitleidende, aber unsentimentale Art, daß er über Carini auf den fast siebzig Seiten der Erzählung kaum mehr als diese paar Worte verliert, während der »Gegenheld«, ein Baron Graziano, allgegenwärtig ist und, als schwimmendes Fettauge auf jeder neuen politischen Suppe, Königtum, Revolution und Restauration überlebt.

Gerade rechtzeitig läßt er zum Beispiel die Bilder der königlichen Familie und des Papstes von den Wänden seiner freiherrlichen Villa verschwinden – und genau dasselbe, nur mit etwas anderem Vorzeichen, geschieht rund hundert Jahre später, 1943, in *La zia d'America* (»Die Tante aus Amerika«). Da fliegen, nach der Landung der Alliierten in Sizilien, Mussolinibilder, faschistische Propagandaschriften und Parteiabzeichen auf die Dächer der gegenüberliegenden Häuser – um am nächsten Tag eilig wieder eingesammelt zu werden, weil sich die Nachricht verbreitet, die Deutschen hätten die Amerikaner zwischen Gela und Licata ins Meer zurückgeworfen. Man ahnt vielleicht aus dieser Parallele, wie Sciascia in dem Buch, das ihn zum erstenmal als großen Erzähler ausweist, die Fäden verknüpft. Schon der Titel *I zii di Sicilia* (1956–1958) faßt die vier Erzählungen des Bandes zu einem Thema zusammen. Denn die »Onkel Siziliens« sind eben die jeweiligen Herren, von denen der arme Mann Protektion oder Fußtritte bezieht, oder auch beides.

La morte di Stalin (»Stalins Tod«), vielleicht zuletzt entstanden, führt auch am weitesten in die Gegenwart hinein, soweit sie eben doch noch – und schon – Geschichte ist. Die Erzählung wird entwickelt am roten Faden der Stalinverehrung eines einfältigen, aufmerksamen, stets zur »dialektischen« Debatte bereiten Kommunisten linientreuester Prägung. Sciascia zeigt, wie dieser Calogero sich erfolgreich anstrengt, jede noch so überraschende Kurve in der Parteipolitik mitzumachen, bis hin zum Wende- und Kulminationspunkt des berühmten Moskauer Parteikongresses, auf dem Chruschtschew die Entstalinisierung einläutete. Unmöglich kann der große Stalin alles das begangen haben, was ihm jetzt vorgeworfen wird: Die Zeitungsberichte darüber sind sicherlich Lügen der imperialistischen Amerikaner. Als endlich an der neuen Sachlage nicht mehr zu zweifeln ist, bricht Calogero zusammen. Aber nach einer fiebrigen Nacht, in der ihm Stalin im Traum erscheint – parallel zum Anfang dieses Meisterwerks, das so eng und sparsam geführt ist wie eine Novelle von Mérimée –, findet er eine innere Möglichkeit, auch dieser neuesten Windung der parteilichen Schlängellinie zu folgen. »Nehmen wir einmal an«, sagt er, »dies alles stimmt. Da sage ich nur: es war das Alter. Stalin fing an, sich merkwürdig aufzuführen, dumme Streiche zu machen. Ich weiß noch, wie Don Pepè Milisenda, da war er achtzig Jahre alt, eines Tages nackt auf die Straße lief. Und der Notar Caruso, sicherlich erinnern Sie sich an den Notar Caruso, schnitt einem Dienstmädchen, das nicht mit ihm ins Bett gehen wollte, die Zöpfe ab. Auch mit seinen Kindern legte er sich an. Und dabei wissen Sie, was für ein guter Mensch der Notar Caruso gewesen ist. So was kommt vor. Und nun denken Sie mal, Stalin, der sich immer nur sein Gehirn zum Besten der Menschheit zermartert hat: Da kam eben ein Moment, da wurde er komisch . . .« Die Welt in der Nußschale – Weltpolitik in einem sizilianischen Dorf.

Schon hier, in diesem frühen satirischen Versuch des »Sympathisanten« Sciascia, sich vom Phänomen des Kommunismus keinen Sand in die Augen streuen zu lassen, kündigt sich seine politische Haltung an, die er bis heute nicht aufgegeben hat und die eben darum wahrhaftig eine Haltung ist. Das heißt: er blieb sich gleich, die Linien der Parteien hingegen schwankten wie das bekannte Schilfrohr im Wind, und zwar sowohl die Democrazia Cristiana, wie der Partito Comunista Italiano, von dem Sciascia sich, hierin wie in manchem anderen Sartre ähnlich, nach zeitweiliger gemeinsamer Arbeit wieder löste. Und zwar deshalb, weil die Kommunisten, anstatt die Opposition gegen die korrupte »Schlendriansregierung«, die »lentocrazia« der Christdemokraten, zu führen, sich mit dem bekannten »historischen Kompromiß« an ihr zu beteiligen suchten.

In *Sizilianische Verwandtschaft* haben wir die Grundmauern von Sciascias bisherigem erzählerischen Gesamtwerk deutlich vor uns: historisch, politisch, menschlich, künstlerisch. Auf die vier Erzählungen von den »Onkeln Siziliens« stützen sich die Romane der nächsten Jahre – soweit man diese Bücher von weniger als 200 Seiten überhaupt so nennen soll, Arbeiten eines Autors, der sich kaum je eine Abschweifung gönnt, der seinen Leser zwar in die Tiefe führt, aber nie in die Breite.

Am ehesten möchte man *Il consiglio d'Egitto* (1963; deutsch unter dem Titel »Der Abbé als Fälscher« bei *Walter/Olten*) einen kleinen Roman nennen, oder auch ein Capriccio, denn hier hat sich Sciascia frei der Freude am Graziösen überlassen, am linguistischen, am stilistischen Spiel, am Ton des achtzehnten Jahrhunderts, in dem die Handlung angesiedelt ist. Immerhin klingt nicht nur das Menuett des Rokoko an, sondern auch schon ein Präludium zur Marseillaise; nicht nur der Spaß am raffinierten Betrüger, dem man letztlich nicht gram sein kann, sondern auch das Entsetzen über die Grausamkeiten einer Zeit, die um des Menschen willen in die Französische Revolution münden mußte.

Wieder erscheinen die zwei Pole sizilianischen Wesens, und wieder nimmt der Betrüger, der Opportunist und Lebenskünstler die Mitte der Oberfläche ein, während der Mann, in dem sich die sizilianische Hoffnung verkörpert, der Advokat Di Blasi, am Rande steht und auf bitterste Weise die Zeche bezahlen muß: mit Folterung und Tod. Zum erstenmal erscheint diese Symbolfigur als Hauptträger der Handlung in dem Buch, das Sciascias Ruhm 1961 in Italien begründete: *Il giorno della civetta* (»Der Tag der Eule«). Es ist ein Polizeihauptmann unserer Tage, allerdings »verfremdet« zum Norditaliener, ein Mann, der an der Mauer des Verschweigens, der »omertà«, scheitern muß, der gegen die Windmühlenflügel des Unrechts, der Lüge und Gewalt ankämpft und von ihnen beiseite geschleudert wird, wenn auch in diesem Fall nicht getötet: ein junger Don Quijote in Sizilien.

Zum Ausgangspunkt nimmt Sciascia wie in den späteren Büchern *A ciascuno il suo* (»Tote auf Bestellung«) von 1966 und *Il contesto* (»Tote Richter reden nicht«) von 1971 ein Verbrechen, das jemand im Verlauf der Handlung aufzuklären sucht; er beginnt also, wenn man will, einen Kriminalroman. Aber es wird ein Kriminalroman, der sich auf den Kopf stellt, denn entgegen der geltenden Fiktion, daß der Schuldige entdeckt und seiner Strafe zugeführt wird, erscheint die sizilianische Wirklichkeit, in der man allenfalls den Kleinen hängt und immer den Großen laufenläßt. Trotzdem: Dieser Hauptmann Bellodi »wußte ganz deutlich, daß er Sizilien liebte und daß er dorthin zurückkehren würde. ›Ich werde mir den Kopf daran einrennen‹, sagte er laut.« Damit schließt das seltsam doppelbödige und auch, trotz allem, romantische Buch. Der unterdrückte Sizilianer steckt hier sogar auch in dem Mafiaführer Don Mariano. Zwischen ihm und seinem Gegner entsteht wechselseitige Achtung. Der Polizeihauptmann beginnt zu begreifen, aus welchen Urgründen und Abgründen Menschen wie Mariano hervorgewachsen sind. Umgekehrt nennt dieser den höflichen, seine Machtposition nicht ausnutzenden Beamten »einen Menschen«, was die höchste Stufe auf seiner Wertskala darstellt.

Mehr als in jedem anderen Buch Sciascias tastet sich die Sprache gelegentlich bis in die Sphäre des Gedichts vor. Das hat wohl als erster der Lyriker Hans Jürgen von Winterfeld erkannt, der vom »bis an den Rand des Lebens noch glasklaren und jenseits des dünnen Glases wetterleuchtenden *Tag der Eule*« spricht. Bellodi sieht zum Beispiel einmal, im Gedanken an seine Heimatregion, »das Filigran der Bäume vor einem weißen Himmel«; knapper läßt sich die Landschaft um Parma nicht zeichnen. Und ein Spitzelgemüt »schwang sich gleich einer Lerche auf und tirilierte vor Freude über die Aussicht, Leiden zufügen zu können«.

Kein Wunder, daß Sciascia gerade mit diesem Buch der Durchbruch bei seinen kontinental-italienischen Landsleuten gelang. Und doch kann man sich nicht verhehlen, daß der eigentliche

Mittelpunkt woanders steckt, nämlich in der ganz und gar un-
romantischen Wahrheit, die von keinem lyrischen Flügelschlag
und keiner Hochherzigkeitsgeste mehr verhüllt wird. Derart
karg, wie gewisse Landstriche im Innern Siziliens, nackt und
böse wirkt *A ciascuno il suo*. Auf 125 Seiten eine große Novelle: im Aufbau, in der Straffheit der Durchführung, in der
Sparsamkeit der indirekten, den Leser zum Mitdenken zwin-
genden Aussage, in der Diskretion und dem Nuancenreichtum
des Stils. Es geht um den Doppelmord an zwei Jagdfreunden –
von denen der eine einen Rache- und Drohbrief erhalten hat,
aber gemeint ist der andere. Grausig-grotesk wird gezeigt, wie
nur ein einziger Mensch, ein Schullehrer, die richtige Spur
verfolgt und sie dann, aus Angst und Bequemlichkeit, am liebsten wieder aufgeben möchte; grausig-grotesk, wie der Täter,
in Panik geraten, genau in diesem Moment seine Geliebte auf
den Lehrer ansetzt, so daß der die Spur in begehrlicher Ritter-
lichkeit wiederaufnimmt. Grausig-grotesk, wie er von dem
Rendezvous, das ihm das »prachtvoll-unschuldige Geschöpf«
gibt, nicht zurückkehrt, spurlos verschwindet, gleich vielen vor
und nach ihm. Dieser dritte Mord wird nicht einmal gezeigt,
nur ein Nachruf auf den Lehrer gesprochen, so kurz und trok-
ken wie alles übrige, im abendlichen Zirkel am großen Platz:
»Er war ein Dummkopf.«

So endet die finster-ironische Parforcetour, in der es keinen
Helden gibt, auf keiner Seite, weder einen donquijotesk unterlie-
genden Polizeihauptmann noch einen düster stolzen Mafiaführer:
nur den gutartigen, aber schwächlichen, hin und her zappelnden
Kleinbürger, ein paar Schufte und eine Frau, die immerhin etwas
vom dunklen Glanz stendhalscher Renaissance-Verbrecherinnen
ausstrahlt. Ihr Bild, wie sie im schwarzen Witwenkleid stunden-
lang vor dem Grab des Ermordeten kniet, wobei sie den Blicken
ein Stück ihres weißen Schenkels über dem schwarzen Strumpf
darbietet, gehört zu jenen Szenen, in denen Sciascia mit drei, vier
Strichen Siziliens Wesen und Schicksal umreißt.

Il contesto heißt auf deutsch »der Zusammenhang«, wobei
aber auch die Bedeutung von contestare, »bestreiten«, und conte-
stazione, »der Protest, die Demonstration«, mitklingt. Als Unter-
titel steht hier »eine Parodie« – und im Nachwort erklärt der

Autor, er habe sein Buch als eine Art Divertimento begonnen, habe gewisse Techniken und Klischees (eben die des Kriminalromans) paradox benutzt, aber zum Schluß sei ihm der Spaß vergangen. Warum? Weil die Realität seine Phantasie inzwischen eingeholt hatte, ein Staatsanwalt in Palermo tatsächlich erschossen worden war? Oder weil die Blutvergiftung durch das mafiose Unwesen immer höher gestiegen ist, den ganzen italienischen Stiefel infiziert hat, und wer weiß welche Länder noch sonst? Zum erstenmal nennt Sciascia Sizilien nicht ausdrücklich beim Namen, aber auch auf ihn trifft zu, was sein Freund Guttuso gesagt hat: »Selbst wenn ich einen Apfel male, ist das Sizilien.« Welches ist der Protest? Ein unschuldiger ehemaliger Sträfling erschießt Richter und Staatsanwälte in Eigenjustiz. Die »Geheime Staatspolizei« benutzt den Fall, um ihr Süppchen zu kochen und gegen linksextremistische Gruppen, vermeintliche oder echte, vorzugehen. Der christliche Minister, dem diese Geheimpolizei untersteht, ist auf dem besten Wege, sich mit der »Internationalen Revolutionären Partei« zu arrangieren, er genießt das Zukunftsbild eines »revolutionären« Innenministers, der auf die protestierenden Arbeiter schießen läßt. Womit wiederum, geschrieben vor 1971, ziemlich unverhüllt die Liaison dangereuse zwischen der Democrazia Cristiana und dem Partito Comunista Italiano vorausgesehen wird, in der das Italien späterer Zeit Rettung vor einem Rechtsputsch zu suchen scheint.

In einer Gesellschaft, die sich bis zur heiteren Selbstverständlichkeit an das Unrecht gewöhnt hat, gerät Inspektor Rogas, der einzige ehrliche Verfechter des Rechts, schließlich fast zur Identifizierung mit dem Attentäter, der Gewalt und Unrecht mit den Waffen von Unrecht und Gewalt zu treffen sucht. Höhepunkt des Ganzen ist ein Gespräch zwischen dem Inspektor und dem Präsidenten des Obersten Gerichtshofs, einem verzerrten Spiegelbild von Dostojewskis Großinquisitor. Der nun verteidigt ein absolutes, unfehlbares »Recht«, das jeden Justizirrtum ausschließt, da es ganz gleichgültig sei, ob ein Richter im Einzelfall irre, wie ja auch in der Kirche die Transsubstantiation immer und ohne Ausnahme stattfinde, selbst wenn der vollziehende Priester ein Sünder ist. Als Erzfeind dieses Rechts aber nennt der Präsident jenen Voltaire, der den *Traktat über die Toleranz*, anläßlich des Todes *von Jean Calas* schrieb und dann Jahre damit zubrachte, dessen Unschuld zu beweisen. Sciascias Weltsicht und Lebenshaltung wird in der ungeheuerlichen, leisen, ironischen Dramatik dieses geistigen Duells offenkundig, auch wenn er nur seine Personen sprechen läßt. Es ist eine zum weitesten und tiefsten Sinn des Wortes vorgetriebene Liberalität, bis hin zur Selbstaufgabe, zur Selbstzerstörung. Denn der liberale Mensch, so erkennt ein Autor, der auf die Erfahrungen der letzten zweihundert Jahre zurücksieht, fern jenem morgendlichen Optimismus der großen Aufklärer, so erkennt schon gar ein Hellsichtiger auf der noch immer mittelalterlichen Insel Sizilien: der »Scheißliberale«, wie er heute von Links und Rechts genannt wird, muß zerrieben werden zwischen den Mühlsteinen unfehlbarkeitsbewußter Dogmen, er wird gefoltert, erschlagen, hingerichtet, und dabei bleibt es gleichgültig, ob dies durch eine kirchliche Inquisition zum Ruhm Gottes geschieht oder durch eine militärische oder Polizeimacht zum Heil einer Regierungsform, einer Nation, einer Gesellschaft.

Um diese Mafia-Trilogie gruppieren sich alle Bücher Sciascias aus seiner frühen und mittleren Zeit, so daß man letztlich doch von einem einzigen großen Roman, einer Sizilianischen Saga sprechen kann. Wie tief und fest miteinander verflochten das alles ist, erkennt man erst im Überblick, etwa wenn einem auffällt, daß der Advokat Di Blasi aus dem *Consiglio* von 1963 eben jenen Voltaire liest, gegen den der Präsident im *Contesto* 1971 polemisiert, oder daß er sich unter der Folter an einen Renaissancedichter namens Antonio Veneziano erinnert, über den ein Essay in dem 1970 publizierten Band *La corda pazza* steht. (Der Titel ist nicht unmittelbar übersetzbar, er geht von dem Bild aus, der Sizilianer habe drei Schnüre, die sein Triebwerk in Gang halten, wie die Gewichte einer alten Uhr, und die dritte Schnur sei eben die der Narrheit, eine »corda pazza«.) Dort finden sich auch ein paar Seiten über den Polizeichef Matteo Lo Vecchio, die Hauptfigur in der dialogisierten historischen Erzählung *Recitazione della controversia liparitana dedicata ad A. D.* (1969), die wiederum einen vergeblichen Kampf um Aufklärung im 18. Jahrhundert schildert und – Alexander Dubcek gewidmet ist. Auch die Kurzgeschichten eines Sammelbandes, erschienen 1973, aber

entstanden längs des bisherigen Weges als begleitende Stil-
übungen, Exkurse, Nebenprodukte, fügen sich dieser großen Ge-
samtkonzeption ein. Das Buch heißt *Il mare color del vino* (»Das
weinfarbene Meer«) nach einer frühen Erzählung, die nichts weiter enthält als eine Reisebekanntschaft im Zug und trotzdem die
ganze sizilianische Familie, das Verhältnis zwischen Eltern und
Kindern, zwischen einem Mädchen und einem jungen Mann so-
ziologisch heller durchleuchtet als viele dickleibige Abhandlun-
gen. Andere dieser Geschichten hat der Autor aufs äußerste zugespitzt: die »Pointe« triumphiert. Es sind zwölf im ganzen, und
sie beweisen wieder einmal, daß die Italiener Meister dieser Form
sind. Sciascia hat die Kurzgeschichte zwar nicht im Laboratorium
genial weiterentwickelt wie Italo Calvino, er hat sie auch nicht zu
einem persönlichen Gefäß für Ängste und Visionen gemacht wie
Dino Buzzati: Er bleibt durchaus in der Tradition, einer Tradition, die immerhin von Boccaccio bis Pirandello reicht und die er
so virtuos handhabt wie kaum einer seiner Zeitgenossen. Zumal
sein Humor, ein schepperndes, doch auch zuweilen befreiend
ausbrechendes Gelächter, wird in diesen Geschichten hörbar: So
erhebt sich Sciascia aus den Fallgruben des mafiosen Daseins,
etwa wenn er schildert, wie der angebliche Dorftrottel, ein Ara-
ber, schlauer ist als die gesamte Polizei; oder gar, wenn zwei
Mafiosi sich absprechen, was sie vor der neugebildeten Antima-
fia-Kommission aussagen wollen, wobei der Autor das Wort Mafia in schier diabolischer Ironie bis in seine ethymologischen
Wurzeln zurückverfolgt.

Ungefähr seit 1974 kann man den Eindruck gewinnen, daß
Sciascias Lust am Fabulieren hinter dem unmittelbaren Notieren
zurücktritt: im Dokument, Kommentar, Tagebuch. *Todo modo*,
in jenem Jahr erschienen, wahrt zwar noch die Form des Romans,
sie erscheint jedoch mehr als Rahmen für die ironisch gesehenen
»geistlichen Exerzitien« einiger Mächtiger in einem Klosterhotel,
als Anlaß zum Schwelgen in literarisch-philosophisch-theologi-
schen Gesprächen und Anspielungen, von »Linus« bis zur Bibel,
vom alten Cato über den Marquis de Sade und Pius II zu Freud,
vom »Decamerone« zu Mallarmé und Ionesco, von Augustin und
Tertullian zu Spinoza und Pascal, La Rochefoucauld und Voltaire;
und da der Icherzähler ein berühmter Maler ist, wird auch von

Antonello und Grünewald geredet, vom Surrealisten Delvaux und Karikaturisten Steinberg, von Bacon, Rouault und, besonders intensiv, der Christusdarstellung Odilon Redons *Todo mode* ist auch wieder ein Kriminalroman, aber ein ad absurdum geführter Kriminalroman. Der erste Mord geschieht fast genau in der Mitte des Buches und der dritte ganz am Ende, sozusagen statt einer Auflösung. Wie in Chandlers Beispiel vom »Martini ohne Olive« oder vom Kriminalroman, dem die letzte Seite herausgerissen worden ist, so wird hier eine Lösung zwar gegeben, aber in Form einer Anspielung auf Poes »Verlorenen Brief« und eines längeren Zitats aus Gides Roman »Die Verliese des Vatikans«, was den normalen Leser offenen Mundes zurückläßt.

Ein Jahr später, im Bericht über das Verschwinden eines Atomphysikers zur Zeit des Faschismus, *La scomparsa di Majorana*, ist das erzählende Element fast verschwunden, um so breiter ergeht sich Sciascia in Spekulationen über das gar nicht so undurchsichtige Rätsel um das politisch folgenreiche wie menschlich imponierende Verschwinden eines Mannes, der, vielleicht, schon vor dem Zweiten Weltkrieg die Atombombe hätte ermöglichen können. Wohin Sciascias Interesse – zumindest für einige Jahre – zielt, zeigt dieser schmale Band ebenso wie seine auch nur 70 bis 80 Seiten umfassende Edition und Kommentierung der Briefe zwischen dem Bischof Angelo Ficarra und seinen Oberen, die man ihm in die Hände gespielt hatte. Das Buch ist übrigens, und kaum von ungefähr, nicht bei Sciascias etabliertem Verleger Einaudi in Turin erschienen, sondern in Palermo, unter dem bissigen Titel *Dalla parte degli infideli*, »auf der Seite der Ungläubigen«. Schon während der Niederschrift von *Il contesto* hatte die Wirklichkeit die Fiktion eingeholt und überholt. Ähnliches wiederholt sich nun hier. Denn der Ausgangspunkt, den der Autor sich für seinen Roman *A ciascuno il suo* ausgedacht hatte, eröffnet tatsächlich die Aktionen gegen den Bischof, der sich nicht als Wahlpropagandist vor den Wagen der alleinseligmachenden christlich-demokratischen Partei spannen läßt: ein anonymer Brief, zusammengesetzt mit Buchstaben, die aus einer Nummer der offiziellen vatikanischen Zeitung »Osservatore Romano« ausgeschnitten sind. Diesen Geschehnissen geht Sciascia nun nach, er macht das sorgsam gehütete Intrigenspiel der vatikanischen Behörden Stück für Stück vor dem Leser sichtbar. Und am Ende wundert er sich selbst, daß er darüber zum Verteidiger eines Priesters geworden ist – allerdings eines Mannes, der innerhalb seiner Kirche auf ähnliche Weise ein unbeirrbarer Einzelgänger blieb wie Sciascia bei den Kommunisten: »In der Kirche gegenüber«, so heißt der letzte Absatz, niedergeschrieben im August 1979, »– mit dem wohlwollenden, toleranten, scharfsinnigen, aber vielleicht auch verwirrten und verwirrenden Chruschtschow – geschah gerade etwas ganz ähnliches.« Und an einer anderen Stelle spricht er von »den Wurzeln des inquisitorischen – oder stalinistischen – Prozesses«. Die Parallele darf man freilich nicht überstrapazieren insofern, als der Bischof trotz allem ein treuer Sohn seines Glaubens ist, Sciascia dagegen ein treuer Sohn seines Unglaubens, der sich nicht auf das kommunistische Dogma hat einschwören lassen.

Keine Erzählung, sondern Polemik ist das Buch über den *Fall Moro*, in dem Sciascia der Democrazia Cristiana Heuchelei und den Kommunisten vorwirft, daß sie sich in ihrer Anbiederung an die Christdemokraten, in ihrer Bereitschaft, ebenfalls Moro zu opfern, statt zu verhandeln, wieder einmal als Partei von »Law and order« zeigten.

Ferner erschienen in den späten siebziger Jahren ein großes Interview mit der französischen Journalistin Marcelle Padovani über Sizilien als Metapher oder Symbol, als Buch unter dem Titel *La Sicilia come metafora*, und, vermutlich als wichtigstes oder doch für sein Denken, seine Weltanschauung aufschlußreichstes seiner letzten Bücher, das Tagebuch *Nero su nero*, (deutsch im Verlag Steinhausen 1981 unter dem wörtlich übernommenen Titel »Schwarz auf Schwarz«). Darin wird Sciascia ganz unmittelbar als Kenner, ja als Erbe der französischen Moralisten und Aufklärer sichtbar, der von diesem Punkt außerhalb seiner sizilianischen Welt auch Sizilien und das Problem Siziliens bewegt. Über diesen neuen Sciascia, der gleichwohl im Grunde der alte, nur in der Ausdrucksform neu ist, über den Berichterstatter, Kommentator, Politiker und Polemiker wäre ein eigener Essay zu schreiben; hier müssen Andeutungen genügen, denn vorzustellen war, und ist noch immer, der sizilianische Erzähler Sciascia.

Wir glauben, nach jahrhundertelanger Liebe zu dieser Insel,

eine Ahnung zu haben von ihrer Wirklichkeit, und doch bleibt vieles daran uns unbegreiflich. Die besten Lehrer, Wegweiser, »Fremdenführer« sind ihre Schriftsteller, und gerade dieses Jahrhundert ist reich an sizilianischer Literatur: Giovanni Verga, Luigi Pirandello, Elio Vittorini, Salvatore Quasimodo, Giuseppe Tomasi di Lampedusa, Vitaliano Brancati, Leonardo Sciascia. »Der Leopard« wurde ein Welterfolg, aber die Bemühungen, Sciascias größeres, organisch gewachsenes und planvoll gefügtes Werk im deutschen Sprachraum anzusiedeln, blieben lange Zeit immer wieder stecken. Dieser Aufsatz ist eine veränderte, erweiterte, ergänzte Fassung eines Versuchs, der schon zweimal erschien, zuerst im März 1975 unter der Redaktion des unvergessenen Paul Schallück in der Zeitschrift »Dokumente«. In Italien, dann im literarisch hellhörigen Frankreich, und wohl auch in England hat sich längst die Erkenntnis durchgesetzt, daß dieser Sizilianer heute zu den zwei, drei besten italienischen Schriftstellern zählt. Vielleicht ist jetzt auch bei uns der Zeitpunkt gekommen, daß wir, die wir so begierig der fürstlichen Stimme Siziliens zugehört haben, nun auch ihre menschliche hören wollen.

Ausgewählte Belletristik bei C. Bertelsmann

Gregor von Rezzori
Blumen im Schnee
256 Seiten

Kurt Vonnegut
Blaubart
Roman, 352 Seiten

Mary Kingsley
Die grünen Mauern meiner Flüsse
Aufzeichnungen aus Westafrika
320 Seiten

Angelika Schrobsdorff
Das Haus im Niemandsland
Jersualem war immer
eine schwere Adresse
240 Seiten

C. Bertelsmann